放蕩記

村山由佳

集英社文庫

放蕩記——目次

放蕩記

第一章 ──棘

「あんた、また太ったんちゃうか」

　顔を合わせるなり、美紀子《みきこ》は言った。夏帆《なつほ》の連れてきた年下の恋人の前で、聞こえよがしに。

「べつに。暮れに来たときと変わってないけど」

「そうか？　ようまあコロコロ肥えて、針でも刺したらプチンとはちきれそうやんか」

　ぷっとふきだした大介《だいすけ》が、夏帆の表情を見て笑いをおさめる。

「お母ちゃんもなあ、女学校時分はよう太ってたけど、はたち過ぎたら自然にスッと痩せたで。あんたのんは何でやろう。もうそろそろ中年太りかいな」

　母親のこういう物言いは、毎度の挨拶のようなものだ。本人は気のきいた冗談のつもりなのだから、いちいち目くじらを立てるほうがおかしい──と、いくら自分にそう言い聞かせても、胸の内側がざらり、ざらりと鮫肌《さめはだ》になっていく。

　こみあげる苛立《いらだ》ちを、夏帆は深く息を吸いこんで抑えた。

リビングの外には冬枯れの庭が広がっていた。その向こうに、近所の農家から借りている畑が続く。父の伊智郎《いちろう》が、勤めていた製薬会社を定年退職してからしばらくして買った土地と家だった。千葉県の木更津《きさらづ》は東京から電車でも車でも片道一時間半ほどの距離だから、いつか息子や娘たちがその気になれば同居もあり得るのではないかと、あの当時は思ったらしい。さすがに十数年たった今となってはあきらめたとみえ、美紀子の社交性も助けになってか、老夫婦はすっかり地域に馴染《なじ》んで、ささやかな田園暮らしを満喫しているようだった。

大根の並ぶ畝《うね》のあたりで、伊智郎が何やらかがみこんでいるのが見える。勤めていた頃に比べてずいぶん小さくなってしまった父の背中に、夏帆は胸を衝《つ》かれた。

「そういえばあんた、年はいくつになってん」

「……三十八だけど」

「さんじゅうはち！」美紀子が大仰な身ぶりで天を仰いだ。「はああ、おっそろし。こっちも年とるわけやなあ。そうか、あんたも目のまえ四十か。そら間違いのう中年太りやわ」

「もういいよ、その話は」

そんなにひどく太ってなんかいないのに、と夏帆は思う。それを言うなら、隣の大介のほうがずっと太っている。ただ夏帆の場合、胸まわりの肉づきが多少豊かなせいか、実際よりさらにふっくらと見えてしまうのは事実で、昔からそれが夏帆のコンプレックスであることは美紀子もよく知っているはずだ。それなのに、今日初めて家に連れてきた恋人の前で、どうしてわざわざそんな話題を持ちだす必要があるのだろう。母親の言葉ならば娘が傷つくはずはないと思いこんでいるのか、それとも、母親ならば娘を傷つける権利があるとでも思っているのか。

「このごろは何か書いてるのん？」

「書いてるよ、もちろん」

書かなきゃ食べていけないじゃない、と夏帆は言った。

「どんなん書いてんの」

「いろいろ」

「いろいろ、て……」

見かねた大介が横から割って入り、

「去年から小説誌に連載してたのがちょうど今月号で終わったところなんですよ」

夏帆のかわりに答えてくれた。

「ヨーロッパを舞台にした話だったんですけどね。あと、女性誌の連載とか、新聞や週刊誌にもエッセイを……」

「私《うち》もな、女学校時代から、国語では学年で一番やったんよ」

遮るように言って、美紀子が胸を張る。

「へえ、そうだったんですか」

「そらもう、作文はいつでも先生に読みあげられてたしな。お芝居することになったら脚本も任されたし、主役もやらされたし。こう見えてもうち、何やらしても巧《うま》かってんで。ほんまやったらこの子みたいに小説も書いてみたかったけど、なんし途中からは戦争のまっただなかやろ。とてもとても、そんな呑気《のんき》な時代やなかった」

「じゃあ、あれですね。世が世ならって言うのも変ですけど、もしかしたら親子二代で作家になってたかもしれませんね」

「さあぁ、それはどやろ」美紀子は顎をあげて笑った。「まあとにかく、自慢やないけど文章で人に負けたと思たことだけはなかったわ。今でもないし。手紙とか、このお母ちゃんに書かせてみ、上手やでぇ」

ずっと黙りこくったままテーブルに目を落としている夏帆を、大介が横目でちらりと見た。

「このお茶、おいしいですね」話題を変える。「もしかして、玉露《ぎょくろ》ですか?」

ちゃうちゃう、と美紀子は華やいだ顔で笑った。

「ふつうのお煎茶《せんちゃ》やんか」

「へえ。淹《い》れ方ひとつでこんなに旨《うま》くなるものなんだ」

「夏帆、あんた、お茶も満足に淹れてあげられへんの? お母ちゃんの子やのに、あかんなあ」

思わず息を吸いこんだ夏帆が口をひらく前に、

「いや、俺はふだん、お茶はあんまり飲まないほうなんで」と、大介が言った。「でも彼女、毎朝コーヒーをとても上手に淹れてくれますよ」

いろいろ気を遣わせちゃってごめんね、と、帰りの車の中で夏帆は大介に謝った。

「びっくりしたでしょ」

「何が」

「うちの母親。昔から、ああいう人なの」

「や、べつにびっくりはしないけど」

「いやな思いとか、しなかった？」

「なんで。お母さん、可愛《かわい》い人じゃない」

「えっ？」

「冗談好きでさ。話しながら、いたずらっぽく首すくめて舌なんか出すし。俺なんかが言うのも失礼だけど、おちゃめで可愛らしい人だと思ったよ」

「……ふうん」

それならいいんだけど、とつぶやくと同時に、車が料金所のゲートに滑りこむ。

空色のワーゲンは夏帆の車だが、ハンドルは大介が握っている。七つ年下の大介は、何をやらせても器用でそつがない。二人で出かけるとき、夏帆はたいてい助手席の側だ。今日も、往復三時間ほどの距離をずっと大介が一人で運転してくれていた。

後部座席には大きな段ボール箱が載っている。伊智郎が、丹精した野菜を箱いっぱいに詰めてくれたのだ。白菜、ほうれん草、葉も泥もついた太い大根。積みこむところを見ていた美紀子が、夏帆の脚とどっちが太いやろな、と言った。

「そういえばさ。お母さんて、なんで関西弁なの」

夏帆は、苦笑いして答えた。「関西人だから」

「それにしたってバリバリだったよ。お父さんはそれほどでもないのに」

「お父ちゃんはほら、ずっと外で働いてたから。でもお母ちゃんのほうは、関東へ越してきてからもう四十年以上になるのに、全然直らないの。っていうか、そもそも直す気がまるでないの。『うち、あきまへんねん、いつまでたっても関西弁がどないしても直らしまへんねん』っていうのが、あの人お得意の自慢だから」

「自慢？」

「そう、自慢」

海の上を渡る道路は横風が強い。この先は東京湾の向こう岸につながる長い海底トンネルに続いている。

窓の外遠く、対岸の工業地帯の灯りが揺れてきらめき、遥《はる》か彼方《かなた》には小さなロウソクのような東京タワーがそびえている。二人が一緒に暮らす部屋は、ちょうどあの足もとあたりにある。

「夏帆はさ」

ともすれば横風に流されるハンドルをしっかりと握りしめ、慎重に車線を変えながら大介が言った。

「お母さんには、きついね」

「え、そう?」

「あの家にいる間じゅう、ぴりぴりしてたし」

「……そっか」

ぴりぴりしちゃってたか、と夏帆はつぶやく。

「せめて今日ぐらいは、あなたにそういうところを見せないように頑張ってたつもりだったんだけど。ごめんなさい」

「いや、謝ることはないけどさ。ああいう夏帆は初めて見たから、俺としてはお母さんのキャラより何より、そっちのほうがびっくりした」

「うん。ごめん。でも、私が母に対してきついって、人から言われたのは初めてかも。これでもあの人に対してはいつも遠慮して、ずいぶん気を遣ってるつもりだったから」

「ああ、うん。それはわかったよ。けっこういろいろ我慢してるんだなってことはさ」

夏帆は再び苦笑いした。

「たぶん私、自分で思う以上に、あなたに甘えちゃってるんだろうな」

「どういうこと?」

「あの母親に対する、何ていうのかな、私のこういうちょっと複雑な感情の部分はね。

今までは、秋実《あきみ》以外の誰にも気づかれたことなんてなかったの。たぶん兄貴だってそう深刻なものだとは考えてないと思う。離れて暮らしてたから無理ないんだけど……でも、あなたには、たったの数時間ああして一緒にいただけで見抜かれちゃったわけでしょう？」

いや、見抜いたっていう以前に見え見えだったけどね、と大介は言った。

「まあ、どちらにしてもよ。つまり私は、自分の中のこういうややこしい部分を、あなたの前ではつい油断して見せてしまうってことなんだなあと思って」

大介は、少しのあいだ黙っていた。そして言った。

「嫌いなの？　お母さんのこと」

「……そうじゃ、ないけど」

「じゃあ、何かこう、わだかまりみたいなものでもあるとか？」

――わだかまり。

そんな簡単な言葉でくくれるようなものではない、と夏帆は思う。しかしまた逆に、それ以外には言いようがない気もする。

「おかしいよね。昔はあの人のこと、大好きだったはずなのに。いつからこうなっちゃったんだろ」

子どもの頃は、母親と一緒にいるのが嬉《うれ》しくてたまらなかった。美紀子は躾《しつけ》にはひどく厳しく、少しでも口答えをしようものならたちまち頬をひっぱたかれたものだが、逃げ足のはやい妹の秋実に比べて夏帆のほうは従順で、叱られるのは自分が悪いのだから仕方ないと思っていた。クラスの友だちがみんな、夏帆ちゃんのお母さんて面白い、あんなお母さんがいたらいいのに、と羨ましがってくれるのが誇らしかった。昼休みに弁当箱のふたを開けるのが毎日楽しみだった。そう、大介が言うように、美紀子は冗談好きで快活で、茶目っ気があって綺麗《きれい》でおしゃれで……ほんとうに自慢の母だったのだ。

　でも今は、と夏帆は思う。今となってはもう、あの母のあれやこれやが厭《いと》わしく思えてたまらない。とくに、どんな時でも常にまわりの注意を引き、自分が話題の中心でなければ気のすまない美紀子の性分が。

　だが、夏帆が面と向かってその言動をたしなめたことは一度もなかった。たぶんそれは父も同じはずだ。父にしてみれば、女房に意見してもかえって後が面倒とわかっているぶん、早々にあきらめてしまうほうが楽だったのだろう。

　いずれにしても、おかげで美紀子は、結婚を機に親もとを離れて以来、精神的成長という意味においてはいわば野放しのまま年齢を重ねてきてしまった。一度も社会に揉《も》まれたことのない、七十八歳のわがまま娘。始末に負えないといえば、これほど始末に負えないものもない。そう口にすると、

「ずいぶんと辛辣《しんらつ》だね」と、大介が苦笑した。「そこまで言うほどのものじゃないように思うけど。さっきのほら、あなたが太ってるのどうのって話だって、ほんのささいな気持ちの行き違いでしょ。真面目《まじめ》に怒るようなことじゃない」

「違うの。あのひとことがどうしても許せないとかじゃなくってね……」

個別の問題ではないのだ。むしろ、あんなにもささいなことにまでいちいち神経が焼き切れそうになるという、それ自体が問題なのだと夏帆は思う。

それはつまり、夏帆の側のこじれた感情が、どれだけ飽和状態に達しているかという証《あかし》でもある。あの母を、どうしてもうまく赦《ゆる》すことができない。いったい母の何を、どこを、これほど疎《うと》ましく思うのかすらよくわからない。それでも、母と父は日に日に老いていく。放っておくわけにもいかないではないか。

ふと、秋実のことを思い浮かべて、夏帆は苦さと諦めのいりまじったため息をついた。

年の離れた兄の弘也《ひろや》は東北に赴任中だから仕方ないとしても、世田谷《せたがや》に住んでいる妹までが、実家にはなかなか顔を出そうとしない。そのくせ、まだ小さい子どもらを遠慮なく自分の夫の両親に預け、夏帆の家に遊びに来てはあきれたように言うのだった。

〈お姉ちゃんはさ、へたくそなんだよ。お母ちゃんの言うことを、みーんなまともに受けとめちゃうんだもの。あんなの適当にかわしとけばそれで済むのに〉

それができるなら苦労はしない、と夏帆は思う。

習慣とは、如何《いかん》ともしがたいものだ。子どもの頃から秋実は何でも「適当にかわし」続けてきたし、その彼女に対して、美紀子はあまりとやかく言おうとしなかった。いまだにそうだ。たまに顔を合わせることがあっても、秋実に対してはそれこそ太っただの何だのと茶化すわけでもなければ、年はいくつになったと訊《き》くこともなく、ましてや自分が女学生だった時代の自慢話もしない。一を言えば逆に十も二十も言い返してくる次女に対して、どうやら美紀子の側にも苦手意識があるらしい。

だから、秋実にわかってもらおうと思っても無理なのだ、と夏帆は思う。母親との間にどうしても生じてしまう軋《きし》みや罅《ひび》のようなものを、妹はきっと、意識したことさえないだろう。互いにいちばん近くにいるはずの姉妹なのに、この救いがたいほどの遠さはいったい何なのだろう。

高速道路の継ぎ目を、タイヤが規則正しく踏んでいく。

カタン……カタン……カタン……カタン。

「あの人を」

声が喉に絡み、夏帆は咳払《せきばら》いをした。

「あの母のことを、愛してないってわけじゃないのよ」

大介は黙っている。

「もちろん、愛してもらえなかったなんて言うつもりもないしね。ただ……」

カタン……カタン……カタン。

促すように、運転席の大介が首を傾ける。

「ただ?」

「……ううん。ごめん、やっぱり、うまく言えない」

「ただ――充分では、なかった?」

一瞬、なぜだか泣きそうになって、夏帆は窓の外に目をやった。

下り坂にさしかかり、道路の向こうに広がる暗い水面が、みるみる目線よりも高くせり上がっていく。行く手には丸いトンネルがぽっかりと口を開けている。

空色のワーゲンはいま、時速百キロで東京湾の海底深くへ吸いこまれようとしていた。

＊

夏帆の頭の横には、傷跡がある。左耳の上、こめかみからわずかに髪の中へ入ったあたりだ。生まれた時、いや、生まれるより前に付いた三センチほどの傷。母親のおなかの皮と一緒にメスで切られ、あとから慌てて縫い合わされた跡だった。

たいへんな難産だったと聞かされている。兄と十年も離れて生まれたいわゆる〈恥かきっ子〉は、どうやら妊娠中からあまりにも大事にされ、育ちすぎてしまったらしい。胎児の頭が大きくて、どうしても産道を通らなかった。

母親の美紀子いわく、

〈産道をひろげるためや言うて、何べん風船を中でふくらまされたか。それでもあかんかってん〉

そのうちに、羊水《ようすい》だけがぜんぶ先に流れ出てしまった。このままでは臍帯《さいたい》が圧迫されて赤ん坊が酸欠になってしまう。母子ともに命が危ない。思わぬ非常事態にうろたえた担当医は、町内のほかの産婦人科からも医師たちを集め、三人がかりで美紀子を取り囲んだ。

この期《ご》に及んでの帝王切開には全身麻酔をしたいところだが、羊水とて無くなってしまった今、胎児の脳に影響が及ぶかもしれない。そう説明を受けた美紀子は、局所麻酔だけでおなかの皮を切ってもらうことを選んだ。長くかかった手術の間、廊下で待つ父のところまで、切れぎれの悲鳴が聞こえてきたそうだ。

い、た、い、で、すう。い、た、い、で、すう。

そんな時にまで丁寧語——というあたりに、なんとなく時代を感じる、と夏帆は思う。

〈せやかてな、上が男の子やったやろ。どうしても、どーうしても女の子が欲しかってんもん。てっきり、あんたで最後やと思てたしな〉

幼い頃、夏帆がせがむたびに、母親は何度でも同じ話をくり返してくれた。

〈あんたがでけたとわかった時に、お父ちゃんがな、まあ殺生《せっしょう》なこと言わはるねん。『女を産む自信があるんやったら産んでもええ』って〉

それで、おかあちゃんはなんていったの？

〈お母ちゃんもほれ、意地持ちやろ？　『ほんなら絶対、何がなんでも女の子産んでみせます』て言うたった。まあ、それでまた男の子やったら、清一《せいいち》のとこへやろか、いう話もあってんけどな〉

清一というのは美紀子の弟で、子どもに恵まれなかった。けれど、よその子になったところを想像した夏帆が泣きそうな顔をすると、美紀子は笑いながら慰めてくれた。

〈そうは言うても、あれだけ痛い思いをして産んだ子ォやもの。男の子やったから言うて、よそへやるなんてことはとうていできひんかったやろな〉

ほんとにほんと？　あたしがもし、おとこのこでも、どこへもやらなかった？

〈ああ、どこへもようやらんわ。夏帆は、女の子でも男の子でも、お母ちゃんの子ォや〉

そんな話をするとき、母親はたいてい鏡台の前のスツールに腰かけていた。当時は狭い借家住まいで、よちよち歩きの妹を含めた家族全員がおのずと一部屋に集まらざるを得なかった。六畳の真ん中にこたつが置かれ、押し入れの前のひと隅に脚つきのテレビが据えられ、そのテレビにはゴブラン織りのような埃《ほこり》よけのカバーがかかっている。その反対側の壁に寄せて置かれた鏡台と、丸くて赤いビニール張りのスツールとが、美紀子にとっては唯一の自分だけの場所だったのだ。

だが、夏帆はあの頃、鏡台の前に座る母親が嫌いだった。そこに座ると、母親は必ず鏡を見ながら化粧を始める。あるいはコットンにしみこませたピンク色の液体で顔を拭きとり、乳液か何かを塗りたくり始める。時には、乾いてから剝がすパック剤を塗って、顔じゅうがてかてかと光っていることもあった。面白いから代わりに剝がさせてやろうかと言われても、夏帆は頑《かたく》なに首を振って嫌がり、美紀子からあきれられた。

化粧品の人工的な匂いが、どうしても苦手だった。幼稚園の友だちが、母親の口紅をいたずらして叱られたなどと言うのが信じられなかった。あんなに臭いものをよくさわれる、と思った。

〈けったいな子やなあ。女の子のくせに、お化粧の匂いがあかんの？　大人になったらどないするつもりやの〉

だが、そんなふうに言う一方で美紀子は、夏帆にあまり女の子らしい格好をさせなかった。髪はいつも短く切らせたし、父方の従兄《いとこ》からのお下がりのデニムや、ロゴの入ったTシャツなどを着せては、

〈あんたにはボーイッシュな格好がよう似合うなあ〉

そう言われると夏帆もまた自ら、男の子っぽい格好のほうが好きなふりをするようになった。

ふりだったものは、いつしか本当になっていった。フリルやリボンのついたピンクの服なんかより、青いチェックのシャツとジーパンのほうがずっとおしゃれだ。いつのまにか、母親からの受け売りのままそう信じるようになっていた。

あれは単に、我が家の経済的な事情だったのかもしれない、と今になって夏帆は思う。なぜなら、二つ違いで生まれてきた妹の秋実には、もはやお下がりではなく新しいピンクの服が着せられていたからだ。男の子のような格好が似合う、と母親が夏帆を褒めそやした裏には、お古ばかり着せている娘を可哀想《かわいそう》に思う気持ちとともに、そうせざるを得ない後ろめたさがあったのかもしれない。

いったい、幼い頃の服装や髪型などという些細《ささい》なことが、その後の人格形成にどれだけ影響するものかはわからない。

とりあえず夏帆に限って言うならば、ずいぶん大きくなるまで――十代の半ばを過ぎるまで、自分の中に芽生えようとする〈女の子らしさ〉が許せなかった。お願いだから初潮なんか来ないでほしい、胸よふくらまないでほしい、と本気で祈ったほどだ。

逆に、赤ん坊の頃からピンクの服を着て育った秋実は、やがて当たり前のように母親の化粧品に興味を示し、当たり前のように女らしくなっていった。夏帆が知る限り、思春期にさほど深刻な屈折もなかったようだし、妻や母の役割も例によって要領よくこなしているように見える。

そんな妹が、夏帆は眩《まぶ》しくてならなかった。人生に対するあの晴れ晴れとした疑いのなさは、自分にはとうてい真似《まね》のできないもののように思えた。

大学を卒業するなり早々と嫁いでいった妹に遅れること、二年――二十六歳のとき、夏帆もまた結婚をした。

急いだのは、母親の美紀子にこう言われたからだった。

〈あんたも式を挙げるつもりやったら、お父ちゃんが定年になる前にしときや。辞めはってからでは、ちゃんとしたことができひんようになるで〉

予定の一年ほども前からホテルを決めて打ち合わせに通い、お互いの職場の上司や同僚や友人たちを招き、教会で司祭のもとに式を挙げ、披露宴をした。最後までウエディングドレスのまま通してお色直しはしなかったが、そのかわり演《だ》し物の多い、なかなかに派手やかな披露宴だった。

　七年ほどで、別れた。

　両親を訪ね、別れる理由について初めて打ち明けた時、夏帆は涙だけはこぼすまいとした。なにも、夫となった人の側にだけ非があったわけではない。それなのに親の前で自分が涙を見せれば、その場にいない彼を責めることになってしまう。残念な結果になったとはいえ、一度は愛し、夫婦として共に暮らした人だ。その彼に対して不当なことはしたくない、そう思った。

　けれど、ひととおりの事情を話し終えた夏帆に向かって、美紀子はあっけらかんと、むしろ勝ち誇ったように言ったものだ。

〈やっぱりな。今やから言わしてもらうけど、お母ちゃんは最初っから、あの子がどぉーもあかんかった。はっきり言うて、人として好かんかった。案の定や。勘が当たったわ〉

　なぜ別れるのだと責めたてられたわけではないのに、夏帆はなぜか、足もとをすくわれた気持ちになった。

　ひとことめがそれか、と思った。結婚前から彼の人間性に不信を抱いていたのなら、どうしてその時に言ってくれなかったのだ。

　いや──いや、違う。美紀子は、夏帆が付き合いだした頃から結婚生活の間もずっと、彼のことを実の息子以上に可愛がっていたはずだ。

〈礼儀正しいし、気は優しいし、なかなかええ子やないの。あんたにしたら上出来や、大事にせなあかんで〉

いつもそう言っていた。あれが嘘《うそ》や芝居だったとはとても思えなかった。

＊

「要するにあの人は、いつでも自分を私より優位に置いておきたいのよ」

テーブルの上を片づけながら、夏帆はつい腹立たしげな口調になった。

実家を訪ねた翌日だった。大介と遅い朝食をとっていた時、ふとしたきっかけで美紀子の話題になったのだ。

「『ほーれ見てみ、お母ちゃんは鋭いやろ、最初からみーんなわかってたんやで』。そう言いたいわけ」

「なるほどね」

「まあ、今に始まったことじゃないけど」

あの当時のことを思い出すと、いまだに胸の裡《うち》がざわつく。夏帆が手にした布巾でぐいぐいとテーブルを拭くのを、大介はどこか面白そうに目を細めながら眺めていた。

「昨日だってほら、言われたじゃない。お母ちゃんの子やのに、お茶も満足に淹れてあげられへんの、って」

「ああ、うん。目が吊《つ》り上がってたよね」

「誰。私？」

「そう」

夏帆は口を曲げて肩をすくめた。

「あっそ。吊ってましたか」

「かなりね」

「それは失礼。でも、あの時ね。あなたがああしてさりげなくかばってくれたのは、なんか嬉しかったな」

大介は答えずに、目だけでかすかに笑んで膝の上の猫を撫《な》でた。

彼のその、太くて節高な指が好きだ、と夏帆は思う。頬やあごを覆う無精ひげも、ぐりぐりと上下する喉仏も。

大介とは、二年前の夏に出会った。出会った次の週にはもう、一緒に暮らし始めていた。職などあって無いような男だったが、彼には何か、夏帆を惹《ひ》きつけずにはおかない、或《あ》る種の匂いのようなものが備わっていた。それまで彼女が一度も嗅いだことのない匂いだった。

学生の頃から今に至るまで、夏帆には、恋人のいない時期というものがほとんどなかった。恋をしていない時期なら、まったくなかったと言っていい。いつも、誰かを、好きだった。異性との恋愛のほかに、少女たちの多くが思春期に通りすぎる同性への恋慕まで数に入れるとすれば、もう四半世紀ものあいだ恋をし続けている勘定になる。よくもまあ飽きもせず、懲りもせず——と、自分にあきれながらふり返るとき、過去の恋愛はしかし、甘さも苦さもすでにおぼろげで、まるでいつか誰かから聞かされた思い出話のようだ。夏帆にとって、恋とはつねに、ふり返るものではなく今このとき身を浸すものなのだった。

東南向きのマンションの部屋は、窓からの光が眩しい。太陽は高く、壁の時計は午後一時過ぎをさしている。

夏帆と大介の一日はいつもこうして、世間が昼と呼ぶような時刻に始まる。それで何も困らない。二人とも、外へ働きに出るわけではないのだ。夏帆のほうは、書きものの合間に気が向けば家事をし、家事の合間に気が向けばまた書きものをする。大介はといえば、パソコンに向かって夏帆にはよくわからない仕事をし、夜になるとふらりとどこかへ遊びに出かけて朝方戻ってくる。そうして、その彼の帰りを待ってから、夏帆も眠る。どちらからともなく目が覚めた時にはたいてい昼を過ぎている。それが日常だ。

美紀子には、だから電話はできるだけ午後にしてほしいと頼んであるのだったが——。

「ひとの話を、ちっとも聞いてないっていうかさ」

今朝《けさ》も、十時前からひたすら鳴り続けるベルに起こされたばかりだった。ゆうべ夏帆たちから、只今《ただいま》帰りつきました、という連絡がないままだったので、

〈ずーっと心配してってんで〉

受話器の向こうの美紀子は恨めしげに言った。

〈まったく、十時いうたらもう昼やんか。早《は》よ起きぃな、だらしない〉

母親のあきれ声に、ゆうべ帰宅してからも朝まで仕事をしていた夏帆はじわりと苛立ったが、例によって文句は胸に納めた。ごめんね、ゆうべこっちに着いた時にはもう遅かったから、きっと寝ているると思って電話しなかったの、とだけ答えた。

「夏帆も、寝てるとこを起こされるのがほんとに嫌なんだったらさ。『昼過ぎまでは頼むから電話しないで』って、もっと強く言えばいいじゃん」大介がもっともなことを言う。「へんに遠慮して言わないから、真意が伝わらないだけなんじゃないの？」

それは、そうなんだろうけど、と彼女は口ごもった。

「けど？」

「親に向かって、電話するな、だなんて言えないよ」

「なんで」

「なんでって言われても」

「だって、たかが午前中だけのことでしょ。それだって、急な用事の時にまで電話するなって言ってるんじゃないんだし」

それもそうなんだけど……となおも口ごもりながら、伝わらなさに焦《じ》れる。

どうしてそんな簡単なひとことでさえ母親に強く言えないのか、じつは夏帆にもよくわからない。とにかく鈴森《すずもり》家では、娘が母親に異議申し立てをするなどありえなかった。夏帆が美紀子に対して思うさま自分の欲求を主張できた時代があるとすれば、ほんの一時期だけ――生まれてから物心つくまでの数年間だけだ。

「やっぱり、私には無理っぽい」

と、夏帆は言った。

大介が、黙って片方の眉をあげる。

「それにあの人、誰かに何かちょっとでも強く言われるとヘソ曲げちゃうしね。とばっちりを被《かぶ》るのは、一緒に暮らしてるお父ちゃんだから」

最初の結婚に失敗してから後、夏帆は実家に戻らなかった。ここで戻ったら、もう二度と家から出られないのではないかと思ったからだ。その時、戻ってきて欲しそうな父のそぶりに気づきながら背を向けたという負い目が、夏帆の中にはいまだにある。母親に心を添わせることが難しかったぶんだけ、父親とは昔から仲が良かったのに。

「まあ、夏帆がいいならいいんだけどさ」

「ごめんね。あなただって朝からうるさくて迷惑だよね」

「俺は何も。電話なんか鳴ったってまず起きないし、起きたところで眠けりゃまた寝りゃいいんだし」

「……ありがと」

大介の持つ、七つも年下とは思えないほどの鷹揚《おうよう》さに、夏帆はしょっちゅうこうして救われる。いちいち比べるのもどうかとは思うが、それはかつて夫だった人にはあまり感じたことのない美質だった。

「コーヒー淹れようか？」

「あ、いいね」

夏帆が立ちあがると、ソファの上で寝ていた猫の雷太《らいた》があくびをし、悠然と伸びをしてから飛び降りてキッチンまでついてきた。やかんに水を満たす彼女の足もとに、灰色の体をぐりぐりとすりつける。

夏帆が豆から挽《ひ》いてハンドドリップで淹れるコーヒーは、深煎《ふかい》りだけに濃いのだが、大介にも来客にも評判がいい。沸騰する直前で火を消し、円を描くように湯を注ぐと、挽いた粉が生きもののようにむくむくと盛りあがり、あたりに香ばしい匂いが漂いだす。その匂いを鼻から肺の奥深くにまで吸いこんで初めて、夏帆の脳はようやく覚醒する。大介のためだけではない、夏帆自身にとっても、それは仕事脳に切り替えるためには不可欠の一杯なのだ。

夏帆が書いた小説が新人賞を獲《と》ったのは、最初の結婚をして間もない頃だった。当時はまだ、誰もが携帯電話を持っている時代ではなかった。自宅で受賞の報《しら》せを受け、夢の中にいるようなふわふわと頼りない気分のまま、夫の職場に電話をかけてそのことを告げたとき、受話器の向こうで彼の声が震えたのを覚えている。二人とも、若かった。

もしも自分が作家になどならなかったなら、あの結婚はそのままずっと続いていたのだろうか――夏帆は、いまだに時折そう考えることがある。

夫だったひとは、ふつうに優しい人だった。いささか頑固で偏狭なところはあったにせよ、それらは彼なりの男らしさにも通じていて、夏帆も結婚当初は彼を頼り、生活にまつわる多くのことを彼の判断にゆだねていたのだ。

けれど、作家としてデビューをし、しばらく経《た》ってふと気がついてみれば、いつのまにか夫婦の間の力関係はずいぶんと歪《いびつ》になっていた。

夫よりも妻の稼ぎのほうが多くなるにつれて夫婦関係がぎくしゃくしてくる、というパターンは、世の中にいくらもあふれてはいる。だが、自分たちの間にあった問題はそれだけではなかった気がする。

新人賞の授賞式の日に、選考委員の一人に言われた言葉を、夏帆はいまだに忘れることができない。文壇で誰一人知らぬ者のないその大御所作家は、彼女を前にしてこう言ったのだった。

〈あなたは、もう結婚しているの？　――そうか、じゃあこれからが大変だな〉

何の気なしにこぼれた言葉だったのかもしれないが、気にかかった夏帆が、それはどういう意味でしょうかと訊き返すと、そのひとは向き直り、真摯《しんし》に説明してくれた。

〈おめでたい日に嫌なことを言うようだがね。すでに作家として名をなしている女性が結婚して主婦になるのと違って、主婦である女性がこれから作家になってやっていくというのは、いろんな意味で難しいことなんだ。夫のある身でどれだけ深くて不埒《ふらち》な作品が書けるか、というのもその一つだけど、それ以前に、これまでは平穏にいっていた夫婦の間がたいていはうまくいかなくなる。誰にでも、自尊心というものがあるからね。あなたがこれから作家として売れれば売れるほど、今のご主人と仲良くやっていくのはおそらく難しくなっていくよ〉

何を言われているのか、理解はできた。けれど夏帆は、大丈夫だと思った。自分ならばそのあたりはちゃんとうまくやれる。どんなに妻の稼ぎのほうが多くなっても、そのことで偉ぶらなければいいだけのことだ。常に夫の顔を立て、決してないがしろにしないようにすれば、夫婦の間にそうそう波風が立つこともないはずだ……。

収入は、すぐに夏帆のほうが多くなった。作家の仕事など博打《ばくち》のようなものだから、当たった時だけはそこそこ大きい。そして、当時はけっこう当たりが続いてくれて、生活はたちまち豊かになった。

だが、夏帆の裡では、あの言葉がまるで予言のような力を持って鳴り響いていた。そして、収入が増えれば増えるほど、なぜか罪悪感を覚えるようになっていった。罪悪感……あるいは危機感、恐怖感だろうか。せっかく築いた平穏な夫婦関係を、こんなことで壊してしまいたくはなかった。

夏帆は、夫に向かってことあるごとに口に出すようにした。

〈ごめんね、ろくに家事もしないで小説なんか書いてて〉

〈私一人じゃ作家なんてやっていけないね〉

〈あなたが協力してくれるおかげで私は書けるんだよ〉

大介が、コーヒーをすすりながら鼻のあたまに皺《しわ》を寄せる。

「なんか、出来過ぎじゃない？　あまりにも〈妻の鑑《かがみ》〉って感じで嫌みだよ」

「まあね。自分でも、今ふり返ればそう思うけど」

苦笑気味に、夏帆は言った。

だが、あの当時、嘘を言っているつもりはなかったのだ。夫のおかげで書ける、と心から思っていたし、事実そういう部分は大きかった。ただ、あまりにもしょっちゅう、熱をこめて言い過ぎたのかもしれない。途中からは夫のほうがその理屈を楯《たて》に取り、尊大にふるまうようになっていった。お前は俺がいるから書けるんだ、俺の言うことを聞け、と。

それってさ、と大介が淡々と言う。

「夫婦間のバランスがどうとかいうより、むしろ、典型的なヒモ付き女のパターンじゃん」

「ヒモ？」びっくりして、夏帆は言った。「だって彼、自分も働いてたわよ？」

「それでも、夏帆より稼ぎはうんと少なかったわけでしょ。俺もまあ、人のことは言えないけど」

「それは、でも……」

「ヒモってのはさ、稼ぎがないくせに、たいてい女より威張ってるわけ。なぜって、自分の女にナメられたら、快適なヒモ生活はそこで終わりだから。それを避けるためには、ありとあらゆる手を使って、自分の側が支配権や主導権を握ろうとする」

「あらゆる手って？」

「たとえば、セックスとか暴力とか」

「あのひとはどっちも別に、」

「じゃあ、言葉は？」

「え？」

「言葉の暴力っていうのもあるでしょ」

夏帆は、ぐっと詰まった。

黙ってしまった彼女を見ながら、大介が煙草《たばこ》を一本取りだしてくわえる。ジッポーの音が小気味よく響く。

「そりゃあ、あなたにとっては七年間も大事に想《おも》い合った人なんだろうから、かばいたくなるのは無理ないけど、俺なんかからすれば充分ヒモと同じに見えるけどね。男としての立場とか境遇がってことじゃなくて、女に対するやりくちがさ」

大介が横へ向かって吐きだした煙の匂いが、それでもテーブルのこちら側に漂ってくる。

自分では煙草を吸わない夏帆だが、恋人の吸う煙草の匂いだけは嫌ではなかった。むしろ精神安定剤のようだった。そっと鼻腔《びこう》を広げてそれを吸い込み、気持ちを落ち着かせる。

言葉──。言葉の、暴力。

どうだろう。かつて夫だったひとから、いわゆる罵詈雑言《ばりぞうごん》の限りをつくされた覚えはない。けれどそのわりには、彼の口から出る言葉にひどくおびえていたのは確かだった。いつも、身構えていた。何か言われたくないことを言われて傷つく前に回避しようと、常に先回りして下手《したて》に出ていた。常に先回りするためには、常に顔色をうかがわなくてはならなかった。

ねえ、と大介が言う。

「今ふっと思ったんだけどさ」

「……なに」

上目遣いに見やる。大介は、その夏帆の視線をまっすぐにとらえて言った。

「あなたが旦那さんに対して取ってた態度って、考えてみたら、小さい頃からお母さんに対して取ってきた態度とそっくりなんじゃないの」

まさか、と否定しようとして、夏帆はしかし、唇を半開きにしたまま動けなくなった。おびえて……身構えて……先回りして夫の顔色をうかがう自分。その夫の顔が、じわじわと溶けてにじみ、美紀子の顔に重なってゆく。

いったい、あの母親の何にそれほどおびえていたのだろう。

言葉の、暴力?

言葉の？

言葉、だけ、だったろうか？

——その瞬間。

とつぜん夏帆の脳裏に、あふれんばかりの緑と、一点の緋色《ひいろ》がよみがえった。

新緑の林。小さなてのひらにのせた沢ガニの甲羅。

山道をゆく母の背中は、すでに遠かった。

＊

悪い思い出ばかりだったわけではないのだ。年の離れた兄がどうだったかはわからないが、夏帆たち姉妹は子どもの頃、美紀子によってわくわくするような驚きをしょっちゅう味わわせてもらった。

小学校から帰って玄関を開けると、目の前に子犬がいたり。桜があんまりきれいだからと、わざわざ姉妹ともに早退させ、お弁当を持って花見に出かけたり。七夕《たなばた》の夜が雨降りでしょんぼりしていたら週末にプラネタリウムへ連れていってくれたこともあったし、夏休みに麦わら帽子をかぶらされてたどりついた先が海辺の宿だったことも……。

何かにつけてサプライズをもたらすのが好きな母だった。企《たくら》みが功を奏して相手が驚くのを見ると、自分まではしゃいで上機嫌になった。だが逆に、思ったほどの効果があげられなかったり、何か思いどおりにいかないことがあった場合には、美紀子はひどくがっかりした顔になり、たちまち不機嫌になるのだった。

あれは、夏帆が小学三年生で、秋実は一年生の春だったと思う。アルバムに残る写真には、二人ともが当時流行《はや》っていたチューリップハットをかぶって写っている。秋実の帽子はピンク、夏帆のはブルーだった。

その時もやはり、どこへ行くとも聞かされずに出かけた。電車に長いこと乗り、降りたらどこかの山の登山口だった。何という山だったかは思いだせない。秋実を連れていくくらいだから、丘に毛が生えた程度の低い山だったのだろう。

それでも、歩きだすとすぐに額や背中が汗ばんだ。秋実が甘えて手をつなごうとすると、美紀子は、あかん、と振りほどいた。

「お姉ちゃんを見てみ。一人でシャンと歩いてるやないの」

「おねえちゃんは、もう八つだもん。あたしより二コも上だもん」

「二コやのうて、二つ」

「二つも上だもん」

秋実はむくれていたが、夏帆のほうは母親にもっと褒めてもらいたくて、二人の先を背筋を伸ばして歩いた。

足もとに踏みしめる山の土は、家の庭土よりもずっと黒々としていた。傍らの斜面から滲《し》みだした水が、冬の間に積もった枯葉を濡《ぬ》らし、新しく生えてきたばかりの草の根を潤しながらちょろちょろと流れている。ありとあらゆる緑のグラデーションからなる草むらに、その時、赤く輝くものが見えた。夏帆が立ち止まると、ささっと草の陰に隠れてしまった。

何だろう、今の。何かの虫？

「どうしたの、おねえちゃん」

追いついてきた秋実が後ろから覗《のぞ》きこむ。

「今、何かいた」

「何かって？」

「わかんないけど」

わかんないから〈何か〉なんじゃない、と思いながら、指先で草むらをそっとかきわける。また、赤いものがちょろりと横へ走った。

「あ、ほら！」

見えた？　と妹に訊いたのに、

「えー、わかんないよ」

気のない返事だ。

「あんたら、何してんの。早よおいで」

先へ行った美紀子が、ふり返って呼んでいる。

はあい、と走って後を追いかける妹の背中に、夏帆は、すぐ追いつくから、と言った。

そろりとしゃがみこむ。再び草むらをかきわけていくと、ふいに、それが手前に這《は》いだしてきた。

「カニ！」

夏帆は思わず叫んだ。緋色の沢ガニだった。甲羅よりもほのかに淡い色の脚で、ツツ、ツツツ、と横に這うと、握りこぶしほどの石の下に隠れてしまう。

「夏帆ー、何してんの？」

「ちょっと待って、今行くー！」

ルビーみたいに美しいあれを、何とかつかまえて母に見せたい。左手をのばす。下にいるはずのカニをつぶさないよう、そっと石をつかむ。

「夏帆ー！」

母の呼び声に苛立ちが混じる。どうしよう、でもあともう少し……もう少し。左手で石を持ち上げると同時に、右手でぱっと押さえた。てのひらの下で、小さくて堅い生きものがじゃぎじゃぎと動く。左手の指を添えてまさぐりながらようやく甲羅をつまみあげることに成功すると、夏帆は跳ねるように立ちあがって駆けだした。

母親と妹はずいぶん先へ行ってしまっていた。つぶしも逃がしもしないくらいの力でそうっとカニをつまみながら、脚だけ全力で動かして走るのは難しかった。

「お母ちゃん」

息を切らして呼ぶと、美紀子は体ごとふり返った。坂を登っていく夏帆には、チューリップハットのつばが邪魔になって母親の顔が見えなかった。

ようやく追いつき、

「ほら！」

と右手を突きだす。指の間で小さなハサミをふりあげている生きものを見て、秋実が、わあ、と歓声をあげた。

次の瞬間、夏帆は手を払われ、あっと叫んだ。

「こんなん捕まえてどないすんねんな！」

ふり落とされたカニが地面で裏返り、あたふたと起きあがろうとする。思わずまたかがみ込みかけた夏帆を押しとどめ、

「さっきから呼んでたん、聞こえへんかったん？」

美紀子は怖い声で言った。

「でも、カニ……」

「捕まえたからて持って帰られへんやろ、あほ」

そうではない。連れて帰りたいわけではなくて、ただ、見せたかったのだ。緑の草むらに光った真っ赤な甲羅の美しさ。それを見た瞬間の驚きや感動を母にも分けたかったのだ。

横這いで斜面にたどり着き、もぞもぞと登ってゆく沢ガニを、夏帆は黙って目で追った。秋実が憐《あわ》れむようなあきれ顔でこちらを見ているのが腹立たしかった。

「さっさと歩かんと、日が暮れてまうやんか」

いつまでもぐずぐずしてる子は置いてくで、と突き放すように言い、美紀子が秋実の手を取って歩きだす。

夏帆は、慌てて後を追いかけた。今度遅れたりしたら、ほんとうに置いていかれるような気がした。


思い起こせば当時の記憶の中にもアルバムの中にも、父・伊智郎の姿はほとんど無い。あの日の山登りにしても、浪人生だった兄はともかくとして、母親が娘二人を連れていく形ではなく、日曜日を待ってから父と一緒に出かけたってよかったはずだ。

だが、いくら仕事の忙しい働き盛りだったとはいえ、平日の父はたいてい帰りが遅く、そのくせ日曜になると朝早くから趣味の海釣りに出かけていた。家族が揃《そろ》ってどこかへ行った記憶といえばせいぜい、いつかの正月に隣家の夫婦と連れだって出かけた熱海《あたみ》くらいしかない。

――父が一時期、家族から遠ざかっていたこと。

――ちょうど同じころ、母がひどく不安定で怒りっぽかったこと。

その理由について考えるとき、夏帆は今さらながらにひどくやりきれなくなる。あのころ母は、胸の裡に渦巻く何を、どう紛らそうとしていたのだろう。

もちろん、いつも叱られてばかりいたわけではなかった。機嫌のいいときの母親はじつに朗らかな人だったたし、たいていの場合、姉妹は母親から与えられるあれやこれやを楽しんだ。

しかし、時たま、美紀子の思惑が外れることがあった。たとえば、観《み》に行った映画が予想よりも少し大人向けで、姉妹の理解力を超えていたような場合がそれだ。

秋実は何のためらいもなく「つまんなかった」と言い放つ性分だが、そこで自分までが面白くなかったなどと言えばどうなるだろう。夏帆は、たとえさっぱりわからなかった映画についても、知恵をしぼって何かしら母を喜ばせる感想を言うべく努めた。

たまたま気の利いたことが言えると、美紀子は、

〈えらい！　あんたの年でそこまでわかるとはえらいわ、さすがはお母ちゃんの子や〉

そんなふうに大げさに褒めてくれた。叱る時あれほど容赦のない母からの言葉だけに、褒められた時には素晴らしく誇らしかった。

もしかするとあれは、美紀子一流の英才教育だったのかもしれない。いささか皮肉な話だが、そういった経験の積み重ねが、たとえば教師受けのする読書感想文や小論文を書く訓練につながった気はする。

夏帆と秋実は、そろって小学校からミッション系の私立校に通っていた。いわゆる〈お受験〉をし、二人ともそれぞれ無事に合格したわけだ。

とくに夏帆の時は、何しろ長女だけに両親ともずいぶん張りきったらしい。願書をもらう時、父親が夜中から並んでくれたおかげで、夏帆の受験番号は三番だった。おまけ

に一番と二番の二人が試験に落ちたものだから、

〈合格発表の時、夏帆の番号がいっとう最初に書いたぁってん〉

というのが今でも母親の一つ話になっているほどだ。

二年生の時だったと思う。学校帰りにピアノの稽古に行くので迎えに来た母親と、雨上がりの道を並んで歩いていた夏帆は、水たまりが乾いたあとの周囲に、散った松葉が縁取りのように残っているのを見つけた。

「どうしてこんなふうに、まわりにだけ残るんだろうねえ」

夏帆が言うと、美紀子はそばへやって来て覗きこみ、あらま、ほんまやねえとつぶやいた。そして、

「今のそれ、よう覚えときや」

と言った。

次の日、夏帆は一冊のノートを渡された。表紙には習字の手本のような母の字で、『いいもの見つけた』と書いてあった。

「そこに、〈発見〉を書いてごらん。その日に見つけて、ちょっとでも面白いと思たことがあったら、何でもええからそのノートに書いてみ」

もちろん夏帆は、まず、あの水たまりの松葉のことを書いた。ついでに絵も添えた。けれど、美紀子は言った。

「もしあんたがこれを、絵ぇは無しで人に説明するとしたら何て書く？　あの水たまり、

どんなふうに見えた？　言葉で何と書いたら、直接あれを見てない人にも、乾いた水たまりのまわりで松葉が縁取りみたいになってた様子をわかってもらえると思う？」

しばらく考えてから、夏帆はぽつりと言った。

「……ラーメン鉢の模様みたいだった」

美紀子は笑って夏帆の頭を撫で、じゃあそれを書きなさい、と言った。

「あのな、そういうのことを、『たとえ』っていうんやよ」

「たとえ？」

「そう。まあ、言うてみたらあれやな。赤ちゃんのちっさい手ぇを、『紅葉《もみじ》みたいな手』て言うやろ。それとか、空の雲を見て『綿菓子が浮かんでる』て言うたりする――そんなふうに、ひとつのものを見た時に、どこかが似てるけどまったく別のものに言い換えてみせるのが、『たとえ』や。どうや、夏帆。何か、ええのン思いついたら言うてみ」

夏帆は急いで目を走らせ、庭を見やった。姫林檎《ひめりんご》の花を指差して言った。

「桜の花みたい」

「うーん、それはあかんわ。花をほかの花にたとえたんでは、つまらへんな。何かもっと、ぜんぜん別のものにたとえてみ」

懸命に頭を働かせる。木蓮《もくれん》の細長いつぼみを指差して言った。

「枝に、鳥がとまってるみたい」

「うまいっ！」びっくりするような大声で、美紀子が言った。「うまいうまい、ようでけた！」

満面の笑みを浮かべ、「握手！」と手を差しだす。夏帆が照れながらそっと手を出すと、美紀子はぎゅっと握って上下にぶんぶん振った。

「な、わかったやろ？　今のが『たとえ』や。こんど絵日記やら作文書く時、ちょっとだけ、そういうのを考えて入れてみ。あんまりたくさん入れすぎたらあかんで、ちょっとがええねん、そのほうがかえって引き立つからな。先生、きっと上手や言うてびっくりして、赤い花丸をたくさん付けてくれはるで」

夏帆は、ふと思いついて言った。

「イエスさまの『たとえ話』も、それとおんなじ？」

母親はわずかに考えを巡らせてから、ああ、そうやねえ、ええとこに気がついたね、と言った。

「さっきのんは、モノと言葉の間の小さい『たとえ』。イエスさまの話は、もっと大きい『たとえ』や」

毎朝の学校の礼拝で、式を司るチャプレンの先生が話してくれる聖書の物語が、夏帆は大好きだった。聞いているだけで、頭の中に絵が浮かんでわくわくした。イエス・キリストは、彼の説法を聞きに集まる大勢の群衆を前に、父なる神の国についての様々なたとえ話をする。それらがまた、それぞれ短い中にも波瀾万丈《はらんばんじょう》があって面白いのだ。

中でも夏帆がいちばん気に入っていたのは、「ルカによる福音書」の中にある「『放蕩《ほうとう》息子』のたとえ」だった。おそらく、新約聖書の中で最も有名なたとえ話だろう。

──ある人に、二人の息子がいる。ある日、弟息子が自分の分け前をくれと言いだしたので、父は財産を兄弟二人に分けてやった。すると弟はそれから幾日もたたぬうちに、自分のぶんの財産を持って遠いところへ旅立ってしまった。

しかし彼はやがて放蕩に身を持ち崩し、財産を遣い果たし、おまけに飢饉《ききん》のために飢え死にしそうになる。とうとう彼はこれまでの行いを深く悔い改め、父のもとに帰ってこう言おうと心に決める。

「お父さん、私は天に対してもあなたに対しても罪を犯しました。もう、あなたの子と呼ばれる資格はありません。どうかあなたの雇い人にしてください」

ところが父親は、帰ってきた息子を大喜びで抱きしめ、使用人に命じる。

「急いでいちばん良い服を持って来て、この子に着せ、手に指輪をはめてやり、足に履き物を履かせなさい。それから、肥えた子牛を連れてきてほふりなさい。食べて祝おう。私の息子は、死んでいたのに生き返り、いなくなっていたのに見つかったのだから」

そして祝宴を始めるのだ。

とりあえずそこまでは、いわゆるめでたしめでたしの話である。だが、夏帆が惹かれたのはその先だった。

祝宴が始まったところへ、畑で働いていた兄が帰ってきて、事情を知るなり激しく怒りだす。

「私は長年、ずっと父上に仕え、一度も言い付けに背いたことすらありません。でも父上は、私が友人たちと祝宴を開くためには、子ヤギ一頭だってわけては下さらなかった。それなのに、あなたの財産を全部失って帰って来た弟には肥えた子牛をつぶしてやるのですか」

するとと父はこう答えるのだった。

「お前はいつも私と一緒にいる。私の全てはお前のものだ。しかし、弟は死んでいたのに生き返り、いなくなっていたのに見つかったのだ。祝いの宴を開いて皆で喜び合うのは当たり前ではないか」――。

チャプレンの先生は、この兄の考え方は間違っています、嫉妬はよくないものですと言った。自分がどれだけ恵まれているかも考えずに、ようやく父の家へ、つまり神の国へ戻ってきた弟のことを喜んで迎えてやれないとは悲しい人ですね。いくらこれまで真面目に仕えてきたように見えても、しょせんは上辺《うわべ》を取り繕うばかりで心が伴っていなかったのです。それではまったく意味がない。父なる神様は、そんな形ばかりの信仰を喜んでは下さらないのです。

けれど、夏帆にはそうは思えなかった。むしろ、このたとえ話を聞くたびに、いったいなんて不公平なんだろうとあきれてしまうのだった。

お兄さんが怒り狂うのも無理はない。これで怒らない人間はバカだ。自分の愚かさからお金を遣い果たした弟がひどい目に遭うのは当たり前だし、悔い改めたなんて口では何とでも言える。それよりも、たとえ心の中がどうであったにせよ、お兄さんのように日々まじめに働いて尽くし続けるほうがずっと大変だし、ずっと偉いんじゃないのか。百歩譲ったって、せめて放蕩息子の弟と同じ扱いにしてもらってもバチは当たらないはずだ。それを、逆に父親から叱られるとはどういうことだろう。さっぱりわからない。

しかし、聖書の物語には、神様自らがこんなふうな不公平を示し、信仰や忠誠心をわざと試す場面がよく出てくるのだった。

結果、カインは嫉妬のあまり弟アベルを殺し、ヨブは次々にふりかかる理不尽な災難に何十年も苦しみ抜き、最高位の天使だったルシフェルまでが地獄へ身を堕《お》として悪魔となったのだ。

何もかも、疑り深い神様のせいじゃないか。

そんなふうに考えると、夏帆はなぜだか少しだけ、胸がすっとした。

そうだ、神様がいけないんだ。相手に信じてもらいたいなら、まずは自分のほうこそ相手を疑うのをやめればいいのに。

第二章 ——罅

人の記憶というものは、歴史年表のように無駄なく整理されてはいない。

少なくとも夏帆の記憶の中で、五歳と七歳の自分はほとんど一緒くたになっているし、中学と高校の境目も曖昧《あいまい》に混ざり合っている。

起こった出来事の順番すらわからなくなっていることなどしょっちゅうで、しかも新しければ鮮明とも限らない。ずいぶん古いはずの記憶の中にも、まぶたの裏側に極彩色のまま焼き付いて、いつでも何度でも正確に再生できるものがある。

思い出の断片、つまり写真のような静止画としてではなく、因果関係の連続した物語として呼び起こせる記憶のうち、夏帆にとって最も古い色付きのそれは、真夏の来客とリカちゃん人形、そして水浸しの猫だ。客は幼稚園の園長先生だったから、おそらく四歳頃だったのだろう。

あのころ一家が住んでいた借家には、猫の額どころか鼠《ねずみ》の額とでも呼びたくなるほど小さな庭があって、隅には桜の木や、萩《はぎ》や紫陽花《あじさい》や、無花果《いちじく》や茗荷《みょうが》などが植わり、わさわさと野放図に茂ったそれらの葉陰に、電動ポンプ付きの深い井戸があった。

三軒並んだ同じ間取りの借家に水道はすでに引かれていたが、もとからある井戸もまだ現役で、風呂や洗濯などにはどの家も井戸水を使っていた。夏のさなかでも冷たい、きれいに澄んだ水だった。

うだるような暑さを覚えている。その日、夏帆は胸にヨットの絵が描かれた黄色いTシャツを着て、半ズボンをはいていた。例によって従兄からのお下がりだった。

いつもは幼稚園でしか会えない園長先生が、なんと、家に来てくれている。嬉しくなった夏帆は、母親がお茶を用意している間に、自分の宝物をありったけ持ってきては披露した。

透きとおったビー玉、おはじき、大阪のおばあちゃんが着物の端切《はぎ》れで作ってくれたお手玉。拾ったドングリに楊枝《ようじ》を刺して作ったコマや、グリコのおまけ、セミの抜け殻……。

大好きな園長先生がいちいち感心しては白いひげの奥で笑ってくれるので、とうとう、何より大事なリカちゃん人形まで持ってきた。

「これ、夏帆ー。園長先生のお邪魔したらあかんよー」

台所から母の声がする。よそゆきの、機嫌のいい声だ。

はーい、と返事をしながら、夏帆は園長先生の膝にのった。いつもなら他の子たちが我先に奪い合う場所だ。独り占めできるなんて、まずありえない。

手にしたリカちゃん人形は、ピンクのワンピースを着ていた。胸と袖口に白いフリルがついている。

「可愛いお洋服だね」と、園長先生が言う。「夏帆ちゃんが着せてあげたの？」

こくん、と夏帆はうなずいた。

「ピンク、好きかい？」

夏帆は首をかしげた。あまり考えたことがなかったし、自分の服には無い色だった。

「みずいろがすき」

「ほう？　女の子は誰でもみんなピンクが好きなのかと思ったよ」

「あたし、みずいろのがすき。だって、ピンクよりかっこいいもん」

夏帆が言うと、園長先生は笑って、そうかそうかと頭を撫でてくれた。

「でもね、リカちゃんのおきがえ、みずいろのはもってないの」

「夏帆ちゃんが作ってあげたらいい」

「えー、そんなのつくれないよう」

「じゃあ、お母さんに頼んで作ってもらったらいい」

そうか。それはいい考えかもしれない。想像して、夏帆は嬉しくなった。母親は、たまにミシンを踏んでブラウスなどを作ってくれることがある。リカちゃんの着替え用の服ぐらいなら小さいからもっと簡単だろう。機嫌のいい時を見計らって頼めば、ほんとうに作ってくれるかもしれない。

「ねえねえ、せんせい、しってる？　リカちゃんね、こうやっておきがえしてあげるんだよ」

人形をうつぶせにすると、夏帆はピンクの洋服を脱がせ始めた。つるつるとしたサテン地のワンピースの背中にはスナップが幾つか付いていて、それをはずしてからリカちゃんに〈前へならえ〉をさせると、袖から腕を抜くことができる。ワンピースを脱がせてしまうと、リカちゃんは一糸まとわぬすっぽんぽんだった。木綿の白いパンツは、どうやらなくしてしまったようだった。あんまり小さな布きれだったものだから、いつのまにかどこかへ消えてしまったのだ。

夏帆はべつに頓着しなかった。この暑さだもの、少しでも涼しいほうがリカちゃんだって楽だろう。

人形の手足が自在に動くところを園長先生に見せたくて、金髪のリカちゃんに万歳をさせ、すんなりと長くのびた両脚を付け根のところから大きく開かせる。

と、その時だった。お盆に菓子皿とお茶をのせて戻ってきた母親が、いきなり声を荒らげた。

「あんた、何してんのん！」

夏帆は文字どおり飛びあがった。慌てて園長先生の膝から滑り降りる。咎《とが》められたのは〈園長先生のお邪魔〉をしていたせいだと思った。

けれど、そうしてもまだ母親は怒りを引っ込めてくれなかった。仁王立ちのまま睨《にら》みつけているのは、夏帆の手の中にある裸のリカちゃん人形らしい。

「なんでそんなもん、はだ……」

言いかけた母親が、口をつぐむ。それから、追い払うような口調で再び言った。

「早よあっちへ片付けてきなさい。……いやらし」

最後のひとことに、夏帆の小さな肩はびくんと震えた。

――いやらしい。

意味もよくわからないのに、どうしてこう、胸のつぶれるような心地がするのだろう。

「やれやれ、すんませんなあ散らかしてしもて」茶托《ちゃたく》を敷いた湯呑みを園長先生の前に置きながら、母親は言った。「すぐ片付けさせますさかい」

いやいや、お気になさらず、と園長先生が答えるのを聞きながら、夏帆は、持ってきた宝物たちを拾い集めた。

――いやらしい。

目が上げられなかった。

拾い集めたものをかかえて、夏帆は茶の間を出た。隣の部屋では、隅に敷かれた座布団の上で秋実が眠っていた。きっと、母親が苦労して寝かしつけたのだろう。

ピンク色の小さな肌掛け布団を横目で見ながら、夏帆は、妹が目を覚ましたりしないように押し入れをそっと開け、宝物を一つひとつ片付けた。裸のリカちゃん人形にも、もとどおり服を着せる。脱がせるよりも着せるほうが難しくていつも手こずるのだが、このままにしておいてはいけない気がした。

ふすま一枚で隔てられただけの茶の間から、母親と園長先生の話し声が聞こえる。たったいま自分を叱ったとは思えないほど、母親の声は明るかった。

しばらくしょげていたものの、夏帆はだんだん退屈で我慢できなくなってきた。そろりと廊下を横切ると、玄関でビーチサンダルを履き、庭へ出た。

夏の庭は、茂るだけ茂った緑のせいで暗く感じられるほどだった。板塀に沿って植えられた菖蒲《しょうぶ》の葉先を指でちぎり、紫陽花の大株をぐるようによけて、木蓮の下にしゃがみこむ。根もとのところに大小の石が幾つも置いてあるのは、どれもお墓だった。カナリア、セキセイインコ、文鳥、犬のシロ。夏帆が物心つく前から家にいた動物たちが、この木の下に何匹も埋まっているのだ。

と、かすれた鳴き声がして、都忘れと茗荷の茂みの間からトラ猫のチーコが顔を覗かせた。この猫もまた、家では夏帆よりも古株だった。

そのとき、いったいどうしてそんなことを思いついたのだかわからない。

いや、どうして、の理由ならわかる。名誉を挽回《ばんかい》したかったからだ。園長先生に、今度は何とかしていいところを見てもらい、さっきの失態を帳消しにしたかった。何か特別なことを上手にやり遂げて、すごいなあ、夏帆ちゃんはすごいんだなあ、と感心させ、優しく褒めてもらいたかったのだ。

そう、目的ははっきりしていた。ただ、方法がまったく間違っていた。

軒下に置いてあったブリキの金だらいを、苦労して井戸のところまで運んでいき、蛇口をひねる。電動ポンプのモーターが、ぶうぅんと音を立てる。

開け放った縁側の奥、袖無しのワンピースを着た母親は庭に背中を向けていて、園長先生はその肩越しに時折ちらりちらりと夏帆に視線をよこし、目が合うと笑ってくれる。

夏帆は気をよくして、ますます勢いよく金だらいに水を満たした。

数日前に母親と一緒に犬のポチを洗ってやった時、母親はやかんにお湯を沸かしてここに注ぎ足していたけれど、自分一人でそこまでは無理だ。かといって母親にお湯を頼んだりすれば、きっと理由を訊かれる。園長先生をびっくりさせる計画が台無しになってしまう。

この暑さだもの、ちょっとくらい冷たくたって大丈夫だろう。勝手にそう決めると、夏帆は再び蛇口をひねって水を止め、ひからびた石けんがそばにあるのを確かめてから、庭を目で探した。

チーコはすぐに見つかった。無花果の大きな葉っぱの陰で、しきりに体を舐《な》めては毛繕いしているところだった。

「チーコ。おいで、チーコ」

甘えて膝下に体をこすりつけてくる猫を、よいしょ、と抱きあげる。柔らかい体が、でろんと長く伸びる。

毎晩一緒の布団で寝るほど夏帆になついている猫は、そのまま庭を運ばれてもされるがままだったが、さすがに、伸びきった後ろ肢の先が金だらいの水に触れたとたん、驚いて暴れだした。

「チーコ、だめ！」

抱きしめて押さえつけ、下半身をすっかり水風呂に浸《つ》ける。猫はおそろしい声をあげ、

「あっ、チーコ！」

夏帆の胸を蹴って逃れると、半身ずぶ濡れのままものすごい勢いで縁側から茶の間へ走り込み、母親をよけた拍子にちゃぶ台の上へ跳びあがり、お茶も菓子皿もひっくり返して家の奥のどこかへ隠れてしまった。

夏帆は、尻餅をついたまま、茫然《ぼうぜん》と見送るしかなかった。大好きなチーコに裏切られた心地がした。どうしてあんなにいやがるのだ。ポチは、洗ってもらっている間じゅうずっと気持ちよさそうに目を細めていたのに。

「夏帆？」

腰を浮かせた母親が、怖ろしい形相で夏帆を睨みおろす。

「あんたはいったい、何を……」

舌打ちをされ、

「ち、ちがうの」夏帆は必死に首を振った。「チー……チーコを、おふ、おふろに、いれてあげようとおもっ……」

「アホ言いなさんな、猫なんか洗うもんとちゃうやんか！」

奥から、秋実の泣き声が聞こえてくる。夏帆も泣きそうだった。尻餅をついたままの半ズボンに冷たい泥水がしみてくる。

「ほんまにもう、なんでこんな時に……。すんませんなあ先生、濡れはらしませんでしたか？」

母親がぎょうぎょうしく謝る声を、夏帆はうつむいたまま聞いた。

「先生にええとこ見せようと思て、したこともないことするさかいに。ほんま、堪忍でっせ」

いやいや、と園長先生が笑って答えてくれているのに、顔が上げられない。

──ええとこ見せようと。

──したこともないことを。

そのとおりだ。あまりにもそのとおりだからこそ恥ずかしく、いたたまれなかった。頼むから言わないで欲しかった。

「何してんの、早よ立ちなさい！」

びくっとなって立ちあがる。

「風呂場で洗《あ》ろといで。玄関はあかんで、裏の勝手口から入りや」

はい、と小さく答え、夏帆は裏庭へ回った。ポチが鎖を鳴らして駆け寄ってくる。頭を撫でてやった手をぺろりと舐められると、初めて涙がこぼれた。

犬の首を抱いてしゃがみこむ。パンツの中までじゅくじゅくになるくらい濡れて、お尻に張りつく感じが気持ち悪い。

洟《はな》をすすり、しゃくりあげながら、半ズボンの裾にそっと指を差し入れてパンツの生地を引っ張る。濡れた布地が肌から浮いたところへ、夏の風が入ってきてすうすうした。

＊

不思議なことに、そこから先の記憶がぷっつりと途切れている。園長先生はいつ帰っていったのだったか。そのあと母親にもう一度叱られたのか、それとも見逃してもらえたのだったか――。

いずれにしても、と夏帆は思う。なるほど自分は、あの母を怖れたのとほとんど同じように、別れた夫を怖れていたのだ。どうしてそんな簡単なことに思い至らなかったのだろう。このまえ大介から指摘されなかったら、いまだに気づいていなかったかもしれない。

仕事机の端に置いてあるマグカップに手を伸ばし、とうに冷めた紅茶をすする。

大介は、まだ帰ってこない。夕方、パチンコに行くと言って出ていったきりだ。先週末の競馬で一時は十二万円儲《もう》け、後にそれを全部つぎ込んでスってしまい、でも昨日のレースでは二万浮いたそうで、その軍資金を持ってのパチンコだった。

玄関を出る大介の背中へ、

「おみやげにチョコレート。脳みそに栄養が欲しいの」

そう言ってみると、大介は苦笑いしながら黙って手を振った。

机に両肘をついて目頭を揉む。長時間パソコン画面を睨み続けていたせいで、目の奥がずきずき痛む。

重度の肩こりと腰痛、それに目の疲れからくる頭痛。物書きの職業病とも言えるかもしれない。いくらこうしてまぶたの上や目頭の間を指でもみほぐしても、楽にはならない。凝りの芯はちょっとやそっとでは届かない奥の方にあるのだ。

目をあけると、眼球を押さえすぎたのか、画面がかすんでいた。

──ああ、もう。どうして書けないんだろう。

昼からもうずっと机に向かっているのに、しかも連載している小説誌の〆切《しめきり》は明日に迫っているのに、どうしても、どうしても筆が進まない。数行書いては全部消す、を何度もくり返している。パソコン画面をにらんだり調べ物をしたり、ゆき詰まっては雑誌をめくったりまた画面をにらんだりし続けて、気がついたらほとんど捗《はかど》らないまま机の前で十時間が経過していた。何をやっているのだ、と自分が情けなくなる。

立ちあがり、マグカップを持ってキッチンへ向かった。コーヒーでも淹れよう。いつものように豆から挽いて、ゆっくり丁寧に手で落としているうちには、頭の中が整理整頓されて何かひらめくかもしれない。

やかんを火にかけている間に、ゆうべ大介が飲んだ水割りのグラスを洗い、灰皿にたまっていた吸い殻を捨てる。ついでに冷蔵庫と冷凍庫を覗き、たとえばあとで大介が帰ってきて、もしも小腹が空《す》いたなどと言いだした時、あるもので何が作れるかを考える。冷凍の小エビとホタテ、ブロッコリーにキャベツにキノコ類。さしあたりピラフかパスタならすぐ作れそうだった。

〈どうして彼に家事をやらせないの?〉

友人の誰彼から、つくづく腑《ふ》に落ちないといった顔でそう訊かれることがままある。

〈在宅でITっぽい仕事してるっていったって、ほとんどヒモみたいなものじゃない。実際は夏帆が養ってるも同然なんだから、家のことぐらい威張って彼にやらせればいいのに〉

しかし夏帆は、そのたびに笑って首をふった。男も家事を分担すべき、という考えを否定はしない。共働きなら当然とも思う。ただ、大介に家のことをしてほしいとは思わない。彼には炊事洗濯などおよそ似合わない気がするし、似合わないことはしてほしくない、それだけだ。

そんなふうに言うと友人からはさんざんあきれられたが、ほうっておいてほしいと思った。たしかに大介の稼ぎは不安定だし、山と谷があるならたいていは谷のほうだったから、ヒモと言われても仕方ないのかもしれない。けれど夏帆にとっては、たとえばリビングに酒瓶がごろんと転がり、灰皿に吸い殻が山盛りになっている光景も、あるいは競馬やパチンコといったギャンブルの匂いさえも、一つひとつがひどく新鮮なのだ。

二年前、初めて出会ったとき、大介にはまだ勤めがあった。勤め、という言い方は当たらないかもしれない。小さいなりに業界では名の通ったそのデザイン事務所は、おもに企業や個人事業主のホームページ制作を請け負っており、大介は共同経営者の一人だった。そもそも、夏帆が彼の事務所を訪ねたのも、自分の名前を冠した公式サイトのリニューアルを依頼するためだった。その昔、前の夫が市販のソフトで作ってくれたサイトは、悲しいかなすっかり時代にそぐわなくなってしまっていたのだ。

初対面の時の大介への印象は、ごく控えめに言って、最悪、だった。旧知の編集者から紹介された相手だと思えばこそ我慢もしたが、そうでなかったらすぐに担当を替えてもらうか、依頼する事務所そのものを替えていただろう。

傲岸不遜で、慇懃《いんぎん》無礼で、むやみに上から目線。ＩＴ全般にからきし弱いことには自覚のある夏帆だったが、ことさらに嚙《か》んで含めるような説明をされればやはり腹が立つ。

それほどまでに業腹な相手と、出会った翌週にはほとんど一緒に暮らし始めていたのだから、男と女はわからない。何しろ大介は、サイトに関する夏帆の要望のほとんどを無視してくれた。最初の三日が過ぎたところで見せられた制作中のサイトは、夏帆の当初のリクエストとは程遠いものだったが、同時に想像をはるかに超える出来映えでもあったのだ。

今ふり返れば、あのとき自分は、まるで牡蠣《かき》にあたるように大介のかもし出す「牡《おす》」の毒気にあたったのだ、と夏帆は思う。次にその毒にあたればまた地獄の苦しみだ――

そうと知りつつ恐るおそる口に含む牡蠣がどこまでも甘いように、大介の毒もまた、癖になる。彼が身にまとう一種獰猛《どうもう》なその気配は、事務所を仲間に譲り、仕事を辞めた今でもほぼ変わらない。稼ぎがあろうと無かろうと、夏帆の目に、大介はつねに一頭の「牡」なのだった。

もちろん、母親の美紀子には、大介とのそういった生活の詳細について話してなどいない。話せば何を言われるかわかったものではない。

先日、初めて実家へ大介を連れていくに先立って、電話で彼のことを七つ年下だと打ち明けただけでも、美紀子は、えええ、と声を裏返した。

〈なんでわざわざそんな若い子ォと……〉

子、と言えるような年ではない、彼とて三十をこえている。

そう言ってみたのだが、美紀子は聞く耳を持たなかった。

〈ここ何年も独りでおったくせに、今ごろになって何もそんな若いのんと付き合わんでもええやないの。なんやイヤやわあ、こっちが恥ずかしなる〉

どうして、と夏帆は言った。

「お母ちゃん古いって。七つの年の差くらい、今どきはべつに珍しくもないのに」

いつもは自分こそが密《ひそ》かに気にしていることを、少しも気にしていないかのように言ってみせる。

〈知らんわそんなん〉と、美紀子は切って捨てた。〈だいたいあんた、結婚もしてへん

うちから同棲《どうせい》やなんて〉

「同棲って、」

〈お母ちゃんはあんたをそんなふしだらな娘に育てた覚えはないで〉

――ふしだら。

頭ごなしの美紀子の言い方に苛立ちながらも、夏帆は思わず失笑をもらしていた。三十八にもなった女に、今どき男と「同棲」しているくらいで「ふしだら」などと言ってくれるのは、世界広しといえども母親だけだろう。ありがたいといえばありがたい話かもしれない。

この母親にはいくら説明してもわかるまい、と思う。世間一般の基準ではろくでなしに分類されてしまうような男の中に、自分だけが見いだしうる一条の光。有るか無きかの、もしかすると有ると感じたことさえ錯覚でしかないかもしれないその輝きを、ひたすら信じて、男につくす喜び。

もしかすると、大介自身も今は、ことさらに意識して「絵に描いたようなヒモ」を演じているのではないか。確かめてみたことこそないが、夏帆はそんな気がしている。これまでどんな仕事に就き、どれほど困窮した時でさえ、決して女の世話にだけはなるまいと自分を律してきたという男が、今はあえて夏帆の収入に頼る生活を選んでいるわけだから、それはそれでいろいろと思うところがあるのではないか。

それが証拠に、競馬、パチンコ、酒、片端から嗜《たしな》む大介だが、どれ一つとして溺れたことがない。そんな彼から「カネちょうだい」と言われるたび、はいはい、と大きなお札を数枚取りだして手渡す。それ以前に、できるだけ「カネちょうだい」と言わせることのないよう、早め早めに彼の財布を満たしておく。

そんな行為や気遣いのひとつすらも、いま自分は男を飼っているのだ、という不道徳かつ退廃的な気分が味わえて、なかなか悪くないのだった。まるで大人のごっこ遊びのようだ、などと言うと、あまりに不謹慎だろうか。

「いや、わかるような気がしますよ、そういう気分って」

以前そう言ったのは、滝沢一義《たきざわかずよし》だ。

「美しい女のパトロンになるのが男の愉《たの》しみだとしたら、惚《ほ》れた男のパトロネスになるのは女の醍醐味《だいごみ》ってものじゃないですか？」

しれっと言われて、夏帆はふきだした。

滝沢は、夏帆が連載を持っている小説誌の編集者だった。年は滝沢のほうがいくつか上だが、数年前、最初に組んだ時から話が合った。馬が合った、というべきか。

作家と担当編集者というより、互いにまたとない好敵手のようだった。滝沢はまるで挑発するかのように夏帆に無理難題をふっかけ、夏帆は彼を失望させてたまるかと、そのつど火事場の馬鹿力を発揮する。結果、ハードルはどんどん高くなっていくばかりだが、夏帆にとって滝沢との仕事はあまりにエキサイティングで、そこからもたらされる楽しみが常に、苦しみをほんの少しずつ上回ってしまうのだった。

「女の醍醐味、ね」

あの日は、社での打ち合わせのあと美味《おい》しい懐石料理をご馳走《ちそう》してもらい、滝沢行きつけのバーへ流れたのだった。そういう場での会話のほうが、むしろ真面目な打ち合わせよりも創作のヒントに満ちていたりする。

「たしかにね。私としてはその醍醐味を堪能《たんのう》してるつもりなんだけど、女友だちとかに話してもあんまりわかってもらえなくて」

そりゃあまあ無理もないですよ、と滝沢は言った。

「たいていの人は眉をひそめるんじゃないかな。ちゃんとまともな感覚を持った、常識的な大人なら」

「……今の、なんとなく引っかかるんですけど、私の気のせい？」

滝沢は笑った。スーツの肩が揺れた。

「でもほら、男性にとっては、たとえば『マイ・フェア・レディ』みたいなのがひとつの夢なわけでしょ？」

「ああ、『ピグマリオン』とか『プリティ・ウーマン』とかね。あるいは『源氏物語』における紫《むらさき》の上《うえ》みたいな」

「そうそう」

「でも、そういうのって男だけの愉しみじゃないと思うけどなあ。とくに今の時代、女の人にだってそういう願望があったとしても全然おかしくないですよ。夏帆さんみたいに、独身でしかも経済的に余裕のある女性だったらなおさらでしょう」

苗字《みょうじ》ではなく下の名前で夏帆を呼ぶのは、滝沢に限ったことではなかった。彼女自身が頼んで、親しい編集者たちにはそうしてもらっている。結婚をしていた時に本名のままデビューした夏帆にとって、今となっては前夫のものでしかないそれはあまり積極的に呼ばれたくない名前なのだ。

「男の人を『飼う』なんて言い方をすると、へんに蓮《はす》っ葉《ぱ》な響きを帯びちゃうから困るんですけど……」考え考え、夏帆は言葉を継いだ。「でも、決してそういう意味じゃなくてね。誤解を招きがちなのを承知であえて言うと、私にとって彼の存在って、ほんとにそのまんまの意味で、ペットの犬猫に近いんです」

「は？　ペット、ですか？」さしもの滝沢も眉を寄せた。「ペットねえ。うーん、ちょっとそれはよくわからないな。あの大介くんが、愛玩《あいがん》に向くタイプだとは思えないんですけどねえ」

仕事のことでしょっちゅう夏帆の家にも出入りする滝沢は、もちろん大介をよく知っている。大介のほうでも、年の離れた兄のように滝沢を慕っているところがあった。

「前にも話したかもしれませんけど」と、夏帆は言った。「あのひとは、これまでそれはそれはいろんな仕事をして、それはそれはいろんな女性と付き合ってきたわけで、でもその間、何があっても絶対にヒモにだけはなるまいって自分を戒めてきたらしいんです。ああ見えて、どうやらそういうチャンスも誘いもいっぱいあったみたいで」

滝沢がくすりと笑う。「なるほど？」

「でもね、こうして一緒に暮らして、ある程度の月日が過ぎてみると、しみじみ思うんですよ。彼にはもともと、『正しいヒモ』として在るための才能が備わっていたんじゃないか、って」

「正しい、ヒモ」

「そう」

決して、本質的に自堕落という意味ではないのだ、と夏帆は言った。

むしろ逆なのだ。ほとんど稼ぎのない男が自分の女に向かって「カネちょうだい」と口に出す時、少しくらいは遠慮して上目遣いになるのが普通だろうに、大介の場合は違う。言葉にまったく卑屈さがないどころか、いっそすがすがしく聞こえさえする。

おそらく、もともとの育ちがいいからではないか、と夏帆は思う。本当の意味で育ちのいい男が腹をくくってヒモになると、どうやら無敵のようなのだ。

「ふうむ」

唸《うな》りながらも、滝沢がくつくつと笑いだす。

「わかってもらえます？」

「なるほど。ちょっとわかるような気がします」

「よかった。それでね、」夏帆はなおも先を続けた。「そういうふうな大介との感じを、何にたとえるのがいちばん近いかというと、たとえば雷太なんです」

「え。雷太って、お宅の猫の？」

「そう。雷太はここ何年もずっと私に飼われてはいるけど、そのことで卑屈になったり申し訳なく思ったりはしないでしょう？　ものすごく自由で勝手だし、意味もなくエラそうだし。そして私は、タダメシ食らいの雷太をただひたすら養って、面倒を見て、ご機嫌とって、もうほとんどお仕えしてると言ってもいいほどだけど、彼がそこにいてくれるだけで嬉しいし、たまにすり寄って来られたりすると心の底から慰められるわけです」

聞いている滝沢の目が、ようやく納得の色を帯びてきた。

「大介に対する私の感覚は、あの雷太がうんとでっかく、ほんとに熊並みにでっかくなった感じなんですよ。だから、貢いでいるなんて思ったことさえなくて、彼のためにお金をつかうのは完全に私自身の愉しみに過ぎないんです。要するに、飼い主の自己満足」

なるほどねえ、と滝沢は口もとをゆるめた。

「まあ、ある意味、私みたいな種類の愛情こそがいちばん厄介なんでしょうけどね。『ダメ女の深情け』みたいな」

「ははは、いいなあ、『ダメ女の深情け』。上等じゃないですか」

ライムを沈めたジントニックを口に運びながら、滝沢は言った。

「稼いだ金を何につかおうが、稼いだ者の自由なんだし。何より、日々に張り合いがあるってのはいいことです。こういう仕事をしていく上では、とくに大事だと思うな」

「何だかんだいって、滝沢さんこそ『まともで常識的な大人』とはほど遠いですよね」

夏帆がしみじみ言うと、彼は、けれんみたっぷりに肩をすくめてみせた。

「否定はしませんよ。まともで常識的な人間でいようとすると、作家なんていう頭のおかしい人種とは付き合えませんからね」


気がつけばもう、午前四時になろうとしていた。

大介からは何の音沙汰もない。パチンコ店は夜十時には閉まるはずだ。いったいどこへ行ってしまったのか。

原稿をかかえて夏帆がふつふつと煮詰まっている時、彼はちょくちょくこんなふうに家を空ける。帰りは真夜中のこともあれば、今日のように午前四時、五時、すっかり朝になることもざらにある。

〆切前だからってべつに気を遣わなくていいのに。あなたが家にいても邪魔になったりしないよ。そう言ってみても、いや、俺としても出かけるいい口実になってたりして、などと冗談めかして躱《かわ》されるのが常なのだが――。

せめてひとことだけでも連絡をくれれば、と夏帆は思う。電話が面倒なら、ほんの短い携帯メールで構わない。誰とどこで何をしようと大介の勝手だが、あまりに音沙汰がないと、事故にでも遭ったのではないかと不安になってしまう。

恋人に限らず、一緒に暮らしている人が連絡もなく遅くまで戻ってこないという事態に、夏帆はこれまで一度も遭遇したことがなかった。実家にいた頃はそもそも母親が一人で家を空けることなどなかったし、夏帆と秋実はもちろんのこと、大学生時代の兄や家長である伊智郎でさえ、何らかの理由で帰宅が遅くなる時は必ず電話をかけてきた。それが鈴森家でのルールであり常識だった。

元の夫もまた、神経質と言えるほどマメに連絡をくれる人だったから、夏帆は望んでもいないのに彼の行動を逐一把握していた。それだけに、世間でもそうすることが当たり前だろうと思いこんでいたのだ。

さっきから、もう何度もくり返し携帯をひらいて見ている。新着メールが届く気配はない。酒に酔って、どこかで眠り込んでいないだろうか。トラブルに巻き込まれて怪我《けが》などしていなければいいが……。悪いほうへ考えだすと止まらない。

たまりかねて、夏帆はとうとう大介の携帯にメールを送ってみた。

〈今、どこ？　無事ならべつにいいんだけど〉

ややあって、呼び出し音が鳴った。ディスプレイに大介の名前と番号が流れる。

急いで出ると、

〈もしもーし〉

聞こえてきたのは、しかし大介の声ではなかった。

ぎょっとして携帯を耳に押し当てた夏帆に、

〈あのう、僕ぅ、わかりますう?〉

相手はのんびりと言った。間延びした喋《しゃべ》り方に聞き覚えがあった。

「あ。〈夕日堂《ゆうひどう》〉の」

〈そうです、そうですー。こんばんは〉

大介が昔よく通っていたというバーのマスターだった。夏帆も二、三度連れていってもらったことがある。祖父の経営していた古書店を亡くなった後に改装したというその店は、ふんだんに無垢《むく》材の使われた内装が洒落《しゃれ》ていたが、マスター自ら酔いどれのせいか、酒も勘定もいいかげんで、居心地がいいような悪いような不思議な空間だった。

こんばんは、と、ようやく気を取り直して夏帆は言った。

「この時間だともう、おはようございます、かな。マスターが電話に出るってことは彼、もしかしてそこでつぶれちゃってるんでしょうか」

〈いや、全然。向こうで元気に玉撞《つ》いてますよ〉

言った先から、小気味よく澄んだブレイクショットの音が響く。

夏帆の脳裏に、しばらく行っていない〈夕日堂〉の内部がくっきりと浮かんだ。狭い店の真ん中に、ワインレッドの羅紗《ラシャ》を張ったビリヤード台が据えられているのだ。

〈大介さん、携帯の短縮ダイヤルで夏帆さんにかけておきながら、僕に渡して、『ここにいるから心配しないように言っといて』だって。ええと、どうしましょう、呼びまし

ょうかあ?〉

いえいえ、けっこうです、と夏帆は言った。にこやかに答えるのに苦労した。

電話をかけてよこすのなら、最初から自分が出ればいいではないか。どうしてこんなふうに、わざわざアリバイを証明してみせるようなことをするのか。

〈あー、でもこっち来るや。かわりますねー〉

すぐに、大介が出た。

〈とまあ、そういうことだから。もうそろそろ帰るよ〉

夏帆は、息を吸いこみ、ゆっくりと吐きだした。

「あんまりなしのつぶてだから、事故にでも遭ったんじゃないかと思って」

〈遭わないよ〉

ふっと鼻で嗤《わら》う大介に、かちんときた。

だが、感情にまかせて何か言えば、彼はまたこのままどこかへ飲みに行ってしまって帰ってこないかもしれない。

あのね、と、夏帆は言った。

「さっきのメールはべつに、あなたの居場所をつきとめようとして送ったわけじゃないんだよ。ただ、無事でいるかなって心配になっただけ」

〈わかってるよ〉

わかっているならどうしてマスターから電話させたりするの?　私に恥でもかかせた

かったわけ？　たたみかけるように訊いてしまいそうになるのを呑み込んで、夏帆は言った。

「いきなりマスターが出て、すごく恥ずかしかった。私もあんまり心配しないようにするから、ああいうの、もうやめてね」

一拍の間があって、わかった、と大介は言った。

〈メシ、食った？〉

「ううん」

〈帰りに何か買っていこうか〉

「ありがと。助かる」

何がいいかと訊かれ、ソーセージマフィンとハッシュドポテトのセット、と答えると、大介は〈オッケ〉と屈託なく言って、電話を切った。

たたんだ携帯をキーボードの横に置く。深いため息がもれた。

苦労して一日じゅう仕事に向かいながら、一人だけパチンコに出かけて戻らない大介に対して、胸の中に渦巻くものが無いわけではない。夏帆は、視線を遠くへ投げ、頭の中に風を通すべく努めた。自分だって大介を責められるような人間ではないはずだ、と言い聞かせる。後ろめたさは、人を謙虚にさせる。

時折、不思議に思うことがあった。あれほど勘のいい大介が、どうして何も言わないのだろう、と。もしかすると大介のほうも、夏帆がすべてをあからさまにしているわけではないと薄々感じながら、あえて突き詰めずにいようとしてくれているのだろうか。勘だけでなく頭もいい男だ、常に片目をつぶっているくらいでなければ物書きとは一緒に暮らせないと悟っているのかもしれない。

職業にしている以上当たり前の話だが、物書きは、書きたい時にだけ書けばいいわけではない。自らの奥から衝きあげるものが何ひとつ無い時にさえ、求めに応じて書かなければならない。際限もなく書いて、書いて、なお人の心を動かすものを書き続けていこうとするならば、真面目でおとなしい人生を送っていては無理なのだ。おそろしく傲慢な言い分であるのは百も承知の上で、しかしどうしようもなくそうなのだ。

物書きに限らず、表現を生業《なりわい》にする者の軀《からだ》の中には総じて、魔物とも大蛇とも知れない魑魅魍魎《ちみもうりょう》がうごめいている。凶暴で、貪欲で、飢えるとたちまち暴れだす彼らは、しばしば活《い》きのいい「餌」を欲する。その「餌」によって肥え太った魔物が途轍《とてつ》もなくうつくしい子どもを産み落としてくれそうだと直感したときは、もとより抗えるわけがない。へたをすると、たとえ人の倫《みち》に外れることとわかっていても、納得ずくで一歩を踏みだしてしまうかもしれない。

おそらくは大介の側にも、同じような事情なり心情なりがあるのではないかと夏帆は思う。彼もまた、手なずけきれない何ものかを裡《うち》にかかえたひとであるはずだから。

互いの中に同じ匂いを嗅ぐせいで、よけいにしんどい時もある。だが、そうして渦巻く女くさい感情については、その落としどころのなさも含めて作品に活かせばいいのだと、思いきることにする。ねじ伏せることにする。

大介と付き合うようになって以来、これまで経験したことのない種類の感情と、振り幅の大きさまでが味わえるようになったのだ。それもまた、「新鮮」と思えばいいではないか。そう、部屋に転がる酒瓶や、吸い殻で山盛りの灰皿と同じように……。

——と、玄関の鍵が回る音がした。

雷太がさっそく椅子から飛び降り、小走りに迎えにいく。

「ただいま。朝メシ買ってきたよ」

大介の明るい声が言った。

第三章――恥

あれは去年か、おととしだったか。テレビのドキュメンタリー番組から出演の依頼を受けたことがある。

小一時間の番組を撮るために、何日にもわたってカメラに張りつかれること自体はべつにかまわない。素材を集めるために必要であれば仕方のないことだし、上梓《じょうし》したばかりの本の宣伝をしてくれるとあれば持ちつ持たれつだ。

だが、その番組では毎回、ゲストの家族にもカメラが向けられ、存命である限り必ず親がインタビューされると知っていた夏帆は、理由をつけて丁重に出演を断った。テレビに映るのを嫌がる親なのだと言えばまさか無理強いされることはなかったろうが、そうすると、あとで番組を観た母親の美紀子が黙っているはずがない。その番組は美紀子のお気に入りで、あんたのところへは依頼はこないのかと訊かれたことまであるほどなのだ。

画面に映し出される父親や母親たちが、言葉足らずながらも、息子や娘のことをそれぞれに誇らしげに語る。訥々《とつとつ》としていればいるだけ、言葉は真実味を増す。
　だが、たまたま夏帆が実家に帰ったときに一緒に観ていると、美紀子はあきれたよう
に鼻を鳴らして言うのだった。
「なんでこういうとこへ出ると、誰も彼もお様子して、エエことばっかり喋らはんのや
ろ。あー、気色わる。背中がぞわぞわしてきて、いぃーっとなるわ。もしもお母ちゃん
があそこへ出て、あんたのこと訊かれたら、絶対こんなエエこと言うたれへんねん。ち
っちゃい時のおねしょのことやら、赤点取った数学のテスト隠してて叱られたことやら、
あんたの恥ずかしぃこと片っ端からぜーんぶばらしたげるわ」
　そのほうがずっと面白いやんか。お母ちゃんきっと上手に喋るで。
　美紀子は得意そうに言い、そうだろうね、と相づちを打ちながら夏帆は、絶対に母を
テレビには出すまいと心に誓った。
　過去をばらされるのが恥ずかしいのではなかった。得々と語る母の様子を人に見られ
るのが恥ずかしいのだった。
　人前でよそいきの顔を作って上品にふるまうことを、ふだんから「お様子」と呼んで
毛嫌いする母は、そういう時、わざと逆のことをしようと、自分や身内のあれやこれや
を暴露して露悪的にふるまうくせがある。だが、人目を気にしてふだんと違う顔を作る
という意味では、それもまた「お様子」の一種ではないか。そう考えると、夏帆は鼻白
む思いがするのだった。

「お母さんとの間のそういう感情の軋《きし》みみたいなものを、エッセイなり小説なりに正面から書いてみる気はありませんか」

担当編集者の滝沢に、そう提案されたことがある。夏帆は苦笑して、やっぱりね、と言った。滝沢には、必ずいつか言われると思っていた。

「そりゃあそうですよ。作家にとって、とくに同性の親との確執というのは鉱脈みたいなもんでしょう。書かずにおくなんて、どう考えてももったいない」

わかりますけどね、と夏帆は言った。

「まあ、いつかそのうち」

「いつかって、いつですか」

「わからないけど、少なくとも今はまだ無理ですってば」

「なんで」

「母が読むから」

「読まれるのはいやですか」

「いやっていうより……困るんです」

「だからどうして」

「あのひと、読んだら絶対傷つくと思うから」

滝沢はじっと夏帆を見つめ、それ以上は何も言わなかった。

*

大きな仕事の〆切が迫っている、と夏帆が打ち明けたせいだろうか。最近では、大介の朝帰りはほとんど日課になっていた。

夏帆ももう、必要以上に気にかけるのをやめていた。どんなに彼の帰りが遅くなろうと、自分からメールは送らなかった。

待つことそのものをやめられるわけではないし、行き先も帰る時間もわからないという状態にそう簡単に慣れるものでもない。だが、慣れたふりをするくらいならできる。とにもかくにも帰ってはくるのだから、と夏帆は思った。黙って家を空けたりはしないだけ、ありがたいではないか、と。

気が向くと大介は、その時々の出先から電話をしてきて、同じことを訊いた。

〈何か食べた?〉

ほんとうは少し前に食べたときでも、夏帆はたいてい、食べてないよと答えた。せっかく大介が世話を焼く気になってくれている機会を逃したくなかった。

そうして彼が途中のどこかで買ってくる「朝メシ」を、夜明け前のダイニングで一緒に食べる。夜じゅう仕事をしていて、その果てに摂《と》る食事を朝メシと呼ぶにはいささか違和感があるのだが、ならば何と呼べばいいのかわからない。

今日も二人してハンバーガーにかぶりついた。白身魚のフライをはさんだゴマのバンズがおいしかった。寝る直前にそんな脂っこいものを食べると体によくないとわかっていても、空腹のままでは寝付けない。大介と暮らし始めてから、夏帆の食生活は不健康になったかもしれない。

けれど、体に悪いと知っていて口にする味の濃い食べ物の、なんと毒々しくも甘美なことだろう。

以前は、ファストフードなどまずめったに食べなかった。前の夫がそういったものを忌み嫌っており、あんなものは食事ではなくて餌だという考えの持ち主だったからだが、大介は出かけた先でも当たり前にハンバーガーやフライドチキンを食事代わりにするし、幾日かそれが続いても気にならないらしい。そのあたりのこだわりのなさは、やはり世代の差なのかもしれない。

〈七つの年の差くらい、今どきはべつに珍しくもないのに〉

母親の美紀子に対してはえらそうに嘯《うそぶ》いてみせたものの、そのじつ、折に触れて年のことが気にかかってしまうのは夏帆自身だ。

大介がようやく小学校に上がった年に、夏帆は中学二年生だった。子ども時代に観たテレビ番組、好きだった歌手や俳優、話題になった出来事や事件、流行したあれこれ。互いに記憶や経験が重ならなくて当然なのだが、夏帆は時折ふっと、まるで大介と二人、砂の上に家を建てているような心許《こころもと》なさを覚えることがある。大介のほうも同じように感じているかどうかは知らない。彼は考えていることをめったに表に出さない。

自分のぶんをさっさと食べ終わると、大介はサッシをするりと開けてベランダへ出た。食後の一服だけはそうして外で吸うのが彼の日課なのだ。

夏帆も、フライドポテトの袋を手にしたまま立ちあがった。徹夜をしようが、へんな時間にものを食べようが、あるいはポテトを口にくわえながら歩きまわろうが、いちいちうるさく叱られずに済むのは大人の特権だ。

午前五時をまわり、あたりはようやくうっすら明るくなり始めていた。三階のベランダの手すりに並んでもたれかかり、二人は黙って朝まだきの風に吹かれた。

すぐ眼《め》の下には、細い道路を隔てて児童公園がひろがっている。小学校のグラウンドほどの広さを持つ公園は古くからここにあったとみえて、桜も欅《けやき》も支柱なしでみっしりと根を張り、大きく枝をひろげている。薄明のなか、見下ろす樹冠は黒っぽく見えたが、おとどい降った雨のおかげで木々の若葉はまたいちだんとみずみずしさを増したはずだった。

大介が、満足げなため息とともに煙を吐く。

「ああ、旨い。メシのあと外で吸う煙草って、なんでこう旨いのかな」

不思議よね、と夏帆も言った。

「外で食べるお弁当とかも、ふだんより断然おいしいもんね」

「だよな」

「ふふ。なんか、幸せーって感じだねえ」

「そう？　よかったねえ」

「あ、何それ、他人《ひと》ごとみたいに」

大介がニヤリと口もとをゆがめる。夏帆も笑いだしながら、指先に付いた油を舐め、手すりの外側でてのひらの塩気をはらった。

こうして、とにもかくにも空腹が満たせるということ。他愛ない会話を交わして笑いあえるということ。共に暮らす男がどれだけ野放図であれ、自堕落であれ、それが何ほどの問題か、と思い直す。ほんのささやかな満足をもたらしてくれる言葉や、折にふれて微笑《ほほえ》みあうことのできる時間——そんなふうな、あくまでも小さなものたちの寄せ集めこそ、ひとが幸福と呼ぶものの本質なのかもしれない。それ以上を、望もうとするから苦しくなる。あって余禄《よろく》、なくて当然と思い定めておくくらいがちょうどいいのかもしれない……。

夏帆は、大きく深呼吸をした。

まぎれもない春の匂いがする。ひんやりと水っぽい空気が鼻腔から流れこみ、肺をいっぱいに満たす。

見ると、大介の煙草はあと半分くらい残っている。もう少しの間だけ、こうしてとりとめのない話をしていたくて、

「ねえ」

「うん？」

「これまでにあなたが外で食べたお弁当とか食事の中で、いちばん印象に残ってるのって何？」

大介はくわえ煙草のまま、うーん、と空を仰いだ。

「外で食ったメシ、ねえ」

「外食っていう意味じゃなくて」

「わかってるよ」

なおもしばらく上を見て、そうだなあ、と考えていたかと思うと、大介はおもむろに言った。

「高校一年の夏に食った、鶏肉《とりにく》の唐揚げ」

「それって、どういう？」

「夏休みに、引っ越し屋の手伝いのバイトしてたんだけどさ。慣れないもんだから初日からすっごいきつくてさ。やっと昼になって、コンビニ弁当ガツガツ食ってたら、その家のおばちゃんが、冷蔵庫の整理だとかいって鶏肉の唐揚げを山ほど作って持ってきてくれたんだわ。それがまた、ニンニク醬油《じょうゆ》に一晩しっかり漬け込んでから揚げてあるもんだから旨いのなんのって。で、みんながたらふく食い終わった頃に、おばちゃん今度は、やかんに麦茶を冷やして持ってきてくれて……。そのあと、昼休みが終わるまでの間、トラックの日陰の地べたに寝転がって居眠りしたのが、いま考えてみたらいちばん幸せな外メシだったかなあ。生まれて初めて肉体労働で金を稼いだ経験とあわせて、けっこう強烈に覚えてる」

言葉を切った大介が、夏帆に目を向け、けげんそうに片方の眉を上げた。

「どした？」

「ううん。負けたなあと思って」

「え？」

「だって……私にとってはね、今までの人生の中でいちばん強烈な外での食事って、ケニアで気球に乗った後のシャンパン付きブレックファストだったんだけど、」

「げ、何それ。凄《すご》そうじゃん」

「凄かったよ」

と、夏帆は言った。

「もう何年も前だけど、小説の取材でアフリカへ行った時に、ケニアのマサイマラっていう国立保護区で気球のサファリツアーに参加したわけ。たしか十人乗りくらいだったかな。夜が明ける寸前の、ちょうど今くらいの時間だった」

各国から訪れた観光客たちが、あらかじめ横倒しにしてある大きなカゴにもぐり込み、それぞれに寝転がった状態で待つ。その間に、初めのうちは地面に広げてあっただけの平たい布袋が、スタッフによって熱い空気を送りこまれてだんだん膨らんでいき、むっくりと起きあがっていき、しまいには小山のような風船状になっていくのだ。

「気がついたら、気球とつながるロープに引っ張られて、私たちの乗ったカゴがゆっくり斜めに起きあがっていってね。とうとうまっすぐになった次の瞬間にはもう、宙に浮かびあがってたの」

まるでタンポポの冠毛がふっとはなれて舞いあがるかのようだった。

「カゴの縁から見下ろすと、地面がものすごい速さでぐんぐん遠ざかっていくところでね」

「うー、超こえぇ」

高いところの苦手な大介が呻《うめ》く。

「まあ確かに、命綱なんかないし。乗る前には『万一の事故で怪我をしたり死んだりした場合でもいっさい責任は問いません』って意味の書類にサインさせられたし」

「絶対やだ、俺」

でもほんとに気持ちよかったのよ、と夏帆は言った。

「ある程度の高さを保ちながら風に乗って移動していくんだけど、気球だとほら、セスナみたいにエンジン音がするわけじゃないから、動物たちがまるきり警戒しないわけ。沼からカバが顔を出したり、キリンやゾウがゆっくりゆっくり歩いてたり、ライオンやチーターが朝の狩りをしているところを眺められるの」

「何でもいいけど、俺は絶対やだ」

夏帆はふきだした。

「わかったから、まあ聞いて」

しぶしぶうなずいた大介が、次の煙草に火をつける。話に退屈しているわけではなさそうだと思えて、ほんのりと嬉しくなる。もう二年も一緒に暮らしているというのに、この程度のことで華やいだ気分になるのはどういうわけだろう。

「高度を保つために、飛行中も定期的にガスを燃やして気球の中へ熱い空気を送りこむんだけどね。その時だけ、シュヴォォォッて大きな音がするの。そうすると、地上では何千頭、何万頭っていうヌーの群れが、音に驚いて走りだすわけ。ところどころにシマウマとかキリンとか、インパラやガゼルも混ざってるんだけど、それがいっぺんにドドド……って。私、あんなにたくさんの動物を一度に見たのは初めてだった。アリの群れより多いんだもの。それだけの動物たちがいっせいに走るものだから、ひづめの轟《とどろ》きがまるで地鳴りみたいに立ちのぼってきて、気球を包みこむの。もうね、カメラなんかとうてい構えてられなかった。その場で生まれ変わるみたいな凄《すさ》まじい体験だった」

ありありと想像しているのだろう。大介が何度もゆっくりとうなずく。

「それで、だいたい一時間くらいたって、気球が着陸するでしょ。その頃にはもうすっかり明るくなってるんだけど、なんとまあ、現地のスタッフが何台ものジープで先回りしててね。草原のド真ん中に、真っ白なクロスを掛けた長いテーブルと椅子を並べて、ホテル並みの完璧な朝食の準備を調えて、腕にナプキンをひっかけてスタンバイしてるわけ」

「マジで？」

「マジでよ。見まわせば三百六十度の地平線。遠くにはキリンやゾウの姿。なのにグラスもお皿も、カトラリーもぴっかぴか。シャンパンが朝日にきらきら、パンは焼きたて、スープは熱々。くらくらするくらい素敵だったわよ」

ただひとつだけ、足もとが草食動物の糞《ふん》だらけってことを別にすればね、と夏帆は笑った。

「それが、私にとっての、これまででいちばん強烈な外ごはん」

「究極のピクニックだね」

「ほんと、そういう感じ」

「でも高いんでしょ、そういうツアーって」

それがそうでもなかったの、と夏帆は言った。

「ものすごく安いとは言えないけど、普通の観光客が楽しめるくらいだもの。リタイアしたドイツ人の熟年夫婦とか、オーストラリア人の若いカップルとかね」

「へえ」

煙が目にしみたのだろうか。大介は片目をすがめた。

「夏帆はほんと、いろんな経験してるよね。俺なんか、海外なんてほとんど行ったことないけど」

「まあそれは、仕事柄っていうか。小説の取材とかテレビのロケであっちこっちへ行く機会が多かったっていうだけのことよ。でも、さっき話してくれたあなたの初バイトと、おばちゃんの鶏の唐揚げの思い出にはまるでかなわない」

「そうかな。なんで」

「なんでだろ」夏帆は、少し考えてから言った。「たぶん……あなたのは、ツアーとかと違って、お金を出せば誰でもできる種類の経験ではないから、じゃないかな」

大介が、ふっと笑った。それから、何を思ったか、煙草を持っていないほうの手を伸ばしてきて夏帆の頭をくしゃりと撫でた。

微笑み返しながら、夏帆は思う。自分には、彼のように、いわば身銭を切るようにして積んだ経験がどれだけあるだろう。

確かに、たくさんの国へ行った。たくさんの人と会いもした。けれど、それら一つひとつの経験とどれほど切実に向き合ってきたかと問われれば、あまり自信がない。すべてはいっとき記憶に強くとどまり、物語を喚起する力になるのだが、作品に書き終えるといつのまにか抜け落ちていってしまう。その場しのぎの試験勉強とどこか似ているかもしれない。

「うーん、腹いっぱいになったら眠くなっちゃった」

手すりで煙草をもみ消しながら、大介があくびをした。

いつのまにかあたりはずいぶんと明るくなっている。このベランダにも、じきに朝日がさしてくるはずだ。

「夏帆、仕事は？　調子はどう？」

「まああってところだけど、いいや。私も寝ちゃおう」

「べつに、俺に合わせることないんだよ」

　わかってるよ、もちろん、と夏帆は苦笑した。

　わかってはいるけれど、大介の背中に寄り添って眠る誘惑にはなかなか抗えないのだ。自分が先に寝るのでも、すでに寝てしまっている大介の隣に滑りこむのでもなく、彼と一緒に布団に入り、一緒に眠りの淵《ふち》に沈んでゆく時間が、夏帆は一日のうちでいちばん好きだった。大介の背中は、まるで大きな充電器のようだ。黙って額を押しあてているだけで、すり減っていた体力も気力もひたひたと満たされてゆく思いがする。

　先に室内へ入った大介が洗面所へと向かうのをガラス越しに見送り、夏帆は今のうちにと、如雨露《じょうろ》に入っていた水を手近な鉢から順に注いだ。

　マーガレット、梔子《くちなし》、スズラン水仙、モッコウバラ……。広めのこのベランダには、四季折々に、白い花を咲かせる植物が多い。白のほかにはせいぜい青色系と黄色系がほんの少しずつといったところで、赤やピンクの花はいっさい植えていない。そもそも全体の七割は葉物の緑ばかりだ。

　とはいえ、ひとくちに緑と言っても、その色合いと質感はじつに様々だった。黒光りするような艶やかな緑があるかと思えば、黄色っぽい陽気な緑もある。紫がかったシックな緑や、葉裏だけが白っぽい緑、表面が銀色に輝く産毛に覆われた緑……。もしかすると、花よりも緑のほうが饒舌《じょうぜつ》かもしれない。

何年か前に訪れたイギリスの「シシングハースト」、知る人ぞ知る究極のホワイトガーデンが、夏帆の理想であり手本だった。意図したわけではないのだが、結果として夏帆の庭は、母親の美紀子が作る庭とは対照的なものになった。

昔、猫を洗ってみせようとして叱られたあの庭も、いま両親が住んでいる木更津の家の庭も、美紀子の手にかかると、とにかくありとあらゆる色や種類の花だらけになってしまう。夏帆の色彩感覚からすると、パステルピンクのバラが咲いているすぐ下に赤と黄色のチューリップが並ぶ、などといった色合わせなどありえないのだが、美紀子はまったく気にならないらしい。夏帆が遠慮がちに、もう少し色をしぼってみたら上品な感じになるよ、と言ってみても、〈なんであかんの?〉と美紀子は言うのだった。〈どの花もきれいやもん、かまへんやんか。自然の野原かて、赤やら黄色やらピンクやら青やらが、みーんな一緒くたに咲いてるがな〉

そう言われてしまえば、母のほうが正しいようにも思える。

夏帆はふと、如雨露を置いてかがみこんだ。年の暮れからずっと咲き続けてくれていたクリスマスローズが、めしべのまわりに種をぐるりと実らせている。エンドウマメのようにぷっくりとした、薄緑のサヤ付きの種だ。株をこれ以上弱らせないように、花首ごと摘《つ》み取っていく。かわいそうだが仕方ない。このまま種を熟させて蒔《ま》き、実生《みしょう》から株をどんどん殖《ふ》やすには、やはりベランダではなくて地べたが要る。

手折《たお》った茎の一本を何気なく鼻に近づけると、かすかに青臭い匂いがした。どこかしら夏帆を落ち着かなくさせる匂いだった。

「何してんのー、先に寝るよー」

寝室のほうから大介の声がする。夏帆は慌てて中に入り、サッシを閉めた。

「ちょっとだけ待ってて、あと歯を磨くだけだから」

急いで洗面所へ向かいながら、こういうのはやはり、彼に合わせているということになるのだろうか、と思う。

寝室へ入っていくと、大介はベッドに腹ばいになって週刊誌を読んでいた。背中の上で猫の雷太がうずくまり、満足げに目を細めている。

「いいねえ、雷太。天然の低反発マットレスだねえ」

「………」

わざと不機嫌そうな流し目をよこす大介の隣へ、夏帆はくすくす笑いながら滑りこんだ。

布団の中は、ひんやりとしていた。朝から午後にかけて眠り、起きているのはもっぱら夜だから、外に布団を干すことがかなわないのだ。大介と暮らす限りこの生活サイクルが続くのだとすれば、今度の冬は布団乾燥機を買ったほうがいいかもしれない。もちろん、冬まで大介との仲が続く保証などどこにもないのだけれど。

お互い、今とくべつ相手に不満があるということでなくても、男女の間柄などいつ何が起こってもおかしくない。前の結婚を解消してからというもの、夏帆はよけいにそう考えるようになった。毎晩のように手をつないで寝るほど仲の良かった夫と、その一か月後には同じ部屋の空気すら吸えなくなって別れたのだ。今はこれほど愛《いと》しい大介の背中さえ突然うとましくなってしまう瞬間が、たとえば明日訪れたとしたって何も不思議はない。

大介のほうへ寝返りを打ち、足先をそろそろと寄せていく。

「わっ冷てっ」

彼は跳ねるようにして自分の足を引っこめた。

「冷たいのはあなたでしょ」夏帆は冗談めかして言った。「私なんかいつも、脚にはさんであっためてあげてるのに。愛情の差だな」

「夏帆がしたいからしてるだけでしょ。同じことをしないからって、ひとの愛情まで勝手に量っちゃいけません」

淡々とたしなめられ、ハイスミマセン、と首をすくめておく。

「ねえ」

「うん？」

返事をしながらも週刊誌の記事から目を離さない大介の二の腕に、鼻先をくっつける。

無精ひげの伸びた頬を間近に見上げながら、もう一度、

「ねえ」

「なに」視線を動かさないまま、大介は言った。「今、これ読んでんの」

「……ごめん」

夏帆は、仰向《あおむ》けになった。

雷太が立ちあがって弓なりの伸びをすると、大介の背中から降り、布団の中へもぐりこんできた。夏帆の胸もとを踏む肉球もひんやりとしている。

もうこれでひと月近く、男女として抱き合っていない。息を吸いこみ、静かに吐きだした。ため息のように聞こえては角が立ってしまう。

さっきのようにたくさん言葉をかわせば、心は落ち着く。ふとした時に髪を撫でてもらうのも素敵だ。でも、それだけでは埋まらない寂しさや渇きだってあるのに……。

男にはわからないのだ、と夏帆は思う。女の側から誘うのが、どんなに恥ずかしく勇気の要《い》ることか。それをおして口に出しても受け入れられないとなると、恥ずかしい以上に自分自身を恥じたくなってくる。

寝返りを打ち、大介に背中を向けて、夏帆は柔らかな猫の体を抱えこんだ。

第四章――欲

夏帆が庭仕事を好きになったのは、やはり母・美紀子の影響によるところが大きかっただろう。

それが、母のすることを見て育ったからなのか、それともＤＮＡのなせるわざなのかはわからない。その両方かもしれないし、同じ環境で育った秋実がさっぱり庭仕事に興味を示さないところを見ると、両方とも違うのかもしれない。

狭い中にぎっしりと植物の生い茂るあの庭から、美紀子は時折、娘たちのために四季咲きのバラの花を切ってくれた。黄色、ピンク、赤にオレンジ。さすがにあの頃の夏帆はまだ、その色合わせに不満など抱かなかった。母親がざっとトゲを取ってから新聞紙にくるんだそれを、夏帆や秋実が学校へ持っていくと、先生が花瓶に挿《さ》して教卓の上に飾ってくれる。その花が美しく、よい香りがすればするほど、夏帆はそれからの数日、クラスのみんなに対して鼻が高かった。

当時、家からいちばん近い駅の前には大きな植木屋があった。土地持ちだったのだろう、店の横の広い空き地に鉢植えばかりか根巻きの庭木までたくさん並べられていて、美紀子は娘二人と買い物に出かけた帰りに立ち寄っては、バスが来るまで花の種や苗木などを物色していた。

今もって夏帆が植物の名前にやたらと詳しいのは、多くがこの頃に覚えたものだからだ。いちいち教わったわけではない。母親の後をついて歩きながら、一つひとつの植木に付けられた名札を眺めているうちに、自然と覚えてしまった。すべての植物に名前があるということが面白く、名前にそれぞれ意味や由来があるのに気づくともっと面白くなった。

春ならば、まず満作《まんさく》が咲き、日向水木《ひゅうがみずき》が咲き、連翹《れんぎょう》と雪柳《ゆきやなぎ》が同時に咲いてから小手毬《こでまり》や金雀児《えにしだ》が咲く。梅は桜よりだいぶ前だが、桃は桜のすぐ後だ。とりあえず東京ではそういう順番になっている。

辛夷《こぶし》と白木蓮を見分けられ、馬酔木《あしび》と満天星《どうだんつつじ》の別を見極められ、花海棠《はなかいどう》と林檎《りんご》の花の付き方の違いを指摘できる小学生というのは珍しかったとみえて、植木屋の老主人は夏帆をずいぶん可愛がってくれた。時には、美紀子が買った花苗に気前よくおまけを付けてくれたりもした。

夏帆が四年生の頃からだったか、美紀子が盆栽に夢中になった時期がある。狭い庭にもう何も植えられなくなって欲求不満が溜まったのか、玄関の脇、父の伊智郎が日曜大工で作りあげた五段ほどの台に、五葉の松やら梅やら木瓜《ぼけ》やら、たくさんの盆栽を並べていた。

ある日、例によって買い物帰りに植木屋に立ち寄ったときだ。母親がプランターで育てる野菜の種を物色している間、退屈そうな秋実を連れて花木の列の間をぶらぶらしていた夏帆は、ふと、地べた近くの台に置かれた一鉢に心奪われた。

思わずそばにしゃがみこんだ。両のてのひらにのるほど小さな角鉢に植えられた、ニレケヤキの盆栽。そんなにも小さいのに、しっかりとバランスよく枝を張り、根もとを深緑の苔《こけ》に覆われたその木を見ていると、目の前に果てしない草原の風景が広がっていくようだった。枝にとまる小鳥や、木陰で休む動物たちまで見えるような気がした。

やがて、秋実を連れた美紀子がそばにやって来た。妹をちゃんと見ていなかったことを叱られる、と慌てた夏帆が立ちあがると、母親は言った。

「なんや、何を見てたん?」

上機嫌だった。ほっとして、夏帆は足もとのニレケヤキを指差した。

「あれま、盆栽かいな。あんたの趣味も渋いなあ」

意味はわからなかったが、母親が笑っているところを見るとそう悪い意味ではなさそうだ。スーパーの袋ががさがさと音を立てる。

「これ、好き」

と、夏帆は言った。

「そやなあ。枝ぶりもなかなかええな」

「なんかね、けしきが見える」

「景色？」

「おっきな原っぱに、この木が一本だけ立ってるの。〈この―木なんの木〉のあれみたいに」

　日曜の夜、テレビを観ていると流れるCMのことを言うと、美紀子は納得がいったようにうなずいて、盆栽を見下ろした。おもむろにしゃがんで手を伸ばし、鉢に挿してある白い札を確かめる。細い字で〈ニレケヤキ〉と書かれたすぐ下に、〈一二〇〇〉の文字があった。

　再び立ちあがった美紀子が言った。

「あんたこれ、欲しぃのん？」

　びっくりして、夏帆はすぐには答えられなかった。そんなふうに訊かれたことなどめったになかった。欲しいとねだったものは決して買ってもらえない。それが鈴森家のルールなのだ。

　スーパーのお菓子売り場などで、よその子が、買って、買って、と駄々をこねるのを見るたびに、

〈あれ見てみ、みっともないなあ〉

　美紀子は、その子の母親をさげすむように見やりながら娘たちに言うのだった。

〈どういう躾《しつけ》をしてんねやろ。あんたらは絶対、あんなことしぃなや。お母ちゃんはあ

あいうのが一番嫌いやねん。ええか、覚えときや、『あれ買って』やなんて言う子には何にも買《こ》うたげへんで〉

秋実などはそれでも、駄目で元々とばかりに欲しいものを指差しては「いいなー」と言ってみたりするのだが、夏帆は以来、何かを欲しいとはまず言わなくなった。駄々をこねるのがいけない、と言われたようには思えなかった。欲しいという意思表示そのものが母にとってはタブーなのだと思った。物欲しさは懸命に隠し、それが難しくなってしまうおもちゃ売り場などには、母親の見ているところでは近づかないようにした。おかげで誕生日やクリスマスにさえ本当に欲しいものはもらえなかったが、それでも、母から嫌われるよりははるかにましだった。

「なあ。この盆栽、欲しのん？」

美紀子が訊く。じっと見られて、心臓が口から出そうだった。もしかして試されているのではないか。

夏帆は、用心深く言った。

「……好きだけど、いらない」

「なんで」

「うちにもう、いっぱいあるから」

「いっぱいあるて、何が？」

「盆栽」

いったいどこがいけなかったのだろう。遠慮して言ったつもりの夏帆の答えを聞くなり、母親の眉がぴくりとはねた。

「あんたはまあ、」美紀子は苦々しげに顔をしかめながら言った。「ほんまにお父ちゃんの子ォやなあ。お父ちゃんとおんなじこと言う」

「え?」

「『盆栽ならもういっぱいある』て、お父ちゃんもそう言わはんねん。ええかげんにしとけ、もう増やしなや、て」

いっぱいいて言うたかてほんの三十かそこらやんかなーあ、と美紀子は秋実に同意を求めた。ねーえ、と秋実が応じる。

「一つひとつ、どれもみんな違《ちご》てるのになーあ」

「ねーえ」

そして美紀子は、かがみこんでニレケヤキの鉢を手に取った。

「おいで、夏帆。買うたげるわ」

「えー、いいないいな！　お姉ちゃんばっかりずるい！」

秋実が飛び跳ねる。

「あんたはべつに、こんなん欲しないやろ」

「お花だったらほしいもん」

「しゃあないなあ。どれがええねん」

「ええとねえ、じゃあ……桜！」

「あほ！　そんな大きいもん買われへんがな」

「じゃあ、スミレ！」

帰りのバスの中、夏帆は膝の上のニレケヤキをずっと見守っていた。幹のまわりに広がるあの果てしない草原ごと運んでいるようで、その脆《もろ》くも儚《はかな》い空想の世界がバスに揺られて壊れてしまわないように、しっかりと両手で鉢を押さえていた。

欲しいと思ったものをその場で買ってもらえただなんて、まだ信じられなかった。一年生の時、クラスのそれぞれが一鉢ずつ朝顔を育てたことはあったけれど、こんなかたちで自分だけの植木を任せられるのは初めてなのだ。

――あたしの木。

そう思うと、誇らしかった。自分で世話しぃや、と言われるまでもなく、秋実にも誰にも触らせるつもりはなかった。

毎日、水をやった。棚に並んだ盆栽すべてに母親がホースで水をやるときでも、ニレケヤキだけは残してもらい、学校へ行く前に自分で如雨露《じょうろ》を傾けた。

けれど、夏帆とその木との付き合いは、ひと月足らずで終わりを迎えた。家の前で近所の子らと遊んでいた時、誰かが蹴ったボールが大きくそれて盆栽棚を直撃したのだ。

犠牲になったのは梅と松が一鉢ずつ、そして夏帆のニレケヤキだった。梅も松もしっかりと太かったぶんだけ枝先が多少折れた程度で済んだものの、ニレケヤキの小さな鉢は下に落ちて割れ、苔に覆われた土も粉々に飛び散って、別の鉢に植え直してやっても日に日に元気を失い枯れていってしまった。

以来、夏帆はあの植木屋へ行っても、ひとつところで立ち止まらなくなった。代わりにまた何か買ってとアピールしているかのように思われるのが怖かった。

〈おいで、夏帆。買うたげるわ〉

あんな胸躍る出来事が、二度も三度も起こるはずがないのだ。

＊

枕の左側で丸くなっていた雷太が、眠そうな顔のまま、冷たい鼻を寄せてくる。夏帆は寝返りを打ち、なめらかな猫の体をそっと抱き寄せた。

時計を見ると、まだ昼前だった。ベッドに入ったのは例によって朝方、それすら四十五時間ぶりの睡眠だったわりには、早過ぎる目覚めだ。

掛け値なしにギリギリの進行だとわかっていた。あと一日でも入稿が遅れたら、小説誌の目次からして変更になってしまっていたかもしれない。執筆の途中でほんの一時間の仮眠をとりたくても、いったん横になったが最後、アラームで起きる自信などまったく持てず、濃すぎるお茶やコーヒーを飲み続け、はては眠気覚ましのカフェインドリンクを二本たて続けに飲んだ。おかげでいざ横になってからも眠りは浅く、奇妙な夢ばかり見た。ずいぶん寝汗をかいたらしい。足にまとわりつく布団が気持ち悪い。

ひと月に一度か二度、こんな日がある。

原因はだいたい決まっていた。月々の連載仕事のほかに、イレギュラーで飛びこんでくる仕事をつい受けてしまうとこういう日に遭うのだ。

エッセイ、文庫本の解説、封切り間近の映画へのコメントや、新刊の帯に寄せる推薦文。いま受ければあとで苦しくなるとわかっているのに、なかなかうまく断れない。恩ある編集者からのたっての頼みだったり、このテーマで書ける人は夏帆さんしかいないとおだてられたり、あるいは企画そのものにうっかり好奇心を刺激されたりすると、もういけない。楽観が先に立つ。自分のキャパシティを見誤る。〆切まで半月以上も間のある仕事は、なぜだかいつも、何とかなりそうに思える。半月後に訪れる地獄の睡眠不足と後悔はもう何度も味わっているのに、どうして同じことばかりくり返すのか……。

下腹に、重たいせわしなさが凝っている。眠気よりも尿意に負けて、夏帆はベッドを出た。頭の芯が痛み、足もとがふらつく。壁の白さが目に刺さる。よろよろと廊下の壁にぶつかりながらトイレにたどりつき、腰を下ろしたとたん、

「冷、たっ！」

叫んで飛びあがった。便座が上がったままの便器に、むきだしのお尻がはまりこみかけたのだ。

無言で陶器の便器を見おろす。こういうことも男と〈同棲〉すればこそだ、新鮮新鮮、

と自分に言い聞かせ、便座を下ろして慎重に座り直す。おかげで目が覚めた。

「おはよう」

大介の部屋の入口に立って声をかけると、Tシャツに下着姿のままパソコンに向かっていた大介は、キーボードを叩《たた》く手を止めてふり向いた。

「おはよ。早いね。俺が起こしちゃった？」

「ううん。おしっこ」

「あ、そ」

大介が苦笑する。

「あのね」

「うん？」

「もしも私が便器にはまり込んで一人じゃ抜け出せなくなったら、あなた、ちゃんと助けに来てくれる？」

数秒の間があったあと、大介は唇の端だけを上げ、

「ごめん。気をつける」

と言った。

夏帆はそばへ行き、椅子の足もとの絨毯《じゅうたん》にじかに座った。筋肉に覆われたむきだしの太腿《ふともも》に、額を押しあてて目をつぶる。頭の後ろに大介の分厚い手が置かれた。じんわりと伝わってくる体温に、しつこい頭痛が溶けていくようだ。

ここしばらく、夏帆は、わけもなく鬱々《うつうつ》としていた。何をする気力もなく、気分がどよどよとして、ため息ばかりもれる。少し風邪《かぜ》気味なのを自分への言い訳に、猫をかかえてはぼんやりしていた。仕事が押してしまったのはそのせいもあったろう。

数日前には、久しぶりに大介とつまらないことで言い争いもした。じつにつまらないことだ、と頭ではわかっているのに、感情の波立ちに言葉が追いつかず、翌朝はまぶたがみっともなく腫れた。そういう自分がまた情けなくて、ばかばかしくて、いっそどこかへ消えてしまいたくなった。

仕事のストレスと、女ならではの体の周期、それ以外の口には出せないもろもろ——。あれやこれやが何かの拍子に核融合を起こすと、精神が突然、がくん、とエアポケットにはまり込む。そういう時期が、夏帆には不定期にめぐってくる。

そんな時、パソコンは危険だ。パソコンに向かわなければ仕事にならないのだが、原稿をひろげている同じ画面の隅をたった一度クリックするだけで、ありとあらゆるネットショップやオークションのサイトにつながってしまう。自宅の中に一瞬でデパートが出現するようなものだ。

ああ、こんなものを眺めている場合じゃないのに。今この間にも原稿用紙三枚は書けていたはず……。気は焦るのだが、いや焦ればこそブレーキがきかない。よって、仕事が詰まっている月ほど夏帆のクレジットカードの請求金額は大きくなる。

今日もたぶん、夏物の帯が一本届くはずだ。どんな帯だったか、もうよく覚えていない。それとも、帯ではなくて着物だったか。ほんとうに欲しかったのかどうかさえ自信が持てなくなってくる。

「今日は、夏帆は何するの？」

と、大介が言った。

「うーん、とくに予定はないかな。少しゆっくりするつもり」

ふと後頭部から手が離れていき、セロファンのかさこそいう音と、ジッポーを擦《す》る音が響く。大介の吐く息に混じって、煙の匂いが漂ってくる。

不思議と心落ち着くその匂いを、目を閉じたまま鼻先でまさぐるようにして嗅いでいると、頭の上にてのひらの重みが戻ってきた。右手でマウスをいじったり、灰皿を引き寄せたりしながらも、左手はずっと頭に置いたままにしてくれている。夏帆は安堵《あんど》して、ゆっくりと深呼吸をした。

「あなた、おなかは？」

「俺はまだすいてないな。もうちょっと寝たい気分。夏帆は？」

「私も」

「風呂、入れてあるよ」

「え、ほんと？」

「先に入っといでよ。それで、もう一度寝て起きたら、何かうまいもの食いに出かけるってのはどう？　……あ、痛い痛い痛い痛い」

夏帆が額をぐりぐりと太腿に押しつけるのを、大介は笑ってよけた。

湯船に深くもたれかかり、時間をかけて浸かっていると、あまりの気持ちよさにそのまま眠りこんでしまいそうだった。どれだけ疲れていたか、今ごろわかる。切羽詰まっている間は疲れを意識する余裕すらなかったのだ。

頭の芯に居すわる鈍い痛み。首や肩の凝り、背中の張り、腰のだるさ、足のむくみ……。一つひとつがゆっくりとほぐれ、湯の中に溶けだしていく。

ほんとうに寝てしまわないうちに、湯船を出てシャワーを浴びる。夏帆がこのごろ好んで使っている石鹸《せっけん》は、京都の老舗《しにせ》旅館が特別に作っているものだ。白檀《びゃくだん》をベースに様々なハーブが配合され、上品でありながら野性的な趣もあって、泡立てたその匂いを吸いこむたび、夏帆は子どもの頃よく遊んだ原っぱの草むらを思いだす。春から夏にかけて、草が生い茂り花が咲き乱れる原っぱに寝ころぶと、どうかするとこんなふうな香りに包まれることがあった。甘さの奥にかすかな猛々《たけだけ》しさのある、蠱惑《こわく》的な香りだった。

石鹸をきめ細かく泡立てて、耳の後ろや足指の間までていねいに洗っていく。今日もたぶん何も起こらない。それがわかっていても、手順を省いたことはない。

白檀や乳香《にゅうこう》といった香木《こうぼく》は古来から、男女を官能へ誘うための媚薬《びやく》にも使われている。夏帆が自分専用にこの石鹸を選んだのも、香りが好き、という以外に、別の思惑がまったくなかったとは言えない。大介と、いつまで男と女でいられるか。もっと正確に言えば、大介から、いつまで女として見てもらえるか。七つ年上の夏帆にとって、それは切実な問題だ。どれだけ切実か、彼にはわからないだろうと思うほどに。

髪を軽く乾かし、文庫本を手にベッドに戻る。雷太がすぐ後から飛び乗ってきて、足もとで丸くなった。〆切明けの昼風呂と二度寝。こんな幸福は他にない。

しばらくすると、大介も風呂から上がってやってきた。傍らに滑りこむ男の軀《からだ》から、夏帆とは別の匂いが漂っている。シダー系にセージやタイムを加えたイタリア製のボディソープは夏帆が買ってきたものだが、そこへ強い煙草と彼自身の肌の匂いが入り混じると、なおさら野性味溢《あふ》れる香りになる。

いつものように腹ばいで週刊誌を読みはじめた大介は、けれどすぐに雑誌を閉じて脇へよけた。仰向けになって目を閉じ、自分から夏帆の首の下へ腕を差し入れてくる。

まさか……。いや、もしかしてこれは、サイン、だろうか？　見誤ってうっかり積極的に出てしまって、拒まれたときが怖い。そんなことでいちいち傷つくなと言われても、女には、それはとても難しいことなのだ。

文庫本を押しやり、試しにそろりと彼のほうへ寝返りを打ってみる。太い腕を巻き込むようにして抱き寄せた大介が、親指で夏帆の耳の輪郭をなぞるように撫でる。

脈が、走った。夏帆は伸びあがるようにして、大介の首筋に唇を触れてみた。応えるようにゆっくりと背中をなで下ろされ、息があがる。

訂正、しなくてはいけない。〆切明けの昼風呂と二度寝。それだけでも確かに幸せだが、そこへ久しぶりのセックスまで加わるのなら、もう何も言うことはない。たったこれだけのことで、沈んでいた気持ちも、彼へのわだかまりも、すべてがどうでもよくなってしまっている。

ちくちくと尖《とが》った無精ひげに頬をすり寄せる。胸深く、大介の匂いを吸いこむ。彼もいま、白檀の香りを嗅いでくれているのだろうか。


秋実から電話がかかってきたのは、大介と外で食事をしたあとのことだった。夏帆一人だけ先に戻り、パソコンに向かって次の仕事に取りかかり始めた矢先だ。

コールが三度、四度と鳴り響く間、夏帆は携帯の画面に表示された妹の名前と番号を見ながら躊躇《ためら》っていた。

電話に出るのが億劫《おっくう》なのは、まだ気力が充分に回復していないせいばかりではない。妹と話すと、疲れるのだ。話がいまひとつ嚙み合わない。しかも、嚙み合わなさを感じているのは自分の側だけなのではないかという思いが、夏帆をなおさら疲弊させる。

このまま無視してしまおうか。急を要する用件ならくり返しかけてくるだろうし、そうでないなら追ってメールが送られてくるだろう。だが、そのメールに対して親指でぷちぷちと返事を打ち返すのと、今この電話を取って用件を済ませてしまうのと、どちらが面倒か。

八回目のコールの途中で、夏帆はようやく応答ボタンを押した。

〈なに、お姉ちゃん、またこんな時間に寝てたの？〉

開口一番、いきなりジャブだ。

「寝てないよ。仕事してたの」

言外に、だから用件だけで切りあげてほしいという思いをこめたのだが、無駄だったようだ。ふうん、と生返事をした秋実は、のんきに続けた。

〈いま何書いてんの？〉

「小説」

〈小説はわかってるけどさ、女性誌に連載してるやつ？　それとも小説誌のほう？〉

「小説誌は今朝どうにか終わって、ついさっき女性誌に取りかかったところ」

〈ってことは、あれね。ちょうど今、すっごいエロいこと考えてる真っ最中だったってわけね〉

何か言い返してやりたい気持ちをぐっと呑みこみ、夏帆は短く、そうかもね、と答えた。

〈このまえ、美由紀《みゆき》に会ったらさ。あ、お姉ちゃん、美由紀って覚えてる？　あたしと同じクラスだった〉

覚えてない、と正直に言えば、また話が長くなる。

「覚えてるよ」

〈あの髪の長い、ちょっと太った子〉

「覚えてるってば」

〈彼女ね、お姉ちゃんの書いてるものはほとんど読んでるんだって。本も持ってるって〉

「そう。ありがとうって伝えといて」

〈でも、いま連載してるのなんかはさすがにショックみたいでさ。『お姉さん、私生活で何かあったの？　いくら何でもエロ過ぎない？』とかって、さんざん言われちゃったよ。あと、あそこに出てくるようなことはみんなお姉さんの実体験なのかって訊くから、あんなの想像で書いてるに決まってるじゃんって答えておいたけど、なんか恥ずかしくってさ。困っちゃったよ、あたし〉

「そう」

夏帆は、人知れず深呼吸をした。

「ごめんね、迷惑かけて」

〈べつに、迷惑とは言ってないけど〉

秋実の声が、送話口でこもる。

「ところで、どうしたの？」しびれを切らして促してみる。「何か用事？」

〈ああ、そうそう、それなんだけどさ。ねえ、お父ちゃんからメール行った？〉

「来てないよ」

〈あ、そ。やっぱり本人、まだ気がついてないんだ〉

「どういうこと？」

〈お父ちゃんてばさ、お姉ちゃん宛のメールを、間違えてあたしのとこへ送ってよこしたの。ちょっと待って……はい、今そっちへ転送しといたから、あとで読んでみて。ねえ、言っちゃ何だけどさ、これってあれじゃない？　もしかしてボケの始まりだったりしない？〉

その口調に、何だろう、かすかに侮《あなど》るような見下すような響きを感じて、

「秋実」

夏帆は思わず咎《とが》めた。

〈だってさ、お父ちゃんって、前だったら絶対そういうミスをしない人だったじゃない。完璧主義者っていうか。あたしが計算のテストとかでうっかり間違いでもしようものなら、ケアレスミスほど馬鹿げたものはないとか言って鼻で嗤《わら》われたくらいでさ〉

テストの話については、これまでにも何度となく聞かされていた。秋実にとってはおそらく納得のいかない思い出なのだろう、彼女が父について誰かにこぼす時は、必ずと言っていいほどそのエピソードが語られるのだった。

「わかった。あとで見ておくね。ごめん、悪いけど〆切が迫ってるから」

なおも話したそうな秋実にそう言って電話を切り、夏帆はすぐさま、パソコンに転送されていたメールをひらいた。

タイトルは、「去勢手術」。飼い犬ゴンの手術が終わったという、父・伊智郎からの報告だった。

なるほどこれは、秋実に宛てたものではありえない。老夫婦二人きりではたいして会話もなかろうから、生きものがいることで少しでも気が紛れればと、雑種犬の子犬をもらってきてやったのは夏帆だったのだ。

そのゴンも、そろそろ生後八か月。去勢をするなら早いほうが望ましいというので、このところ伊智郎が動物病院を探していたのは知っていた。もっと近くに住んでいれば自分がゴンを車に乗せて連れていってやれるのに、こうまで仕事が立て込んでいると、往復七十キロほどの道のりを飛ばすこともままならない。

〈心配をかけたが、木更津駅の近くの病院が送迎まで問題なく請け負ってくれることになり、今日、ゴンは無事に戻ってきました〉

と、伊智郎は書いていた。

〈費用は、がっかりするほど安かった〉

読みながら、思わず笑ってしまった。びっくりするほど、ではなく、がっかりするほど、とわざわざ少しひねった言い回しをするあたりが父らしいと思った。

〈初診料から注射代、薬代までサービス、手術費用と入院費を合わせても、消費税込みでなんと一万五千二百円。当然、このさきゴンが何か病気でもしたら、ここに頼むことを見越してのサービスであろうと邪推しておるところである〉

いったい、このメールのどこを読めば父がボケたなどと言えるのだろう。夏帆は、妹を腹立たしく思った。メールの送り間違いくらい、誰でもする。父はおそらく、夏帆のアドレスをクリックしようとして、ほんの一行間違えただけなのだ。その程度のことを、秋実はどうしてあんなふうに大げさに言い立てたがるのか。

〈夏帆はさ、お母さんには、きついね〉

ふと脳裏をよぎったのは大介の言葉だった。

自分ではそんなつもりなどなくても、傍《はた》からはそう見えてしまう。わかってしまう、と言いかえてもいい。もしかすると、同じようなことが秋実と父親の間にも言えるのかもしれない。夏帆が母・美紀子に対して抱いているような曰《いわ》く言い難《がた》い思いを、秋実は父の伊智郎に対して抱いているのだろうか。

親子の間でも、相性というものはある。お互い人間である以上、これればかりはどうしようもない。家族でなかったら、血のつながりがなかったら、絶対に付き合わないし近づきもしないような相手と、否応《いやおう》なく一生関わり続けることの不思議……。

父からのメールを、夏帆はもう一度じっくり読み返した。そこはかとなくユーモラスな文面に、再び微笑がもれる。オスのおちんちんの、なんという安さ。これがメスの避妊ならどうしても開腹手術になるから、倍とは言わないまでもかなり高くついたはずだ。

そういえば、以前、編集者の滝沢が何かの折にこんな話をしていた。

山梨出身である滝沢の祖父は、近所で「にゃんにゃ爺《じい》」と呼ばれるほどの猫好きで、数十匹からの猫の面倒を見ていた。しかし、ほうっておくと猫はどんどん増えていく。そこでにゃんにゃ爺、自ら去勢も手がけることにした。どうしたか。オスの猫を逆さにぶらさげ、頭から長靴につっこみ、ペンチで……。

一緒にその話を聞いていた大介は、顔を歪《ゆが》め、鳥肌を立てながら身をよじった。同じ男として、いたたまれなかったものらしい。

おそらくは、時代、だったのだろう。この国で動物愛護などという言葉が叫ばれるようになったのは、思えばほんの最近のことなのだ。

母親の美紀子にしてもそうだった。動物好きを自任するわりに、昔、ポチが子犬を六匹産んだ時など、これ以上は飼えないから段ボール箱に詰めて川へ流しに行く、と平気で口にしたものだ。

一年生だった夏帆はもちろん、泣いて止めた。

「どうせ流すんやったら、まだ目ぇが開かんうちのほうが」

などと言う母親を、心の底から、鬼かと思った。まさか本気で言っているとは思えなかった。

そうこうするうちに、子犬たちの目は開いてしまった。薄水色の膜が張っていた瞳はすぐに黒々と輝き始め、母犬の鳴き声以外の音にも反応するようになり、足腰は日に日にしっかりしてきた。庭じゅうを組んずほぐれつして走り回る六匹に、夏帆はひそかに名前を付けてやった。耳の立ち加減や、斑《ぶち》の位置などから、自分だけがそれぞれを正確に見分けることができるのだと思うと誇らしかった。

だが、ある日、学校から帰ってみると、庭が静かになっていた。母犬のポチが、情けない鼻声で鳴きながら上目遣いに夏帆を見あげた。

「お母ちゃん！」

夏帆は蒼白《そうはく》になって家へ飛びこんだ。

「子犬がいない！　ねえ、みんないなくなっちゃったよ！」

てっきり、えっ、ほんまか、という返事が返ってくるだろうと思ったのに、母親はふり向かなかった。

夕食の買い物にでも出かけるところだったのだろうか。美紀子は、鏡台に向かって化粧を続けながら、なんでもない声で言った。

「ああ、子犬な。あげた」

「……あげた？」

何を言われているのかわからなかった。頭が思考を拒否していた。……あげた？

「そうや。今日、うちの前を通りかかった人が、みんな欲しいて言うから」

「みんなって、いっぺんに六匹とも？」

そんなばかな、と夏帆は思った。一匹や二匹ならわかる。だが、六匹の子犬を全部もらっていく人がどこにいる。

「そんな……ひどいよ」

思わず咎める口調になってつぶやくと、母親は初めてふり向き、まだ眉毛のない顔でじろりと夏帆を睨んだ。

「何がひどいねん。言うといたやろ、うちはもうこれ以上飼われへんて」

「それは、わかってるけど……」

このへんでやめないと、そろそろ母親が怒りだす。わかっていても我慢できなかった。

「どうして、もうちょっとだけ待っててくれなかったの？　あたし、学校で誰かもらってくれる子をさがしてるとこだったのに」

「おんなじやんか。ちょうどもろてくれる人がおったんやから。何が不満やの」

「だってそれ、どこの人？」

「知らん。いちいち訊かへんかった」

「それじゃ、もう会いにも行けな……」

「ええかげんにしぃな！」とうとう大声が飛んできた。「済んだことをいつまでもグズグズぐずぐずと！　しつこい子やな、ほんまに」

言い捨てて、美紀子はまた鏡のほうを向いてしまった。

薄い肩のあたりから、母の苛立ちがぴりぴりと漏電している。その中に、隠しきれない後ろめたさが混じっているのを感じ取った時、夏帆は確信した。ああ、やっぱりだ。あげたというのは母の嘘だ。どこかへ捨ててきたか、川へ流したか――あるいは、保健所か。じわじわと涙がにじみ、あふれ、こぼれた。

声を押し殺して泣きじゃくる夏帆に、

「大丈夫やて」妙に優しい声で美紀子は言った。「今ごろみぃんな、可愛がってもろてるて」

これっぽっちも信じてなどいなかったのに、夏帆は結局、信じたふりをした。母親のためではない。消えた子犬たちを守れなかった罪悪感から、自分自身を守るためだった。

*

大人になってからの性格や性癖について、原因のすべてを幼少時に起きた出来事に求めるのは間違いだろう。人はそれぞれ、十代に入った頃から少しずつ親の支配を離れ始める。自身の判断による成功と失敗を積み重ねながら、〈子〉ではなく〈個〉としての人格をつくりあげ、一人前の大人になってゆく。

夏帆ももちろんそうだった。むしろ、精神的に大人びるのは同級生たちより早かったほどだ。中学生の頃、父母面談から帰ってきた母親が誇らしげに言っていたのを覚えている。

〈先生が夏帆のこと、学年じゅうでいちばん大人やて言うてはったわ〉

それなのに――いま現在の、三十八歳になった夏帆の中にはいまだに、母・美紀子の支配が、幼い頃と同じかそれ以上に色濃く影を落としているのだった。

ふだん周囲に見せる年相応の顔とはおよそアンバランスなほど、停滞したままの部分が夏帆の中にはあって、時折その餓鬼のような子どもが無茶苦茶なわがままを言い、地団駄を踏み、駄々をこねたがる。

実際にはどれも、できはしない。相手を少しでも不機嫌にさせるのが怖くて、誰の前でも反射的にいい人ぶってしまう。自分さえ我慢しておけばすべては丸く収まるのだとばかりに、言いたいことは言わず、ひそかにストレスを溜めこみ続ける。かといって永遠に我慢できるわけもなく、溜まりに溜まったストレスはやがて突然に臨界点に達し爆発する……。

そうやって何度か、大切なはずの人間関係を壊してしまったことがあった。別れた夫との関係もその一つだった。

誰を責めることもできない、非は自分にあるとわかっている。母親の厳しい躾と支配のせいばかりではないし、生まれつきの性格だってあったのかもしれない。

だが、もしもあと少し——子ども時代の環境が、あとほんの少しだけでも違っていたなら。

つい恨めしく思いながら、夏帆は、そんなことを考える自分にも腹立たしさを覚えるのだった。親もとを離れて十数年がたってなお、母からの呪縛にとらわれ続けているなんて、自分の責任以外の何ものでもないではないか。げんに、同じ環境で育ったたった二歳違いの妹は、そんなものとはまったく無縁に見える。母親が秋実に対してはあまりきつく当たらなかったことを差し引いて考えても、じっさい自分は要領が悪すぎる、と夏帆は思う。

結婚を機に親もとを離れ、その七年後に離婚をして、自分で稼いだお金を親にも夫にも気兼ねなく遣えるようになった時、夏帆は生まれて初めて世界から霧が吹き払われたような思いがした。これからはもう、何も我慢しなくていい。母親の前で物欲しげな顔を見せまいとして、本当は欲しいものから目をそむける必要はない。何かを買うとき、いちいち夫にお伺いを立てる必要もなければ、あとから叱られていやな思いをすることもない。自由の身とはなんと素晴らしいのだろう、そう思った。

けれど今、原稿に向かう合間に例によってショッピングサイトでとめどなく買い物をしながら、あまり自由になった気がしないのはなぜなのだろう。むしろ、子どもの頃以上に強く、物欲にとらわれているような気がする。欲しいと思うものを我慢せずに手に入れる行為は、どこか、復讐《ふくしゆう》に似ていた。

あの頃、母親はよくこんなふうに言った。

〈本当に必要なものは、本でもノートでもその都度言うたら買うたげるんやから、それでええやんか〉

〈誰々ちゃんのとこではこうやから、うちもそうしてくれなんて言うても、お母ちゃんは聞かへんで。よその家で許されることでも、お母ちゃんがあかん言うたらあかんのや〉

母親の〈あかん〉は、鈴森家では絶対なのだった。

そんなわけで、〈欲しがってはいけない〉の次に夏帆のもとにもたらされた試練は、〈お小遣いが少ない〉という身も蓋もない悩みだった。クラスのみんながもらう月々の小遣いの平均が二千円だった頃、夏帆のそれは五百円だった。みんなが三千円もらっていた時には千円だった。

ひと月に千円では、友だち付き合いもままならない。大人が会社の同僚と飲みに出かけて親睦を深めるように、子どもの社会にも本やノート以外に、言葉にできない〈必要なもの〉があるのだ。

小中高一貫の私立校に姉妹二人が通い、兄も浪人したうえ四年制の大学へ進んだくらいだから、貧しい家ではなかったはずだ。あるいは、子どもの目にはわからなくとも、学費を捻出するのに家計は火の車だったのだろうか。

いずれにしても、もともと裕福な家庭の娘が多い学校の中で、夏帆はいつも肩身が狭かった。帰りに甘いものを食べに寄ろうとか、休日に映画を観に行こうとか、小さな雑貨をおそろいで買おうなどと誘われても、そのつど理由をつけては断ることが続いた。お金が無いから——と、言えなかった。たまたま今だけ無いのなら言えたかもしれないが、慢性的に無いのにそう口にするのはみじめだった。

いつだったか秋実に、あんたはあの頃どうやって凌《しの》いでいたの、と訊いたことがある。妹は、けろりとして言った。

〈おじさんとかおばあちゃんに会った時、お母ちゃんがお小遣いくれないって言ってみ

たら、喜んでいっぱいくれたよ〉

めまいがした。そんなにも簡単な解決策を思いつかずに、自分は……。

引っ立てられるようにして連れていかれた狭い事務室を思いだす。

今思えば、つまらないコミックだった。それでも、あの時はあれが欲しかったのだ。

どうしても。

第五章――迷

小説家のもとに舞い込んでくる仕事は、執筆だけではない。

作品についてのインタビュー、女性の生き方や恋愛などテーマ別の取材、東京や地方での講演、テレビやラジオへの出演、シンポジウムのパネリスト……。書く仕事以外はすべて断るという方法もあるのだが、それでは自分の性格からいってますます世界が狭くなってしまう気がして、夏帆は最近、あえて小説とは無関係に見える仕事も受けるようにしている。

とはいえ、もちろん〆切は待ってくれない。つい先ほども、また睡眠を削りに削った果てに短編小説を書きあげたばかりだった。原稿用紙にして三十枚。創刊されたばかりの女性誌で始まる連作の、第一回目だ。

夏帆の場合、それだけの枚数の小説をきっちり納得のいくように仕上げるには、どんなに集中しても三日三晩かかる。とんでもなく遅筆というほどではなかろうが、同業者の中にはたった一晩で八十枚もの中編を仕上げてしまう強者《つわもの》もいるという。それに比べれば、速いとはお世辞にも言えない。

（一晩で八十枚か……）

そんなスピードで書いても文章や中身が粗くならないとしたら、創作的な動体視力がよほど優れているのだろうと夏帆は思う。羨ましくはあるけれど、とても真似できない。書いているさなかにもたびたび躓《つまず》き、立ち尽くし、呻吟《しんぎん》しながらまた一字一句書き綴《つづ》っていく以外に能のない夏帆には、八十枚どころか、一晩でせいぜい十枚書くのがやっとなのだ。

しかし、たとえば特急電車の窓から見る看板の文字と同じで、全速力で走っていたのでは見えないものもある。立ち止まらなければ見過ごしてしまう景色を、心象風景を、丁寧に描写していくことにも意味はあるのではないか。

負け惜しみのようにそんなことを思いながら、夏帆は推敲《すいこう》まで済ませた原稿のデータを慎重に上書き保存した。

メール作成画面に宛名と本文を打ち込む。

〈こんばんは。こんな時間になってしまってごめんなさい、一回目の原稿をお送りします〉

担当の麻田美菜子《あさだみなこ》に宛てた文面だった。以前から夏帆が滝沢一義と並んで信頼している、ほぼ同年代の女性編集者だ。滝沢とは別の出版社だが、互いに仲がいい。夏帆以外にも何人か共通の担当作家がいるせいだろう。

〈ただし、ひとつお願いが。こんなものは世紀の大駄作だと思ったら、遠慮なくきっぱり言って下さい。必ず間に合うように直します!〉

メールに原稿を添付して送ったあとから、こんなに弱気でいいものだろうかと苦笑いがもれる。ほかの作家たちはどうなのだろう、皆、もっと自信を持って偉そうに原稿を送りつけるものなのだろうか。

じつは夏帆にとって、短編の執筆はこれが初めてのことだった。デビューから十年以上、いっさい短編というものを書かずにきた。文芸畑では珍しい例かもしれない。

夏帆自身、読むのも書くのも長編が好きだったので、今まではそちらにばかりかまけてきたのだが、いつからだろう、たしか大介と暮らし始めた頃からだったろうか、

(ああ、もっと巧くなりたい)

強くつよくそう願うようになった時、本能的に悟った。ならば短編を書くべきだ、と。

逆巻き流れる大河の迫力にはかなわなくとも、ひとしずくの朝露には一瞬のきらめきが凝縮されている。短編小説にはそんな魅力がある。長編を書くには、持久力。短編なら、瞬発力。両方を鍛えておけば必ず、片方がもう片方の役に立つ。

だが、そもそも短編とはどうやって書くものなのか、夏帆には勘どころがなかなかつかめないのだった。O・ヘンリーよろしく最後にわかりやすい落ちなど付けたくはないし、かといって中途半端に読者を突き放すだけでは自己満足に堕してしまう。長いものを煮詰めて短くすればいいわけでもない。そんなものはただのあらすじだ。短編小説

に必要なのはおそらく、核となるアイディアが一つと、あとはただ、神が宿るための細部……。

そんな具合に、迷いながらひたすら原稿に向かっているうちに、夏帆はだんだん不安になってしまったのだった。今書いている作品の出来がいいか悪いか、というより、そもそもこういったものを良しとする自分の感覚が、いいのか、悪いのか。この無間《むげん》地獄のようなループにはまりこむと、何を信じるべきかまったくわからなくなる。

三十枚という短い小説の中に、何かひとつでも普遍につながるものを描き出すことができただろうか。ただ単に凡庸でしかないものを、さもそこに何かがあるかのように、思わせぶりに描いてみせただけではないのか。

メールと原稿を送ってから後も、落ち着かなさにベッドに入る気にもなれなかった。深夜二時をまわったこんな時間では、さしもの麻田美菜子ももう帰宅してしまっていたかもしれない。だとしたら連絡があるのは早くても朝だろう。洗濯をしたり冷蔵庫の整理をしたりしながらじりじりと待つうちに、パソコンがようやくチリンと鳴って返信が届いた。

〈こんな言い方は甚だ失礼ですが――〉と、麻田美菜子は書いていた。〈予想をこえる出来映えでした。書ききっていながら、書きすぎていない。絶妙の匙《さじ》加減です〉

編集者はほめるのが仕事なのだから、と自分を戒めつつも、細かい部分まで言及した感想と的確な指摘に、我知らずこわばっていた夏帆の肩から力が抜けてゆく。こちらが或る意図をもって、しかしそれが前面に出すぎないようにできるだけ注意深く書いたところを、その配慮までもきちんと読み取って受けとめてもらえるのはしみじみと嬉しい。

ああ、よかった。ほっとした。これでようやく寝られる。少しでも横になっておかないと、十時からはテレビの対談番組の収録があり、ホステス役の女性キャスターが自宅にやってくるのだ。

数日前に電話で時間を告げてきたのは女性ディレクターだった。スタートの時間を聞かされて目をむいた。その時間に物書きの家を訪ねるのは、はっきり言って非常識というものだ。ふだんから真夜中に仕事をし、明るくなってからようやく床につく夏帆にとって、朝十時とは普通の人にとっての丑三《うしみ》つ時《どき》に等しい。

けれど、口には出せなかった。上梓したばかりの単行本の宣伝になる、という卑しい考えのせいだ。誰に文句を言うこともできない。

風呂に入り、四時間ほど寝て、朝八時に起きた。気持ちよさそうに寝息をたてていた大介のことも一旦起こして掃除機をかけるよう頼み、その間に夏帆はリビングのごちゃごちゃしたものを段ボール箱に適当に放りこんで、別の部屋へと持っていった。

思えば昔から、母親によく叱られたものだ。

〈あのな、片づける、いうのんは、あっちゃのもんをこっちゃへかためて置いとくということとちゃうねんで！　この、かためたとこは次、どないすんねん！〉

（どうもしないもの）

重たい箱を運びながら、胸の裡《うち》で言い訳をする。

（この部屋を片づける気になったら、今度はそれをまた別の場所へ移すだけだもの）

十時から二時間ほどかけて、ようやく番組の収録が終わった。部屋中にあふれていた機材が片付けられ、スタッフ全員が帰っていったあと、夏帆はリビングのソファに崩れ落ちるように座りこみ、ずるずると背もたれに寄りかかった。

「疲れた……」

つぶやくと、雷太がまるで慰めるように鳴いて膝に飛び乗ってきた。

なめらかな毛並みや、ふさふさの尻尾を撫でる。嬉しげに喉を鳴らし始めた愛猫を抱いて横になる。

雷太の額は、まるでヘアピースでものせているかのように毛が分厚い。そこに鼻先を埋《うず》めながら、

「疲れた……」

夏帆はもう一度つぶやいた。

毛皮付きのアンカを抱え込むようにして、目を閉じる。明日が〆切のエッセイもあるのだが、とても手を付ける気力がなかった。

次に目をあけると、キッチンから物音がした。いつのまにか寝入ってしまっていたらしい。ソファに手をついて起きあがる。壁の時計は一時間以上も進んでいて、窓の外には午後の日射しがあふれていた。

冷蔵庫を開け閉めする音。ぷしゅ、と缶ビールのプルトップを起こす音。

「お帰りなさい」

夏帆が声をかけると、キッチンから大介が出てきた。泡のついた口ひげを手の甲でぬぐいながら、ただいま、と答える。

「ごめん、起こしちゃったね」

「ううん、ちょうどよかった。寝てる場合じゃないし」

「まだ終わってないんだ」

「終わったんだけど、次があるの」

ずっとそばにいた雷太が、長々とのびをしながら寝返りを打ち、柔らかな腹を丸出しにする。

番組収録の間、自分がいては邪魔になるからと、大介は家を空けていた。かまわないのにと言う夏帆に、今から出ればパチンコ店の開店時間にちょうど間に合うのだと、本気とも冗談ともつかないことを言って出かけていった。

「どう、勝てた?」

と訊いてみると、大介は言った。

「何の話?」

「え、パチンコ行ったんじゃなかったの?」

「だから何の話?」

夏帆はふきだした。

「はいはい、もう訊かないよ。残念だったね」

「収録のほうはうまくいった？」

と、逆に訊かれる。

「そうね。まあまあかな。例のディレクターは会ってもやっぱりアレだったけど、キャスターの女性はいい人だったし、スタッフも手際よかったから」

夏帆がソファの隣を黙ってぽんぽんと叩くのを見て、大介が、口をへの字に曲げて笑う。椅子の背にかけてあった上着のポケットから煙草とジッポーを取りだし、灰皿と一緒に持ってきて隣に腰を下ろすと、煙の苦手な雷太が早くも察知して逃げだした。

空いた場所に、夏帆はこれ幸いと再び横になり、大介の腿《もも》に頭をのせた。ああ、充電器、と思う。

この充電器が、自分専用であるかどうかは知るよしもない。たとえば今日だって、ほんとうはパチンコではなく別のところへ行っていたかもしれない。

だが、〈ほんとうは〉の部分はたぶん、たいした問題ではないのではないかと夏帆は思う。疑いだせばきりがない。人生に起こることが〈どのようであるか〉は、結局のところ本人がそれを〈どのようであると認識するか〉でしかないのだし、人は誰しも、自分が〈このようであろう〉と思う現実の中で生きていくしかないのだ。

現実の向こう側に隠された真実を知ることが、必ずしも幸福につながるとは限らない。

真実が物事の本質であるとも限らない。そんなふうに考えようと自分を誘導すること自体、好きな男を失わないでいるための方便でしかないのかもしれないけれど……。

「最近ね」大介の腿に頭を預けたまま、夏帆は言った。「パソコンに、毎日のように届く迷惑メールがあってね」

「うん」

「タイトルが、『おっぱいは九十五センチですが悩みがあります』っていうの」

ぷ、と大介がふきだした。

「ね、変でしょ？　そもそも、その文の前半と後半を『ですが』でつなぐのは、どう考えても無理があると思わない？　赤ペンでチェック入れて突っ返してやりたい感じ。おまけに、もう一つよく届くのがあってね、そっちは、『三十七歳ですけどかまいませんか？』っていうの。それはそれで、なまじ接続詞が正しいだけにすっごい腹立つわけよ。悪かったわね、私なんか三十八歳ですけど何か？　って」

大介はふっと鼻を鳴らすように笑い、煙をゆっくり吐いてから言った。

「二、三時間でも、ベッドで寝てくれば？」

「ん？」

「だって夏帆、そうとう疲れてるでしょ」

「なんでわかるの？」

「そりゃわかりますよ」と、大介はすまして言った。「寝ておいでよ。そのままじゃ、どうせ仕事にならないよ」

「……うん。でも、あとちょっとだけこうしてていい？」

「ちょっとだけならね」

けち、と笑って、さっきの雷太のように寝返りを打ち、彼の太い胴体に抱きつくように腕をまわす。

いい年をしてみっともない、と自分でも思う。思いはするけれど、三十八歳の女にだって、日だまりの猫のように無防備に甘えて癒されたい時はある。

額を彼のおなかに押しあて、深い息をつく。

こうしている間は、たしかに安らぐ。だが、いくら甘えても満たされた気がしないのはどうしてだろう。そう、買い物と同じだ。欲しいものをいくら手に入れても、満足が訪れない。

まるで、心の満腹中枢が麻痺《まひ》しているかのようだった。夏帆のなかには、昔読んだ絵本に出てきた〈くれくれおばけ〉のようなものが棲《す》んでいて、バケツに何杯もの愛情を惜しげもなく浴びせかけてもらってもなお満足しないのだった。

〈充分では、なかった？〉

ああ、くだらない。自分が、くだらない。そもそも、どれだけ愛されれば〈充分〉だったというのだろう。世の中のどれだけの人が、〈充分〉に愛されて育ってきたと言えるのか。与えられたものへの感謝と満足を知る人たちがきちんと大人になる中で、自分だけがいつまでも〈くれくれおばけ〉のまま成長できずにいるだけではないか。

母親は母親なりに、娘たちのためを思って教育してくれたのだ。甘やかすだけ甘やかして、欲しがるものを片端から買い与えてしまったら、子どもは歪んでいく。できるだけ早いうちに、自分の欲求が必ずしも通るとは限らないということを教え、我慢や自律を覚えさせなくてはならない。そう考えてのことだったに違いない。

おかげで夏帆は、わがままだとか自分勝手だというような理由で、人から悪く言われたためしがあまりない。しかしその陰で、本来ならば欲望に対して素直でいられたはずの子ども時代にも、欲しいものを欲しいと口に出すことがかなわなかったぶん——主張することを禁じられる一方で我慢だけを教えられたぶん——心は今も、常に飢えたままだ。大人になった今ではもう、自分のお金で何でも好きなものが買えるのに、それでも穴ぼこは埋まらない。

くだらない、とは思う。だが、これぱかりは意志の力ではどうにもできないのだった。飢えは、痛みと同じだ。こらえることはできても、感じないでいることはできない。

乱れた気持ちを抱えたままベッドに入ったせいだろうか。寝入りばなから、よくない夢の忍び寄る気配がした。

気づいた時には、夢はすでに始まっていた。目を覚まそうとしたが、まぶたが重くて開かなかった。

流砂の斜面を滑り落ちるように眠気に絡め取られ、いつしか夏帆には、それが夢であることもわからなくなっていった。

＊

貯金箱を胸にかかえて歩いた、あれは春の日だったか。

いつから家にあったものなのだろう、陶器でできた緑色のこけしの貯金箱は、ずんぐりと丸っこい形をしていた。おちょぼ口で目が小さく、夏帆はその顔があまり好きでなかったが、頭の後ろの細い穴から一円玉や十円玉をちゃりんと入れるのは楽しかった。

そういった小銭は、たまに大阪から上京してくる母方の祖母がくれた。あるいは肩たきや家の手伝いをした駄賃にと、母親がくれることもたまにあった。

逆さにすると、こけしの土台の裏側にはゴム製の黒くて丸いふたがはめこまれていた。夏帆の指の力でははずすことができなかったから、いったい中にいくら貯《た》まっているのか確かめたことはない。それ以前に、お金そのものの意味や値打ちがわかっていたわけでもない。ただ、上下に振るとがっしゃがっしゃと素敵な音がして、祖母がゆうべ、

〈ほーお、たいしたもんなあ。なっちゃんはえらいお金持ちやねんなあ〉

そう言ってくれたのが嬉しかった。

〈おばあちゃんにも、いつか貸してや〉

いますぐかしてあげるよ、と夏帆が懸命に裏ぶたをこじ開けようとするのを、祖母は笑って止めた。

〈今はまだええよ。おばあちゃん、べつに困ってぇへんから。ぎょうさん貯めて、なっちゃんの好きなもん買うたらええ〉

かう？

〈そうや。お金はな、何でも好きなもんと取りかえっこできるんやで。百円払《は》ろたら、百円の値段のもんが買える〉

あたしでも、かえる？

〈もちろん誰でもや。千円のもんは誰が買うても千円やもの。ほれ、おばあちゃんの大阪の家、あるやろ。なっちゃんも前に泊まりにきたあの家。あそこの家と土地はな、おばあちゃんがまだ若い時分、おじいちゃんに死なれてしもたあとに、働いて、働いて、それはそれは苦労して買うたんや。あの当時で二百円やった〉

え、たったの？　と夏帆が言うと、祖母は声をたてておかしそうに笑った。

〈今の二百円とはちゃうねんで。あの時分の二百円いうたら、そうやなあ、今やったらどれくらいやろ、四百万か、五百万円くらいやろかなあ……。まあええわ、ややこしいこと言うてごめんやで〉

春の柔らかな日射しの下、デニムのオーバーオールの胸にこけしの貯金箱を抱えて歩きながら、夏帆はどきどきしていた。自分にも、お金を出して何かが買える。新しく知ったその事実が、まるで魔法のように思えた。

目指しているのは、住宅街の私道から、車の走る一方通行の道路へ出てすぐのところにある雑貨店だった。小さな店だが、日用品から文房具、パンや煙草など、いろんなものを置いている。

幼稚園の帰りに母親と一緒に寄ることはあるが、一人で行ったことはない。たとえ車などまれにしか通らなくても、あるいは年上の子どもたちと一緒でも、道路に出ることは禁じられていた。ほかの子たちが連れだって駄菓子を買いにいく時は、夏帆だけ、砂利道からアスファルトへと変わる境目のところで待っていなくてはならなかった。

でも――。

今日だけは、こっそり内緒で行ってみよう。

（おばあちゃんが、すきなものかえばいいっていったもん）

胸の裡で苦しい言い訳をする。自分にも魔法が使えるとわかった以上、どうして試さずにいられるだろう。

そっと振ってみると、貯金箱はいつものようにがしゃがしゃと音をたてた。

この中身を全部合わせたところで、大人みたいに高いものを買うのは無理だろう。でも、ときどきあの店で母親が買うメロンパンやアンパンが、三十円から五十円くらいなのは知っている。十円玉だったら、この貯金箱にたくさん入っている。

具体的に欲しいものがあるわけではなかった。夏帆はただ、何でもいいから「おかいもの」がしてみたかった。どんな小さなものでもかまわない。おままごとで使う石ころの小銭や葉っぱのお金ではなく、ほんもののお金で、何かを自由に買ってみたかった。

これまで母親に向かって、他のみんなみたいにお菓子を買いたい、とはとても言いだせなかったけれど、何のことはない、お金ならこの貯金箱に入っていたではないか。こけしの後頭部からちゃりんと入れる五円玉や十円玉が「ほんもののお金」であることはもちろんわかっていたが、それをつかって自分にも何かを買うことができるだなんて、今までは思いつきもしなかったのだ。欲しいものを横目で見ながらあきらめたりしなくても、この貯金箱の中のお金と交換すれば、少なくとも何かしらは手に入る——これが魔法でなくて何だろう。

細い路地を二つ曲がり、車道との境目までたどりつくと、夏帆は何度も注意深く右と左を確認し、おそるおそるアスファルトを踏んだ。

怖いことなど、べつに何も起こらなかった。

ほどなく雑貨店が見えてくる。煙草の自動販売機の上に横書きの看板があって、「先《ま》ず一服」とあったが、夏帆には「ず一」しか読めなかった。

ひんやりと薄暗い店の中に入り、ぐるりとひとまわりした。

奥の茶の間からサザエさんによく似たおばさんが出てきて言った。

「あれ。今日はなっちゃん一人でお出かけかい」

胸の鼓動に邪魔されて、ゆっくり選んでいる余裕などなかった。夏帆は、フウセンガムを一つつかんで、おばさんに見せた。

「これ、ください」

「はい、十円」

差しだされたてのひらの上に緑色のこけしをのせようとすると、おばさんは驚いて手を引っ込めかけ、あやうく貯金箱を落っことしそうになった。

「これはなあに？」

気を取り直したおばさんが訊く。

「……ちょきんばこ」

夏帆は小さい声で答えた。

「貯金箱ごと持ってきたのかい」

こくん、とうなずく。

「どうして、また。いったい何を買おうと思ったの」

うまく答えられずにうつむいていると、おばさんは夏帆と目の高さを合わせるようにしゃがんだ。

「うん？　何が欲しかったの」

白い割烹着《かっぽうぎ》を着たおばさんの膝の上で、緑の貯金箱がひどくみすぼらしく見える。家にあった時は気づきもしなかったが、安い塗料はあちこち剝げ、こけしの顔には眉が片方なかった。夏帆は急にいたたまれなくなった。

まわない。

「……ガム」

と、嘘をつく。いや、嘘というわけではない。何でもよかったのだから、ガムでもか

「そう。じゃあ、ここから十円だけ出して、おばちゃんにちょうだい」

夏帆は、首を横に振った。「あかないの」

「え？」

ここのふたが……と、こけしの裏側を指差す。

「かたくて、あけられないの」

おばさんは困ったような顔をした。

「じゃあ、どうするの？」

「あけて」

言ったあとから慌てて「ください」と付け加える。目上の人に対してぞんざいな口をきくのは、決してしてはいけないことだ。

「なっちゃんのかわりに、おばちゃんが開けていいの？　ここからお金を出しても、ほんとにいいんだね？」

あんまり何度も念を押されるものだから、夏帆は、うなずきながらもますますうつむいてしまった。隠れて良くないことをしていることへの後ろめたさがますます重たくなっていき、もはや顔が上げられなかった。

おばさんは、なおも探るように夏帆の顔を見たが、それ以上は訊かずに貯金箱を逆さにした。がしゃ、と音がする。黒いゴムの裏ぶたをつまみ、いとも簡単に開けると、おばさんは貯金箱を軽く二、三度振って何枚かの小銭を割烹着の膝に出した。

「じゃあ、ここからガムのお金をいただきますよ」

夏帆がうなずくのを確かめてから、中から十円玉を一枚だけ取り、残りをすべて戻す。元どおり黒いふたをぴっちりはめて、おばさんは夏帆に貯金箱を返した。

「はい、たしかに頂きました。帰ったらガムのこと、お母さんに言うんだよ。あと、貯金箱を落っことして割らないように、大事にかかえて帰んなさいね」

ぺこんと頭をさげる。

「ありがとう。……ございました」

「はい、こちらこそ。車に気をつけてね。それと、もうあんまり無駄遣いしないのよ」

――むだづかい。

店を出ると、ようやく少しだけ呼吸が楽になった。まだ暴れたままの心臓に押しつけるように貯金箱を抱え、夏帆は、右のてのひらをそっとひらいた。

――むだづかい。

強く握りしめていたせいで、四角い包装が少し変形しているほかは、何の変哲もないフウセンガムだった。家にあるガムより、べつだん美味しそうに見えるわけでもない。さっきまでの魔法は、すっかりとけてしまっていた。

オーバーオールのポケットにガムをしまい、だまされたような割り切れなさをかかえながら歩く。とにもかくにも早く家に帰って、いつもの場所に貯金箱を戻しておかなくては。母親になど、言えるわけがなかった。ガムを買ったことがばれたら、車道に出たことも同時にばれてしまう。

再び道路を渡り、アスファルトから砂利道への境目をまたいで元の世界へ戻ったとたん、夏帆はふうっと大きな息をついた。こわばっていた体から、空気がもれるように力が抜けていく。

と、その時だ。

目をあげた夏帆は、凍りついて立ちすくんだ。ほんの数メートルほど先で、美紀子が仁王立ちで夏帆をにらみつけていた。

とっさに走って逃げようと思った。そうしなかったのは、考え直したからではない。足がすくんで動けなかったのだ。

それほどに、母親の顔は怖ろしかった。目はかっと見ひらかれ、眦《まなじり》はつり上がり、引きつったこめかみにはぴりぴりと筋が浮く。

夏帆の家の仏間には、鴨居《かもい》の上に幾つもの能面が並べて飾られているのだが、その中でもいちばん痩せている白い面に、怒った時の母親の顔はよく似ていた。前にこっそり祖母に訊いてみると、あれは般若《はんにゃ》という面だと教えてくれた。

今も、その般若の顔で夏帆をにらんでいた母親が、低く押し殺した声で言った。

「あんた、こんなとこでいったい何してんの？」

夏帆は黙っていた。声が出なかった。

「答えなさい！」

母の大声に飛びあがる。

「おみ……おみせへ、いっ……」

声が、喉にうまく引っかからない。破れた空気ポンプのようにしゅうしゅう息がもれてしまう。

「何言うてんのや聞こえへん」と母親は言った。「こっちおいで」

膝が、かくかくと震える。地面に貼りついたような靴裏を必死にはがし、ようやく一歩踏みだす。のろくさい動きが、わざと時間稼ぎをしているように見えたのだろう、母親は再び怒鳴った。

「早よしんか！」

よろめき、つんのめるようにそばまで行くと、夏帆はうつむいた。

母親は、左手に買い物かごをさげていた。これから出かけていくところへ運悪く鉢合わせしてしまったわけだ。かごをさげていないほうの右手が動いたとたん、夏帆はびくっと首をすくめた。てっきり平手が飛んでくると思ったのだ。

そうではなかった。母親は、買い物かごを右手に持ち替えただけだった。

「夏帆。お母ちゃんとの約束、言うてみ」

つむじの上のほうから、怖ろしい声が降ってくる。

「そこの道路のこと、お母ちゃん、あんたになんて言うてた？」

「……ひと……で、でちゃ、」

「は？　なんて？　聞こえへん」

「ひとりで……でちゃ、だめだって」

「ああ、そうやな。そう言うてたよな。覚えてるやんか。それやのにあんた、お母ちゃんとの約束破って何してたん？」

「………」

「隠したりしたら、もっと怒られなならんことは知ってるやろ。正直に言うてみ。こんなとこまで貯金箱持ちだして何してたんや、て訊いてんねん」

ガム、と、夏帆はかすれ声で言った。

「ガムを、かったの」

「買うた？　あんた一人でか」

小さくうなずく。

「お金はそっから払ろたんか？　そやかてあんた、そのふた固《かと》うて開けられへんやんか」

「……おばちゃんに、あけてもらった」

「なんやて？」母親の声がはね上がった。「あそこの奥さん、貯金箱開けてお金取ってあんたにガム売りつけたんかいな」

「あたしが……」夏帆は慌てて顔をあげた。「あたしがおねがいしたの。おばちゃんがかってにあけたんじゃなくて、ふた、かたいからあけてちょうだいってあたしが、」

「それでも、なんぼなんでもおかしいわ、そんなん。こんな小さい子ォが貯金箱まで持ってきたら、いくら頼まれたかて何も売らんと家へ帰すのが筋やんか。それをきっちりお金取ってガム売るて、いったい……」

「おこんないで」

夏帆は、泣きそうになりながら言った。母親が、お店の対応の何に怒っているのかわからないままに、

「おねがい、おばちゃんにおこんないで。あたしが……ごめんなさい、あたしが、たのんだから」

お店のおばさんを懸命にかばう夏帆を、じっと見おろしていた母親の表情から、少しだけ険しさが引いていった。

「買うたもん、どこやねん」

夏帆はポケットに手を入れた。四角くて細長い包みを握りしめ、取りだす。

「見せてみ」

母親の前で、おずおずとてのひらを開いてみせる。淡いピンク色の包みが、春の日射しにさらされてまぶしい。

「そのガムが、そんなに欲しかったんか」

そうではない。どうしてもこれが欲しかったわけじゃなくて、ただ……。

黙っている夏帆を前に、美紀子は言った。

「返しといで」

一瞬、何を言われたのかわからなかった。

「……え？」

「もっぺんお店へ行って、おばちゃんにそのガム返しといで」

泣きだしそうになって首を横にふる夏帆に、母親はゆっくりと、同じように首を横にふってみせた。

「そんな顔したかてあかん。しゃあないやろ、隠れて悪いことしたんは誰や？　絶対に道路へ出たらあかんてあれほど言うといたのに、お母ちゃんとの約束破ったのはあんたやないか。おばちゃんに、正直に言うたらええ。勝手にこんなことしたのがお母ちゃんにわかってしもて、返してこいて叱られた、てな」

いやな生唾がわいてくるのを、夏帆は何度も飲み下した。

これからお店まで戻って、奥にいるおばさんを呼ぶ。ポケットの中できつく握りしめ過ぎたために皺の寄ったガムの包みを見たら、おばさんはきっと眉をひそめるだろう。

その場面を想像するだけで、胃の縮む思いがした。

立ち尽くしている夏帆を見て、美紀子はため息をついた。

「しゃあないな。おいで」

許してくれたのかと、すがるように目を上げると、母親は言った。

「お母ちゃんも一緒に行ったげるわ。そのかわり、あんたが自分で説明しぃや」

刑場に引かれてゆく罪人の足取りで、夏帆は美紀子のあとについて店へ戻った。さっきこの道を歩いた時の気分が嘘のようだった。同じ心臓がどきどきするのでも、雲泥の差があった。

割烹着姿のお店のおばさんは、しおたれた夏帆から途切れとぎれの説明を聞き終わると、差しだされたしわくちゃのガムを受け取らないまま、母親の美紀子へ目をやった。

「お話はわかりました。どうしても返品するとおっしゃるんなら、代金の十円くらい、いつでもお返ししましょ。けど、そのガムは持って帰ってください。もう売り物になりませんから」

「そんなわけにいきますかいな」と、美紀子は言った。「それやったらしゃあない、ガムは引き取らせて頂きます。なにも十円が惜しいて言うてるんとちゃいますから。ただ、できることなら貯金箱からお金なんか出す前に、子どものほうを諭してもらえたらよかったと思ただけですから」

おばさんの顔つきが変わるのが、夏帆にもわかった。

ごめんなさい、あたしのせいで、と言いたかったが、言えなかった。母親の機嫌をこれ以上損ねることだけは、何をおいても避けなくてはならなかった。

「それはそれは、気遣いが至りませんで」

聞いたこともないほど冷たい声で、おばさんは言った。いつもメロンパンやアイスクリームを紙袋に入れて差しだしてくれるおばさんとは別人のようだった。

「まあ、親御さんにはいろいろお考えもあるんでしょうし、よそさまの教育に口出しするつもりはありませんよ。ただね、奥さん。子どもというのは、親の言いつけを破って大きくなっていくもんでしょ。どこの子も、みんなそうです。お宅のお子さんがもしもそのガムを黙って盗《と》ったんなら、私だって叱り飛ばしましたよ。でも、そうじゃないんですから。たかだか子どものお買い物ごっこでしょうが」

おばさんは、ちらりと夏帆を見て続けた。

「そりゃあ、厳しくするのも大事でしょうけど、限度ってものがあるでしょう。叱るにしたって、もうちょっとお子さんなりの気持ちを考えた叱り方があるんじゃないかと思いますけどねえ。ほんとにまあ、泥棒したわけでもないのに、こんな真っ青な顔して、かわいそうに」

途中まで黙って聞いていた美紀子は、「かわいそうに」と言われたとたん、再び般若の顔になった。夏帆の手からガムをひったくると、元どおりオーバーオールのポケットにねじこむ。

「えらいおおきに、ありがとう。御面倒をおかけいたしました」

「いいえいいえ、こちらこそ。毎度ありがとうございます」

何事もなかったかのようなおばさんの返事をあとに、母親は夏帆の手首をつかんで引きずるように店を出た。その背中へ、

「なっちゃん、また来てちょうだいね」おばさんの優しい声がかかる。「こんどは、お母さんといっしょの時においでねえ」

夏帆は、手を引っぱられながら首をねじってふり返った。割烹着姿のおばさんが、なんともいえない表情で手をふってくれている。

母親とは別の大人から、明らかに同情されている。かわいそうだと思われている。

夏帆はなぜだか、よけいに泣きたい気持ちになった。

Interval――美紀子

あのな。うちな、どうしても女の子が欲しいて欲しいて、たまらんかってん。

上が男の子やったやろ。男なんて、産んでもつまらへんなあ。こっちは一生懸命育てたったのに、外ばっかり向いて、出かけたら鉄砲玉みたいに帰ってけえへんし、女親の気持ちなんかちっともわかってくれへん。

大介くん、いうたかな。あんたもお母さん、寂しがらせたらあかんよ。たまには電話でもええから連絡したげてよ。

うちの弘也も、自分一人で大きなったような顔して、親に向かってえらそうに物言うて、あるとき突然ガールフレンドなんか連れてきて。それも、いったいこんな子のどこがええんやろと思うような子ォばっかり。会《お》うてもろくに挨拶もでけへんのやら、口の利き方のなってないのやら、落つる子ばっかりで。

あ、落つる、てわかる？　せやなあ。程度の低い、て言うたらわからはるかなあ。

弘也の奥さんになった子ォは、その中ではちゃんとしてたけどな。いつやったか、風邪ひいて熱出した弘也のお見舞いに来たことがあって、うちがたまたまひょいとドア開けたら、枕もとから慌てて離れて飛びのきよった。二人とも顔真っ赤にして、えっらい気まずそうにしてたけど、あれ、ちょうどキッスしてたんやわ。ほんまに、はしたない言うたら。おまけに弘也は、ノックもせんとドア開けるな言うて怒りよるし。

うちらの娘時代は、あんなこと、とても考えられへんかった。男の人の部屋へ入る時は、必ず入口のドアやらふすまやら、開け放したまんま入るのが常識やった。常識というより何より、女としてのエチケットやったもんやけど。

ええと、うちの大阪弁、わかる？　意味、ちゃんと通じてるやろか。

おかしぃやろ、関東へ出てきてからもう四十年以上も経つのに、うちだけいまだに大阪弁がちっとも直らへんねん。あかんなあ。

せやけど、東京の言葉なんか、お様子して使うのイヤやねんもん。「あたくし何々ですのよ、おほほ」やなんて、考えただけでサブイボ立つわ。

そうそう、どうしても女の子が欲しかった、ていう話やったな。

女の子産んどいたら、大きなった時、きっと母親の味方してくれる。女同士やもの、なんぼかて内緒の話ができる。そう思たら、ほんまに楽しみやってん。楽しみで楽しみで、せやからお産の時もほとんど麻酔無しでおなかまで切って産んだったのに……。

夏帆は、あかんかった。秋実かて頼りにならへんけども、夏帆は、あれだけ可愛がったったのに、さっぱりうちの味方をしてくれへんかった。

おっと、こんなん言うてて、あの子に聞こえたらえらいこっちゃわ。……え？　畑の向こうまでは聞こえへんかな。そうかいな。

大介くん、あんたは夏帆とどないして知りおうたん？

あの子、時々えらいきっついやろ。よそへ向いては、おとなしぃ顔して笑《わ》ろてみせるくせに、ほんまは強情で、おまけにえらい冷たいとこあんねん。知ってるか？　万事に醒めてるというのんか、昔からうちが何かちょっと甘えて打ち明けても、頭から割り切ったような理屈で返されて、なんやこう、鼻の先でたたき落とされたような気ぃすることがようあってん。あんたはないか？

そうか、きっとあんたのほうが、あの子よりもっと理屈が立つねんな。男の子やからそれでええけど、女としてあれは、どないなもんやろ。可愛げがないて思わへん？

あの子のああいう醒めたとこが誰に似てるて、じつはあそこにおるお父ちゃんそっくりやねん。夏帆は、うちの子ォやのうて、あのお父ちゃんの子ォやわ、完全に。小《ち》っさい時から、お父ちゃんのほうにばっかり懐《なつ》いてたしな。

男親いうのんは得やなあ。ふだんの躾《しつけ》は母親にばっかり任せきりで、ろくに家になんかおらんくせに、たまに一緒に遊んだり抱っこしたり、ええとこばっかり持っていかはる。憎まれ役はいっつもこっちや。

ほんまにもう、あんな痛い思いして産んだったのに、こんなんやったらいったい何のために夏帆を産んだやらわからへん。

なんや、えらい損した気分やわ。
あほらし。

第六章——誼

女同士の時間を、こんなにゆっくり堪能したのはしばらくぶりのことだった。

編集者、麻田美菜子と六本木で待ち合わせ、軽く夕食をとってから女性専用のアカスリマッサージ店へ行く。

「ほんとにずいぶん久しぶりですよね」

と、靴を脱ぎながら美菜子が言う。

「だよね。こないだ来たの、いつだっけ」

「まだ寒かったですよ。夏帆さん、黒いロングブーツ履いてたもん」

「そうだそうだ。麻田ちゃんもダウンコート着てた。ってことは、二月の終わりぐらいかな？」

だとしたら、まるまる一シーズン以上も空いたことになる。

「これだけ空いちゃうとねえ」と、夏帆はため息をついた。「かえって、こすってもらってもアカが出にくいんだよね。いいかげん皮膚が分厚くなっちゃって、そろそろ甲殻類に退化しそうだよ」

「私もですよ。お尻のあたりなんかごわごわ硬くなってきちゃって、このままいくとひび割れてオーストリッチ状態ですよ」

「わあ、セレブ」

「どこがですか」

くだらないことを言い合いながらロッカールームで服を脱ぎ、バスタオルだけを巻きつけて浴場へ移動する。

まずは風呂に浸かり、それから肺も灼《や》けるほどの高温サウナに入って汗が噴き出るにまかせ、全身の皮膚がピンクになったところでふらふらと出てくると、黒いブラジャーとショーツ姿の韓国人のおばちゃん二人が手招きしてくれる。促されるまま、隣り合った簡易ベッドに横たわれば、いよいよ韓国式アカスリマッサージの始まりだ。

ざらざらした薄地のミトンに竹塩の混じった石鹸をつけては、力自慢のおばちゃんが螺旋《らせん》を描くように皮膚をこすってくれる。痛い。が、痛いと言っても、笑うばかりでやめてはくれない。赤むけにされた因幡《いなば》の白うさぎ気分を心ゆくまで味わい尽くせる。

足のつま先から始めて、脛《すね》から膝小僧を磨き、太腿をごしごしこすって鼠蹊部《そけいぶ》まで。いきなり脚全体をぐいと担ぎあげられ、アキレス腱《けん》からふくらはぎ、腿の裏側からお尻のほうまで。そういった作業が、両脚、両腕、胴体の表と裏、首から顔、と進められてゆく。親にも恋人にも見せたことのないような格好をさせられ、恥ずかしい部分ぎりぎりのところまで、容赦なく、思いきり、執拗《しつよう》に、こすられる。タワシで鍋を磨くのと、同じ手つきと力加減だ。

それでも、やがておばちゃんからざっぱーんとバケツのお湯をかけられる頃には、目で見てはっきりわかるほど肌の色が明るくなっている。何より、自分の皮膚からまるで消しゴムかすのような細長くて白っぽい垢《あか》がぼろぼろと、まさにぼろぼろと大量に出てくるのを眺めるのは理屈抜きに面白く、一種自虐的な快感もあって、一度味わうとやみつきになってしまうのだった。

続くオイルマッサージで全身をじっくりと揉みほぐしてもらったあと、夏帆と麻田美菜子は岩盤浴の部屋に移動した。ほかに客はいない。温まった床に、バスタオルを敷いて、裸でうつぶせになる。

壁に取り付けられたテレビから流れるバラエティ番組をよそに、二人はようやくゆっくりと近況を報告しあった。ふだんから、メールや電話で原稿に関するやりとりはしていても、それとこれとはまた別だ。じかに顔を合わせた時でないと、個人的な打ち明け話まではなかなかしにくい。

サウナのように暑くはないのに、岩盤に体を押しあてて寝転がっているだけで、全身からじわじわと汗がにじみ出す。ひとしきりお互いの話を聞き合ったあと、美菜子が立ちあがり、紙コップに氷水を汲《く》んできてくれた。

「大介さんとは、最近どうなんですか？」

再び寝転がりながら訊く。壁の時計は十一時をまわるところだが、二人ともまだ帰るつもりなどさらさらない。

「相変わらずかな」小さめの氷を奥歯でかみ砕きながら、夏帆は言った。「向こうはやっぱり自由気ままにやってて、時々そこはかとなく寂しい思いはさせられるんだけど……」

「そこは、変わらないですか」

「変わらないね。でも、その溝を無理に埋めようとして彼との間を詰めすぎちゃうと、今度は向こうがストレスを感じて関係そのものが駄目になる気がするし。まあ、彼がいつも勝手にやってくれてるおかげで、私のほうも、それこそ今夜みたいに帰るのが遅くなっても気を遣わないでいられるわけだし。これくらいの距離感が、ほんとはちょうどいいんだろうな」

麻田美菜子が、ふ、と笑った。

「夏帆さん、寂しがり屋ですもんね」

「そうだね」と、夏帆も苦笑した。「それは認める」

「でもほら、いつだったか言ってたじゃないですか。前の旦那さんといた頃は、一人でどっか出かけても時間が気になって時計ばっかり見てたって。あの癖は、もう直ったんですか？」

「完全にってわけじゃないんだけどね。だいぶ緩和はされた感じ」

うわあ、と美菜子が眉をひそめた。

「よっぽど根深く染《し》みついてたんですねえ」

結婚していた頃、夏帆は、外出してもいつも帰りの時間を気にしていた。買い物をしたり友人と会ったりした日はもちろんのこと、仕事の打ち合わせで出かけてもそうだった。

帰りが遅くなると、夫の機嫌が悪くなる。それが怖さに、十五分ごとに腕時計を覗いてしまう。あまりおおっぴらでは同席している相手に失礼だから、テーブルの下でちらりと見たり、受け答えをしながら考えをまとめているふりで壁の時計に目をやったり……。会合を途中で抜け、息せききって駅の階段を駆けあがっては閉まりかけの電車のドアに飛びこむたび、自分のことをまるで昭和の嫁のようだと思った。

「ほら、ペットの躾《しつけ》は最初が肝腎《かんじん》って言うじゃない」

「誰がペットですか」麻田美菜子が怒ったように言った。「駄目ですよそんな、自分を貶《おとし》めるようなこと言っちゃ」

「まあ、今となっては過去のことだから言えるんだけどね。でも、ほんとの話、あれってペットや子どもの躾と同じ理屈だったんだと思うの。最初の段階で、ああこの人との間では絶対これをしちゃ駄目なんだ、したら怒られるんだ、痛い目みるんだ、って学習すると、次からは同じ場面に直面しただけで、条件反射みたいに心と体が竦《すく》むわけよ。

頭で考えなくても強いブレーキが働くの」

「そんなに厳しい〈躾〉だったんですか」

「あ、体罰とかじゃないよ、もちろん」夏帆は慌てて言った。「暴力をふるわれたことは一度もないし。ただ、何か彼の気にくわないことをすると、とにかくものすごく怒られるってだけでね」

氷水を飲み干して、仰向けになる。温かい岩盤に押しあてられていたために、乳房もおなかも楕円形《だえんけい》に赤くなっている。

「あの剣幕は、ちょっとすごかったかな。私なんかは逆に、あそこまで人に対して怒りをあらわにするってこと自体が怖いから、怒っている彼を見ながら感動することさえあったくらい」

「感動？」

「そう。怒りまくる彼に対して、必死に防戦に回ってる現実の自分がいて、でもそれとはまた別の自分が、どっか斜め上の天井のあたりから二人ともを眺めてるの。それで、キレた目で何かまくし立ててる彼を冷静に観察しながら、うわあ、今日も見事なまでに怒り狂ってるなあ、とか思ってるわけ」

「ああ、わかります、そういう感じ」と美菜子が言った。「私にもあるけど、でも小説書く人たちって、聞いてると特にその傾向が顕著ですよ。幽体離脱体質、みたいな」

夏帆は笑った。言い得て妙だと思った。

「そんなに激しく怒ってて、それでも殴ったりはしないっていうのが、ある意味すごいですね」

「そうだねえ。暴力はふるわない人だったねえ」

額から目の中に流れこむ汗を拭いながら、夏帆は言った。

「私のしでかしたことに対する罰っていったらせいぜい、帰りが予定した時間より遅かったら玄関の内鍵がかかってて入れてもらえないとか、車の中で口答えしたら途中で止めて『降りろ』って言われるとか、そのくらいかな。あと、出かける途中のサービスエリアで人なつこい野良猫をかまったら、かんかんに怒って私を車に乗せるなりそのまま家に戻っちゃった、なんてこともあったっけ」

「は？」美菜子が、ぽかんとした顔を向けた。「どういうことですか、それ。よくわかんないんですけど」

「彼、猫が大嫌いだったのよ。しかも野良猫なんてどんなバイ菌持ってるかわからない、咬《か》まれたらどうするんだ、って。引っかかれるとかじゃなくて、咬まれるって言うところがそもそも猫を知らない人の言うことだなあと思って、私が笑って大丈夫だよって言ったら、とたんにキレちゃってね。『乗れ！』って。『ひとが嫌がるとわかってて触ろうとする、その根性が気にくわない、もう頭きた、帰る！』――とまあ、そういうわけ」

「はあ……。聞いてもよくわかんないです」

夏帆は、仕方なく笑った。

「まあでも、その程度だったから。世の中には女房を殴る蹴るの男だっているわけだから、それに比べればかわいいもんでしょ。そういえばたった一回だけ、私の仕事のことで何か言い合って彼がものすごく激した時に、髪の毛つかまれて床に引き倒されたことはあったけど、うん、せいぜいそれくらいだったから、」

「夏帆さん」と、美菜子が低い声でさえぎった。「暴力ですよ？　それ」

え、何が？　と訊き返した夏帆に、美菜子はくり返した。

「それ……そういうのみんな、まぎれもない暴力ですよ？」

形のいい眉が、激しく寄っていた。

「まったくもう、何ノンキなこと言ってんですか。髪の毛つかまれて引き倒されといて『暴力はふるわない人だった』って、どういうことですか。だいたい、玄関の内鍵だって、あれやこれやの横暴な言動だって、全部、りっぱに暴力じゃないですか」

反射的に否定しようとして、夏帆はふっと既視感を覚えた。麻田美菜子ではない、ほかの誰かを相手に、これに似た話をしたような……それもそんなに前のことじゃない、少なくとも今年に入ってからだ。

少し考えて、思い当たった。大介だった。前の夫とうまくいかなくなった原因について話していたら、彼にずばりと指摘されたのだ。

〈あなたが旦那さんに対して取ってた態度って、考えてみたら、小さい頃からお母さん

に対して取ってきた態度とそっくりなんじゃないの〉

思えば、あのひとことからだ。母・美紀子との関係について、以前よりも思いを巡らすことが増えたのは。

自分の奥に潜む、ある種の精神的遅滞の原因がそこにあるのだとすれば、冷静に分析をしていくことはおそらく無意味ではない。子どもの頃はひたすら母親の顔色をうかがい、結婚してからは夫の機嫌をうかがい、今にいたるまで心身に染みついてしまっているその習い性がどれだけ世界を狭めてしまっているか、理解はできる。けれど——いざ理解できたからといって、翌日から性格が変えられるわけではない。

「こんなふうに言われるの、いやかもしれませんけど……」前置きをしてから、美菜子が言った。「夏帆さん、逃げてませんか、まだ」

「逃げる?」

「そうです。お母さんや元旦那さんとのことを、あんなふうだったな、こんなこともあったな、だから自分はこうなっちゃったんだな——って、思い起こして検証することも大事だとは思います。だけど、それ自体はそんなにたいしたことじゃないんです。もっと、ほんとにしんどいのはきっと、夏帆さん自身が、そこで起こっていたことを客観的にとらえ直して、名前をつける作業を始めてからですよ。今だって、そうだったじゃないですか。傍《はた》からすれば誰が見たって暴力でしかないものが、なぜか、夏帆さんの中ではその範疇《はんちゅう》から除外されちゃってる。なんでだと思いますか?」

背中の岩盤が急に温度を上げた気がして、夏帆は落ち着きなく身じろぎした。

「夏帆さん自身のことじゃなく、誰か他人に起こった出来事だと仮定して、客観的に考えてみて下さいよ。なんでだと思います？」

「……それが暴力だったって認めたら、暴力に抵抗できなかった自分、も認めなくちゃならないから？」

さんざん考えて、絞り出すように口にしたのだが、

「まあ、難しく言えばそういうことですけど」

美菜子はあっさり言って、下に敷いたバスタオルの端で、鼻のあたまに噴きだす汗を拭った。

「もっと簡単に言うと、『思い出の美化』ってやつですよ。ううん、思い出だけじゃないのかもしれない。前にテレビでやってたんですけどね。人の脳って不思議で、今現在の状態から逃れたいのにどうしても逃れる道がない場合に、その極限状況からどうやって自分を救うかっていうと、目の前にある現実をすっかり歪めちゃうんですって。そうして、ぜんぶ自分の都合のいいように解釈する。そうすると、そこにあるものさえも見えなくなる。見ないふり、じゃなくて、ほんとに見えなくなるんです」

言葉を切って、美菜子は夏帆の顔を見た。

「正直、私からすると、夏帆さんが元旦那さんのあれこれを暴力じゃないって言い切るのも、それと似たようなことに思えますよ」

「つまり、ほんとうのことを認めたくないあまりに、互いの間にあったものを美化してるってこと？」

「美化、くらいじゃ生やさしすぎますね。糊塗《こと》とか、歪曲《わいきょく》っていってもいいくらいのものなんじゃないですか？」

「そ……」

それはさすがに大げさだと思う——と、言おうとして言いきれなかった。

「そうかもしれないね」と夏帆は言った。「子どもの頃は、早く大人になりたくてしょうがなかった。大人になりさえすれば、もう親に叱られなくて済むって思ってたから。でも、結婚してもあんまり変わらなかったな。しょっちゅう叱られて、それが嫌だから相手の顔色をうかがって……。今どきは夫のことを〈主人〉って呼ぶのも抵抗があるって女のひとが増えてきたけど、うちの場合はほんと、そのまんまの意味で〈主人〉だった感じ。親子でもなければ年もほとんど違わないのに、ちっとも対等じゃなかった。そもそも、どうしてそれをおかしいと思わなかったかって話だよね」

夏帆の表情を見た美菜子が、気遣わしげに眉を寄せる。

「大丈夫ですか？」

「あ、うん、大丈夫。でも、いっぺん出て涼もうか」

「そうですね。さすがにぼうっとしてきましたね」

床に手をついて体を起こす。乾いていたはずのバスタオルは、汗を吸って色が変わっていた。

なんか、すみません、と美菜子が言った。

「なんで？」

「私、調子に乗って生意気なことばっかり言っちゃって」

夏帆は首をふった。

「麻田ちゃんの言ってること、たぶん、当たってるんだと思う。自分のことは自分がいちばんよくわかってるって思いがちだけど、案外、そばにいる人のほうがちゃんと本質を見てくれてたりするものだよね」

ぐっしょりと重たいバスタオルを手に立ちあがったとたん、めまいがした。板壁にすがり、遠い頭痛をこらえる。目の前にぶらさがっている干したヨモギの束から漢方くさい匂いがする。

今現在の悩みにつながる原因をさぐろうとして、ただ過去の記憶を掘り起こすだけでは足りないということか。記憶の中の自分が見たつもりでいるものは、ほんとうはまったく別の姿をしているのかもしれない。

ちょうど、子どもの頃よく遊んだ場所を訪れると、あまりの狭さに驚くように。

あるいは、昔はただ怖いだけだった青白い般若の面が、今見るとそれはそれで哀しくも美しく思えるように……。

＊

夏帆と秋実はともに、小学校からミッション系の女子校に通っていた。中学・高校まで、さらには成績さえ程々に良ければその先の短大や大学まで、受験なしで進むことのできる一貫教育が売りの学校だった。両親としては、とくにのんびり屋の長女には厳しい受験戦争を味わわせたくなかったものらしい。

「おっとり、ほんわかした性格こそ、あんたの持ち味やと思うてたからな」のちに母親の美紀子は、ひとつ話のようにそう言った。「その持ち味を長所として評価して、そのまんままっすぐ伸ばしてくれるような学校へやりたかってん。ここらの公立では絶対あかん。生徒ばかりか、先生も落つる」

落つる、というのは美紀子の口癖だった。

あの母の、今で言う〈上から目線〉の根拠はいったい何だったのだろうと夏帆は思う。戦前のあの時代に女学校まで出たという自負がそうさせていたのか、美紀子には、さしたる理由もなく周囲の人たちを自分より下に見る癖があった。それでいて、当人たちの前では決してそれを表に出すことなく、むしろ過剰なほど気さくにふるまうのだ。そして夜になると食卓を囲みながら、自分がいかにうまくふるまったかを家族に話して聞かせるのだった。

「ほんまに落つる人たちやわ」

ひとしきり自慢話を終えると、美紀子は最後に必ずあきれたようにそう言った。

「お向かいの本田さんとこなんか、見てみ。ゴミのバケツを出してる目の前へ清掃局の車が来ても、係のおじさんたちに挨拶ひとつしはらへん。それどころか、慌てて家へ入って、ああ臭い臭いといわんばかりに窓ぜんぶ閉めて回らはる。汲み取りのおじさんたちが来てもそうや。あんな失礼なことて、あるか？　その点うちはやな、そういう人たちみんなに冷たぁいジュース持ってってたげるんや。喜ばはるでぇ。せやからあの人たち、たとえ外の道ですれちごうても、うちの顔見たらニコーと笑ろてくれはる。きっと、あれやな。うちみたいなことしたげる人、他になかなかおれへんのやろな」

得意そうな口ぶりで語られる母親の話を聞きながら、夏帆は子ども心に釈然としないものを感じていた。学校の日曜礼拝には欠かさずやってきて保護者席に座り、祈りの時は神妙な面持ちで跪《ひざまず》きさえする母なのに、その耳に聖書の言葉は届いていないのだろうか。「良いことをする時こそ隠れてしなさい」と、イエス様はいつもおっしゃっているのに。

自分は、人を見下すような近所の人たちとは違うのだ、と言いたげな母の物言いの中に、すでにどうしようもない選民意識が含まれていることなど、あの母にはどれだけ説明しても伝わらないだろう。あきらめて、何も言わずにきてしまったものだから、母は今でもやはり同じ態度のままだ。古い人だし、本人はあくまで善意の塊のつもりでいるのだから仕方ない。そう思いながらも夏帆は、母親のひとりよがりに対して、いまだに寛容になれないのだった。

だが、その一方で、あえて皮肉に感謝するならば、あの母のおかげで人間の二面性というものを肌で知り、夏帆自身も早くから身につけることができたとも言えるのだ。腹の中で何を考えていたとしても、おくびにも出さずにいられる。にっこりと微笑んで、相手を不愉快にさせることなく、終始感じよくふるまえる。夏帆の外面のよさは、どう考えても母譲りだった。

どんな場面であれ、相手が誰であれ、その場の空気を波立たせたり人の感情をささくれ立たせたりすることが、昔から夏帆には苦痛で苦痛で仕方なかった。自分が主張することでその苦痛を味わうくらいなら、多少の不都合など黙って呑みこんだほうがどれだけましかと思う。

だが、欲することを呑みこみ続けている限り、思いの実現は永遠にかなわない。自分自身は我慢すればそれでよくても、時にはそのせいで周囲に迷惑がかかってしまうケースもありうるのだ。

夏帆がそのことを初めて痛感したのは、十三になる年の春だった。

中学に上がってすぐ、夏帆は、クラスでいちばん仲良くなった洋子という友だちから、今度の土曜日、一緒にテニスをしようと誘われた。夏帆たちの通っている女子校は、日曜日に全員参加の礼拝があるかわり、土曜日が終日お休みだったのだ。

洋子の両親は欧米家具の輸入会社を経営しており、洋子は毎週一度か二度、学校が終わったあとでテニスクラブに通ってレッスンを受けていた。なんでも、関東のジュニア大会で毎回いいところまで行くほどの腕前だという話だった。

「あたしが正会員だから、一緒だったらクラブのビジター料金がすっごく安くなるの。一日中ずーっといて勝手にテニスしてても、たったの二千円ぽっちだよ。ユミとかヤマグチとかも誘ってさ、みんなでダブルスしようよ。あたし、教えてあげる」

夏帆は、心動かされた。心揺さぶられたと言っていい。

ラケットなど一度も握ったことはなかったけれど、以前、友だちに借りて母親の目を盗んで読んだ少女漫画は夏帆を夢中にさせ、華麗なるテニスの世界に憧れを抱かせるに充分な力を持っていた。

「場所ならすぐわかると思うし」と、洋子は言った。「心配だったら待ち合わせすればいいよ」

いつも学校行く時はどこで乗り替えてるんだっけ、と洋子に訊かれ、吉祥寺《きちじょうじ》、と夏帆は答えた。

「じゃあちょうどいいや。吉祥寺の改札出たとこで待ち合わせしようよ。そっから三鷹《みたか》行きのバスに乗ったら、すぐだから」

想像してみるだけで、夏帆の心臓ははねた。学校が休みの日に、親と一緒でなく一人でバスに乗って出かけるなんて考えてみたこともなかったのだ。

何しろ小学生の間は、友だちと遊ぶといったら放課後の校庭ばかりで、そのあとは家まで電車とバスを乗り継いでまっすぐ帰るのが当たり前だった。週末も、近所の子と公園へザリガニ取りに行く程度が関の山だった。自転車で二十分くらいかけて大きな図書館へ行くのがいちばんの遠出だった。

中学生になるというのはこういうことなのか、と夏帆は思った。急に目の前がひらけて、大人の世界の片鱗《へんりん》を垣間《かいま》見たような気がした。こんなふうにして、みんなだんだんと行動範囲がひろがっていくんだろうか。もしかすると友だちはもうみんなとっくに大人になっていて、自分だけがいつまでも物知らずのまま取り残されてしまっているのかもしれない。

〈すっごく安くなるの〉

〈たったの二千円ぽっちだよ〉

たったの……。

期待でどきどきしている心臓の、どこか裏側のあたりが、同時にじりじりと焦げるようだった。今月、お小遣いの残りはまだ千円ほどある。となると、交通費と食事代をあわせて、最低でも千五百円は親から借りなければならない計算だ。

「あのね、土曜日、洋子たちにテニスしようって誘われたの。これから毎月お小遣いを貯めてきっと返すから、千五百円だけ貸してくれる？」

つっかえずにちゃんと明るく言えるように、布団の中で猫を相手に練習した。母親から何か訊かれたり反論されたりした場合に備えて、考えられる限りの答えも先に用意した。

「お昼はパンでも買って食べるから」

「すごくちゃんとした、関東でも名門のテニスクラブなんだって」

「ふだん洋子を教えてるコーチもいる日だから、ぜんぜん心配ないよ」

けれど、言いだせなかった。

「あかんあかん！　そんなん、このお母ちゃんがええと言うとでも思たんか」

言下にそう撥《は》ねつけられてしまうのが怖かったのだ。

母親が声を荒らげ不機嫌になることそのものが怖い、というのももちろんだが、そうして否定されてしまったが最後、一縷《いちる》の望みさえも抱けなくなってしまう。もしかしたらみんなと行けるかも、という淡い期待を、胸の裡《うち》でそっと転がす楽しみまでが完全に消えてなくなってしまうのだ。それを思うと、夏帆にはどうしても、「千五百円貸して」のひとことが口に出せなかった。

そのまま、金曜になり、土曜の朝になった。

「夏帆？　あんた今日はたしか、朝から友だちと約束があるとか言うてぇへんなんだ？」

朝食を終えてもぐずぐずしている娘に、美紀子がけげんな目を向けてくる。

もうこれ以上、先延ばしにすることはできない。夏帆はとうとう、思いきって言った。

「お母ちゃん」

「なに」

「洋子たちと、テニスに行く約束したんだけど……」

「は？　テニス？」

「そう。ほら、洋子、前から習ってるでしょ」

「せやから何やねん」

「そ……そこのクラブで、みんなで一緒にテニスしようねって。ただ、そこの、ビジター料金っていうのがね。に……二千円、かかるんだって」

母親が、黙って見ているのがわかる。雲行きが怪しいのが空気でわかるだけに、怖くて顔が上げられない。

「あたし、今月のお小遣い、まだ千円ほど残ってるの。だから、お願い、千五百円だけ貸してもらえないかな」

あれほど練習したはずなのに、絶対ちゃんと返すから、と付け加える頃には、すでに泣きそうになっていた。

しばらくの間があった。不穏な沈黙が流れた。

「なんでもっと早《はよ》う言わへんかったん？」

と、やがて美紀子が言った。

夏帆は黙っていた。自分でもそう思うくらいなのだ。母親を納得させられる答えなど返せるわけがない。それなのに、

「なあ。なんで言わなんだん？」

美紀子はくり返した。語調が強くなっていた。

「なんとなく……」

「なんとなく言わへんかったって何やの」

「そうじゃなくて……なんとなく、言えなかったの」

「どこが違うねん」

おんなじやんか、と決めつけられても、やはり言い返せない。

土曜日の朝で、同じ部屋には家族が全員揃っていた。父親は、あとはもうネクタイを締めるだけの格好で新聞をひろげ、大学生の兄は開け放した縁側で犬をかまいながら煙草をふかしている。そして小学生の秋実は、部屋の向こう隅にでんと置かれたマッサージ椅子に陣取り、あきれ顔でこちらを見ていた。

（あーあ、またやってるよ、お姉ちゃんもどうして学習しないかな）

いかにもそう言いたげな顔をわざとしてみせる二つ年下の妹が、夏帆は憎らしくてたまらなかった。

あんただってしょっちゅうお母ちゃんに怒られてるくせに。

しかしそのわりに、怒鳴り声が響く頃には秋実はもうそこにいないことが多い。かん

かんに怒っている母親のもとからさっさと逃げだせる妹が、夏帆には信じられなかった。逃げたりしたら、後がもっと怖いことになるとは思わないのだろうか。

「千五百円、か」

はっとなって顔を上げた。美紀子の視線とかち合って、また慌てて下を向く。

「千五百円、な。出したげられへんお金やあらへん」

――出したげられへんお金やあらへん。

夏帆は再び顔を上げた。母親の表情から、その先に続く言葉を懸命にさぐろうとする。

美紀子は、たっぷりと間を置いて言った。

「せやけどな」

心臓がぎゅうっと収縮した。

「せやけど、あかんわ」

自分の顔が歪むのがわかった。〈やっぱり〉と〈どうして〉とが、胸の裡に渦巻く。出せないお金ではないというのなら、今日ぐらい出してくれてもいいではないか。

すがるように見る夏帆に向かって、美紀子は淡々と言った。

「そんな顔したかてあかん。それほど大事なことやったら、なんで先に言わなんだん？テニスの約束のことなんか、お母ちゃん、あんたからいっぺんも聞いてぇへんで。お小遣いも足りひんのに友だちと勝手に約束しといて、出かけるその日の朝に初めて言うてやな、『テニスしたいからお金ちょうだい』て、そんなええかげんな話、通るわけがあらへんやんか。せやろ？　なんぼ千五百円や言うたかて、はいそうですかと出したげるわけにはいかんのや。そこんとこわかるか？」

「……わかる」

と、夏帆は言った。

「そんなら、今日はあきらめ」

「わかるけど……」

「けど、何やねん。口答えする気かいな」

「ごめんなさい、怒らないで。お母ちゃんの言うのが正しいってことはよくわかる。あたしが悪かったってこともよくよくわかってるけど、お願い。今日だけは、どうかお願いします」

夏帆は思わず、両手を合わせて拝んだ。

「なんで今日だけ特別やねんな」

「だってみんな、ずっと楽しみにしてたんだよ？　ユミとヤマグチも行くのに、あたしだけ行かなかったらダブルス組めなくなっちゃう」

向こうで秋実が、うわあ、というふうに眉をひそめた。ばか、と口だけが動くのがわかる。

「それは、しゃあないな。それもこれも含めて、あんたが招いたことやろ？『どこそこの誰それも行くのに』とか、『誰々ちゃんのところはどうやから』とか、そういうこと言うの、お母ちゃんがいちばん嫌いやて知ってるやろが、うん？」

「そ、そういう意味で言ったんじゃ……」

そんなふうに聞こえてしまったのか。だから秋実があんな顔をしてみせたのだ、と今ごろわかっても遅い。

「大体やな、自分のお小遣いが足りひんのはわかってんのに、なんで先にそんなええかげんな約束なんかしたん？」

それがそもそもおかしいやんか、と美紀子は言った。

「正直に『お小遣いが足りひん』てみんなに言うて、『お母ちゃんに貸してもらえるかどうか訊いてからにするから約束は待って』て頼んどくべきやったんや。そしたらお母ちゃんも貸したげたし、もしも何かの理由で貸してもらわれへんなんでも『やっぱり貸してもらえなかったから一緒に行かれへん』てちゃんと断れたはずや。せやろ？　お母ちゃん、何か間違《まちご》うたこと言うてるか？　なあ」

夏帆は、首をふった。こらえていた涙がこぼれた。

「泣いたかて、あかんもんはあかん」

「でも……」

「まだ『でも』言うか」

「だって」

「『だって』も嫌いや」

「だ……って、みんなもう家を出ちゃったよ。今からじゃ、行けないって連絡つかないよ」

「せやったら、行ったらええがな」

「え？」

「待ち合わせしたとこへ行って、これこれこういう理由で行かれへんようになった、て言うてきたらええ。勝手な約束したからお母ちゃんに叱られて、千五百円は借りられへんなんだ、て正直に言うたらええねん。あんたが自分で招いたことや。自分で最後まで責任とり」

美紀子は夏帆から目を移し、父の伊智郎に同意を求めた。

「なあ、お父ちゃん、そうやなあ？　うち何も間違うたこと言うてぇへんなあ？」

夏帆は、祈る思いで父を見た。

ふだんから、父はあまり夏帆たちを叱らなかった。仕事が忙しくて家にいないことが多く、子育ては美紀子に任せきりだったからだ。けれど、姉妹のうちでもとくに夏帆は父親に懐いていたし、伊智郎のほうも夏帆を可愛がってくれていた。お父ちゃんだったら味方してくれるかもしれない。自分のやり方がまずかったのは嫌というほどよくわかったし、そのことで叱られたのも仕方がない。けれど父ならば、今日だけはまあ大目に見てやろうやないか――そう言ってくれるのではないか。

「なあ、お父ちゃん、どない思う?」美紀子がたたみかける。「うちの言うてることが間違うてるか？　なあ、そんなことないやろ？　今日ここで、夏帆を甘やかしたりしたらあかんよなあ？」

するると伊智郎は、新聞から顔を上げずに言った。

「――そうやな」

最後の望みも失い、立ちあがる気力もなくしている夏帆に、

「ほれ見てみぃ」美紀子は勝ち誇るように言った。「お父ちゃんもやっぱりそう思わはるて。しゃあないやろ、あんたが悪かったんやから。さ、行くなら行って、ちゃんとみんなに断っといで。あんまり待たせたら悪いやんか」

もはや、泣くだけの力もなかった。泣いたところで事態が覆らないことは明らかだった。夏帆はのろのろと立ちあがり、玄関で靴を履き、寄ってきた犬の頭をそっと撫でてやってからバス停へと駆けだした。

待ち合わせの駅までは、いつものバスで二十分以上かかる。このぶんだと洋子たちをたっぷり待たせてしまうことになりそうだ。おまけに、会うなり「行けなくなった」と告げなくてはならない。彼女たちはどんな顔をするだろう。

揺られている間、夏帆はうつむいて必死に考え続けていた。行けない理由をみんなに納得させるための、できるだけ信憑性《しんぴようせい》のありそうな嘘を。

〈勝手な約束したからお母ちゃんに叱られて、千五百円は借りられへんなんだ、て正直に言うたらええねん〉

そんなことが言えるはずないじゃないかと夏帆は思った。中学生にもなれば、〈お母さんに叱られたから〉などという理由は、友だちに向かってどうぞ馬鹿にして下さいと宣言しているようなものだ。

そして、それと同じくらい、〈お小遣いが足りない〉と口に出すのも恥ずかしかった。いつもはそれなりに充分もらっているのにたまたま今月だけ遣ってしまった、というのなら話は別だ。今月はお小遣い無いから駄目。あっさりそう口に出すことだってできるだろう。夏帆にそれが言えないのは、本当にお金がないからだった。現実的に、慢性的に、決定的に足りないからだった。

同じ言葉を友だちが口にする時とは、意味合いが違う。みんなと連れだって出かけ、ファストフードの店に入っても、他の子がこぞって頼むサイドメニューを横目で見ながら、〈あたしおなかすいてないや〉とハンバーガーひとつで済まさなくてはならない夏帆にとって、〈お小遣いが足りない〉はあくまでも、そのものずばりの意味でしかないのだ。口に出してしまったが最後、とても冗談になどならない。

土曜日の道路は、渋滞していた。このままではますます遅刻してしまう。みんなを無駄に待たせてしまう。

もしかしたら今ごろ洋子あたりが、寝坊でもしているんじゃないかと心配して、公衆電話から家に連絡を入れているかもしれない。お母ちゃんが電話に出て、みんなに本当のことを喋ってしまったらどうしよう……。

胃が焦げるほど気持ちはせくのに、その一方で夏帆は、このバスが永遠に駅になんか着かなければいいと思った。自分だけ急に行けなくなったことへのうまい言い訳なんて、どれだけ考えてもなかなか思いつけなかった。

＊

「結局あの時、なんて言ってみんなに断ったんだったか、そこから先を覚えてないんだよね」

例によって夜明けのハンバーガーを前にして夏帆が言うと、大介は口もとを拭いながらふうんと唸った。

「でもやっぱり、一緒には行かなかったんでしょ？」

「うん。たしか、『お母ちゃんがぎっくり腰になっちゃったから』とか、『午後から急に大事なお客さんが来ることになったから』とか、そういう類の苦しい言い訳だったんだと思うけど……」夏帆は、ふっと苦笑いした。「おかしなものだよね。今こうしてひねり出してみたって、うまい言い訳なんてやっぱり思いつきやしない」

大介が、黙ってポテトの小袋を夏帆に差しだした。ありがと、と一本だけつまんで口に入れる。

今ではもう、サイドメニューをどれだけたくさん頼もうと、財布の中身を気にすることはなくなった。そのかわり、まるで反比例するように、ポテトをそんなに美味しいとは思わなくなった。

「じゃあ、その時にさ」と大介が言う。「もし友だちとテニスに行かせてもらえてたら、今でもそのこと覚えてたと思う？」

　夏帆はかぶりを振った。

「十中八九、忘れてるでしょうね。行けなかったからこそいまだに覚えてて、悔しさも残ってる……要するにそういうことなんだって、わかってはいるんだよ。ただね、ひとつだけ思うの」

「うん？」

「もし……もし万一この先、私に子どもができたとしてね。その子が、あの時の私と同じような失敗をしたとするじゃない？　そしたら私、一回だけは許してやろうと思う。『絶対に今回だけだからね』って言い含めたうえで、足りないぶんのお金を持たせてやると思う。それはさ、甘やかすっていうのとはまた別の次元のことだよ。大人が思う以上に、子どもには子どもの社会における面子《メンツ》っていうものがあって、それは安易に傷つけていいものじゃない。できる限り守らせてやらなくちゃいけないものだと思うの」

　大人は、得てして忘れてしまうのだ。自分にだって子どもの頃、いっぱしの面子やプライドがあったことを。たかが子どものプライドなどと、適当にあしらって良いものではない。むしろ年若い頃のほうが誇りや自尊心は傷つきやすく折れやすいのだから、いくらか余裕のある大人の側が気配りをして、それらをできるだけまっすぐ伸ばしてやることが必要なのではないか。そうしてやらなければ、子どもの自尊心など——文字通り〈自分の尊厳を守る心〉など、育つわけがないのではないか。

「うちの母親の子育てを思い起こして、あれは〈躾〉じゃなかったんじゃないかって思うのはこういう時なの」

大介が眉を寄せる。「躾じゃ、なかった？」

「そう」

「何だったと思うわけ？」

夏帆は、少し迷ったものの答えた。「調教？」

大介の眉間の皺が深くなった。

「まあ、もともとその二つは似たようなものかもしれないんだけどね」と、夏帆は言葉を継いだ。「『飼い犬に躾をする』って言う人もいれば『調教する』って言い方をする人もいるわけだから」

「でも、子どもは犬とは違うよ。少なくとも、三歳を過ぎた子どもはさ」

「どういうところが？」

「だって、言葉が通じるじゃない。それこそ、『話せばわかる』っていうかさ」

そうね、と夏帆は言った。

「そうだよね。確かに母だって、ちゃんと筋道立てて言って聞かせてくれたことは何度もあるの。前にも話したでしょ？　機嫌のいい時は、少しも言葉を惜しんだりしないで、私たちをうんと褒めてくれた。私たちも、それが誇らしかった。でも、そうして子どものプライドを肥大化させておきながら、それを一瞬にしてぺしゃんこに潰すのもまた母だったのよ」

伸ばしておいて、へし折る。

与えておいて、取りあげる。

「いつだって、罰のほうが大きいの」

微苦笑を浮かべてつぶやく夏帆に向かって、大介は、ゆっくりうなずいた。

「……なるほどね。それは確かに、躾よりは調教に近いかもね」

でしょ、と夏帆は言った。彼に受けとめてもらえた、と思うだけで、いくらか救われるようだった。

〈なんでそんな大事なこと早よ言わんの〉

〈なんでそんなすぐバレるような嘘をつくの〉

〈親に隠し事をしなさんな。隠したかて、お母ちゃんはみぃんなお見通しやねんで〉

美紀子は、いつもそんなふうに言って夏帆たち姉妹を、とくに夏帆を叱りつけた。怒鳴り声と同時に平手打ちが頬を見舞うこともしょっちゅうだった。

〈あんたが隠し事してる時はすぐわかる。上目遣いになって、ごまかそうとするとまばたきが増えんねん。ようもまあ、お母ちゃんをちょろまかせると思うたな。ええ？　親

を馬鹿にするのもええかげんにしぃや！〉

けれど、そうしてきつく叱られれば叱られるだけ、夏帆はなおさら母親に隠し事をするようになった。

確かにバレた時は怖ろしいが、美紀子は、口で言うほどには何でもお見通しなわけではない。上目遣いにもならず、まばたきも増やさず、素知らぬ顔でうまくごまかしおおせたことだっていくらもある。

今は与えられている物も、許されている自由も、母親の気分次第でいつ取り上げられるかわからない。だったら、自分にとって大事なものほど、上手に隠しておかなければならない。楽しいと思うことほど、隠れて行わなければいけない。

美紀子の意図とは逆に、夏帆はどんどんそうして親の目を盗むことを覚えていったのだ。

第七章　――罪

店を一歩出たところで、肩をつかまれた。

「ちょっと、きみ。その鞄《かばん》の中を見せてもらえるかな」

頭の血が、ざあっと音をたてて足もとへ落ちた。くらりとする。

「あ……あたし、」

「いいから、それを開けて見せなさい」

中年の店員が、夏帆の学生鞄を目で指す。

駅ビルの中、通路を行きかう人々の目がじろじろと注がれる。周囲の物音が、ラジオのつまみを絞ったかのように遠ざかり、視野が急激に狭まって、夏帆の体がかしいだ。

「おっと」

肘をつかんで支えた店員は、そのまま通路の隅へと誘導し、うつむく夏帆の頭の上から言った。

「自分が何をしたか、わかってるね」

「ごめ……」

「犯罪だよ、これは」

「ごめんなさい！」

「謝らなくちゃいけないようなことを、どうしてしたの」

「ごめんなさい！　もうしませんから、許して下さい」

言いながら、まるで夢かドラマか、そんな作り物の世界の中にいるような気がした。とても現実とは思えなかった。

「そういうわけにはいかないんだよ。きみ中学生？　学校はどこ」

お願いです、許して、本当にもう絶対、絶対しませんから、

「そんなことは訊いてない。学校名を言いなさい」

夏帆は震えた。自分の靴が、果てしなく遠かった。こんな時、目の前が真っ暗になるだなんて嘘だ。光がことごとく針になって体じゅうに突き刺さる。

どうしても欲しくて、我慢できなかったのだ。でも、例によってお小遣いが足りなかった。そうかといって、お小遣いの額を増やしてほしいとはとても言いだせなかった。ましてや、あれを買って、だなんて……。

夢中になっている人気アニメの原作コミック。母親に言ったらきっと、「必要あらへん」と言い捨てられるだけだろう。どうしても欲しかったら、お小遣い貯めて買うたらええがな、と。

貯める？　無理にきまっている。友人たちとの日々の付き合いにも汲々《きゅうきゅう》としているのだ。貯金などする余裕はどこにもない。

「さあ！　学校名を言いなさい！　隠したって調べればすぐにわかるんだよ」

苛立たしげな声の響きに負けて、夏帆はとうとう学校の名前を言った。言った瞬間、世界が終わった気がした。先生や友だちに知られたら、明日からもう学校へ行けない。顔を上げてなんか歩けない。

「お願いです。このこと、学校にだけは言わないで下さい。ごめんなさい。ほんとにごめんなさい……！」

消え入るような、ふりしぼるような声でどれほど必死にくり返しても、店員は冷ややかに見おろすだけで解放してはくれなかった。だめだ、通じない。どうして通じないんだろう、こんなに必死に謝ってるのに。容赦のなさにおいて母親の美紀子を上回る相手と対峙《たいじ》するのは初めてだった。あの母がとんでもなく怒っている時ですら、これぐらい哀れっぽく謝り続ければいいかげん解放してもらえるはずなのだ。

夏帆は狼狽《うろた》え、混乱した。言葉が届かない恐怖に叫びだしそうだった。どうすればこの謝罪を聞き入れてもらえるのだろう。どうすれば罪を許してもらえるのだろう。

許しても聞き入れてももらえないのだということを夏帆がようやく呑みこんだのは、駅ビルの通路の奥まったところへ連れていかれ、見事なまでに殺風景な部屋へ通された時だった。入ってすぐがスチールデスク一つの狭い事務室になっており、その奥は畳敷きの小部屋になっているようだった。

夏帆をそこまで連れてきた店員は、中にいた警備員に向かって状況を説明すると、もはや夏帆には目もくれずにさっさと戻っていった。こんなことには慣れているのかもしれなかった。

夏帆は、学生鞄を両手で持って壁際に立ちつくし、うつむいていた。これからどうなるのかと思うと、体の震えが止まらない。歯の根が合わない。膝がかくかくと痙攣《けいれん》している。

ここまで連れられてくる間も、つかまれた腕をふりほどいて逃げようかと何度も思った。けれど、追いつかれてまた捕まったりしたら、事態はもっとひどくなる。そう思うと、怖くてとうとう実行に移せなかった。

書類に何か書き込んでいた初老の警備員が、ようやくペンを置き、顔をあげて言った。

「そっちの奥へ上がんなさい」

声も口調も穏やかだった。

「靴は脱いでね」

夏帆は、言われたとおり奥へ進み、もう一度うながされて座敷に上がった。小さな入口のその奥は、ほんの三畳ほどの部屋だった。

上がりがまちで脱いだ靴を、かがんで逆向きに揃える。折りたたみ式の座卓のそばに置いてあった座布団を、敷かずにそっと横へどけ、畳にじかに正座した。

反省の気持ちはもちろんあった。後悔の強さに至っては、ほとんど肉体的な痛みを伴うほどだった。が、それと同時に夏帆は、後ろからついてきた警備員が自分の行動を逐一見ていることを意識していた。計算していた、と言うべきかもしれない。

この場でできるかぎり行儀良く、しおらしく慎ましくふるまうことで、〈いつもは優等生なのに、たまたま魔が差しただけ〉との印象を強めることができるのではないか。そうすれば、なんとかこのまま見逃してもらえるのではないか、そう思ったのだ。

白髪混じりの警備員は、夏帆のあとから座敷に上がると、隅にあったポットから急須《きゅうす》にお湯を注いだ。黙ったまま二つの湯呑みに注ぎわけ、片方を夏帆の前に置いてくれる。そして言った。

「熱いから、気をつけて」

とたんにこみ上げてきたものを、夏帆はこらえきれなかった。喉をこじ開けて、へんな声がもれた。膝の上できつく組み合わせた両手の甲に、ぽとりぽとりと涙が落ちる。警備員の差しだしてくれるティッシュの箱から、夏帆は一、二枚とって鼻の下に押しあてた。

ややあって、座卓の上に、コミック本がぱたりと置かれた。海賊船を背景に、アニメと同じ主人公が腕組みをして立っている。それをじっと見ながら、警備員はやはり穏やかな声のまま言った。

「どうして、盗ったりしたの」

夏帆は黙っていた。欲しかったから、というのが唯一の答えだったが、同時にそれは何の答えにもなっていないように思えた。

「万引きはいけないことだ、っていうことくらいわかっていたよね」

「……はい」

細い声を絞り出す。

「わかっていたのに、どうしてこんなことをしてしまったのかな」

夏帆は、答えようとして声を詰まらせ、くしゃ、と顔をゆがめた。

「私が……」唾を飲みくだす。「私が、弱かったからです」

「弱かった？」

こくん、とうなずく。

「お金も持ってないくせに、どうしても欲しいっていう気持ちに負けてしまって……情けないです。自分で自分が、情けないです」

なんとかしてこの場を切り抜けたいという思いからひねりだしたクサいセリフでも、唇にのせれば涙は自然に後から後からあふれ出した。警備員が、コミック本を再び手に取って裏返し、また表に返す。

「そんなにこの漫画が好きなのかい」

本当は原作よりもアニメのほうが好きだったが、夏帆はうなずいた。目の前で、お茶が冷めていく。よかったら飲みなさい、と言われても、湯呑みを手に取る気にはなれなかった。なんとなく、テレビドラマで観た取調室のカツ丼を思いだす。なるほど、心の弱っている時に優しくされるとひどく辛《つら》いものだということだけはよくわかった。

と、目の前の座卓の上に、白い紙が滑るように置かれた。

「名前と、うちの電話番号を書いて」

弾《はじ》かれたように顔をあげた夏帆が何か言おうとする前に、警備員は片手をあげてさえぎった。

「こちらとしても、できれば許してあげたいけど、したことの責任は取ってもらわなくちゃいけない。とにかく、名前と電話を書きなさい」

夏帆はのろのろとペンを取り、のろのろと名前を書いた。途中、よほどごまかそうかと思ったが、すんでのところで思いとどまって本当の番号を書きつける。

「鈴森、夏帆さんか」

フルネームで呼ばれると、ますます身の縮む思いがした。

警備員はあぐらを解いて立ちあがり、小さく縮こまってうなだれている夏帆の頭の上から言った。

「ちょっと待ってなさい。おうちの人に迎えに来てもらうから」

隣室から、警備員が受話器を取る物音が聞こえてくる。

お願いだから留守にしていて、と夏帆は祈った。どうか、お願いだから。

何度電話をしても家の者が誰も出なかったなら、警備員もあきらめてくれるかもしれない。警察に連絡しなかったということは、こちらの反省ぶりが伝わっているからではないか。このまま親に連絡が取れなければ、厳しく注意するだけで解放してくれるのではないか……。

「ああ、もしもし。そちら、鈴森さんのお宅ですか」

夏帆は、絶望とともに目を閉じた。

「失礼ですが、鈴森夏帆さんの親御さんでいらっしゃいますか。じつは、たいへん申し上げにくいことなんですが、先ほどお宅のお嬢さんが学校の帰りにですね……」

体の震えは、さっきまで以上に大きくなっていた。ぐっと力を入れて止めようとすると、よけいにがくがくと揺れ幅が大きくなった。あきらめて力を抜く。

「……いや、それはもうわかりましたから落ち着いて下さい。とにかく、学校のほうへは、こちらからは連絡していません。こういうことは初めてのようですし、本人もずいぶん反省していますのでね」

思わず、両手を組み合わせる。重ねた親指を唇に押しあてて震えをこらえていると、やがて、電話を切った警備員が顔を覗かせて言った。

「おうちの人が、すぐ迎えに来られるそうだから」そして、少しためらってから付け加えた。「お母さん、電話口で泣きくずれてらしたよ」

十三年間生きてきて、ほんの数十分の待ち時間にこれほどまでの苦痛と恐怖を感じたのは初めてだった。歯医者の待合室などで感じるものとは根本的に違う苦痛であり、怖ろしさだった。たとえるなら、金縛《かなしば》りに似ているかもしれない。

子どもの頃から夏帆は、しばしばうなされることがあった。夢の中に出てくる化けものや幽霊の類は、親に隠れて読んだ水木《みずき》しげるや楳図《うめず》かずおの漫画をはるかに凌駕《りょうが》するほど怖ろしく、目が覚めてからも、あれが現実でなかったとはとうてい思えないくらい生々しかった。

いつだったか、重苦しさに息ができなくなって目を開けると、胸の上に小さい山姥《やまんば》のようなしわくちゃの化けものがしゃがんで、夏帆の顔を覗きこんでいたことがある。まともに視線を交わしてしまった夏帆は、絶叫しようとしたのに叶《かな》わず、ひゅうひゅうと喉を鳴らしたあげくにかろうじて悲鳴をもらした。泣くとも呻くともつかないおかしな声だった。

〈夏帆。どないしたん、夏帆！〉

揺り起こされ、とっくに開いていたはずの目をもう一度開けた時、眼前に迫った母親の顔に、夏帆は今度こそ金切り声をあげた。

〈な、なんやの、びっくりさせんといてぇな〉

母親は鼻白んだように言った。

〈いったい何の夢見たん。どうせ、寝入りばなに怖い本でも読んだんちゃうの〉

夏帆は激しく首をふった。

ぴくりとも動けなかった金縛りの怖ろしさもさることながら、もっと怖かったのは、そうして揺り起こしてくれた母親の顔が、今の今まで胸の上にしゃがんでいた山姥の顔とそっくり同じだったことだ。夢の中の化けもの……恐怖にすくむ夏帆を覗きこみながら冷たく笑っていた化けもの。その顔が、どうして母親の顔なのか。ふだん、叱られても叱られてもやはり母のことを好きだと思っていた夏帆が、生まれて初めて、自分自身の心の奥底にあるものに疑いを持った瞬間だった。

今、家からの迎えを待ちながら、夏帆はあの時の恐怖をまざまざと思い出していた。逃げたいのに逃げられないところも、金縛りと同じだ。刻一刻と迫ってくるのがあの怖ろしい顔との対面であることも。

どれくらいたっただろう。

ふいに隣の事務室のドアがノックされ、警備員が返事をするのが聞こえた。

「どうぞ」

夏帆は、崩していた脚を慌てて引き寄せ、再び正座をした。縮こまって畳の縁を見つめる。ドアの開く物音とともに、外のざわめきが流れこんでくる。隣室でわずかなやりとりがあったようだが、よく聞き取れなかった。

足音が近づいてきて、警備員が言った。

「さ、帰りなさい。お母さんたち、迎えにいらしたよ」

――たち？

思わず顔をあげると、いきなり、上がりがまちに立つものすごい形相の母親と目があってしまった。その後ろには弘也の険しい顔がある。たまたま早く帰ってきていたらしい。

お兄ちゃんがあんな怖い顔、と思うより先に、母親が靴を脱ぐのももどかしげに座敷に上がってくるなり、思いきり夏帆の頰を張った。

「あんたという子はッ！」

甲高い声で叫ぶ。

頰と耳がじぃんと痺《しび》れた。痛い、と思うまもなく、さらに頭を、そして逆の頰を叩かれる。指輪が鼻にあたり、夏帆は思わず手で押さえた。

「あんたという子は……なんて恥ずかしいことをしてくれたんや！　誰がそんな子に育てた。ええ？　誰が人様のもん盗んでええて教えた！　ああ恥ずかしい。お母ちゃんは情けのうて情けのうて……あんたなんかもう、うちの子ォやない、どこへなと出ていき！」

叱責の言葉とともに、顔といわず頭といわず降ってくる平手と拳を、よけようとして腕をあげるとなおさら逆上して叩かれる。

痛みと恐怖に身をすくませながら、けれど夏帆は、なぜかみるみる醒めていく自分を感じていた。母親の口から発せられるセリフや、大仰な身ぶり手ぶりの一つひとつが演技過剰に思えた。

〈お母ちゃんなんか女学校の時分、お芝居したらいっつも主役やってんで〉

また平手が降ってくる。

「ほんまに、情けない！　恥ずかしい！　お母ちゃんはいったい、世間様にどないして謝ったらええんや！　ええ？　どないしたらええんや……どないしたら……」

叩く手が空を切ったと同時に、膝からふらふらとくずおれる。畳に両手をつき、身を揉むように泣きだした母親を、夏帆は、打ちすえられた顔を覆う指の間から眺めた。直視できなかった。

自分がとんでもない罪を犯し、そのせいで母と兄が血相変えて飛んできたというのに、こんなだいそれたことを考えてはいけないのはわかっている。だが――もしかしてこの母はいま、自分に酔っているのではないか。〈愛情を注いで育てた娘に裏切られ、逆上して泣き崩れる母親〉を、そうとう気持ちよく演じているのではないか。そう思ってしまう胸の内側は、ふしぎと淡々として、温度がなかった。

とうとう、見かねた警備員が割って入った。

「まあまあ、お母さん。とにかくお宅へ帰られてから、きちんと話し合いをされたほうが」

ああもうすみませんすみません、ほんまに情けない、とまた激しく泣きだす母親を、弘也がたしなめる。

「ちょっと落ち着けよ、おふくろ」

そして警備員に向き直ると、改めて深々と頭をさげた。

「妹が御迷惑をおかけして申し訳ありませんでした。許されることでないのは承知していますが、ほんとに、こんなことをするような子じゃないんです」

いや、よくわかりますよ、と警備員が言った。

「じつにしっかりしたお嬢さんですね。こんな時でも、脱いだ靴まできちんと揃えて上がられた。私の立場で言うのも何ですが、実際、ほんの出来心だったんだと思いますよ。そうとうショックを受けているでしょうから、お宅へ戻られたら、じっくり話を聞いてあげて下さい」

タクシーの列に並ぶ間、みな無言だった。ようやく乗りこんでからも、弘也が行き先を告げたほかは誰も口をきかなかった。

夕暮れの道はひどく渋滞していた。後部座席の右側に母親、左側に兄。真ん中にはさまれた夏帆は、どちらとも体を触れあわせないように縮こまりながら、ひたすらうつむいていた。何かを言われるのも怖いが、沈黙はもっと怖ろしかった。

車は、なかなか前に進まない。見慣れた車窓の風景が、だんだんと薄闇に沈んでゆく。すぐ前の車が動き、それにつれてタクシーが少し進んではまた止まる。アイドリングの振動音だけが車内を満たす。

襲ってくる眠気を、夏帆は必死でこらえた。いくら無言のままの母と兄にはさまれているとはいえ、あの殺風景な事務室でたった一人、どこへ突き出されるかもわからずにおびえていた時間に比べれば天と地ほどの差がある。一気に緊張がほぐれたせいだろう、体に力が入らない。

一瞬、意識が遠のき、がくんと首を前に垂れてしまった夏帆はしかし、慌てて前を向くと奥歯で頰の内側を血が出るほど嚙みしめた。ここでうっかり眠ってしまったら、後で母親に何を言われるかわからない。スカートの上から、太腿にきつく爪を立てながら前を睨む。

後部座席の異様な空気を感じ取ってか、運転手も口をつぐんでいた。

「そのクリーニング店の角で止めて下さい」

そう言ったのも弘也だった。

車を降り、家までほんの少しの距離を歩く間にも、道で遊んでいる子どもらがはしゃいで手を引っぱりにきたり、その子らを迎えに出てきた近所のおばさんが声をかけてきたりする。

そのどれもを硬い態度で受け流す母親の後について歩きながら、夏帆はずっとおびえていた。今にも母親が、この子は今日とんでもないことしたんでっせ、などと言いだすのではないかと思うと、生きた心地もしなかった。

玄関の引き戸の鍵を母親が開ける。秋実は、塾からまだ帰っていないらしい。ガラガラと音を立てて引き開けると、母親は無言でさっさと靴を脱いで上がった。続いて入ることが躊躇《ためら》われ、足を揃えて立ちつくしている夏帆を、後ろから弘也が促す。

「入れよ」

低い声だった。

玄関のすぐそばに、ツバキの木がこんもりと茂っている。下のほうの枝の一部に、目の細かい蜘蛛《くも》の巣のような白い膜がかかっているのを、夏帆は見つめた。子どもの頃からここにある木だからよく知っている。あれは、毛虫の巣だ。膜に包まれた一枚一枚の葉の裏側には、それぞれ数十匹もの小さな毛虫がびっしりとくっついているのだ。薄雲か淡雪のように儚《はかな》げな膜の内側で、そんなに怖ろしいものが蠢《うごめ》いているなんて、知らない者が見ればわかりはしないだろう。

「早く入れって」

夏帆は、中へ入り、靴を脱いだ。

上がってすぐ左手の台所にも、手前の四畳半にも、灯りはついていなかった。弘也が丸い蛍光灯からぶら下がった紐《ひも》を引っぱる。ようやく明るくなってみると、美紀子は奥の六畳間で、むこう向きに座りこんでいた。コートも脱いでいない。

「夏帆」と、弘也が言った。「お母ちゃんに謝れ」

「……ごめんなさい」

「そんな上《うわ》っ面《つら》じゃなくて、ちゃんと謝れ」

上っ面なんかじゃない、と思ったが、口答えをするわけにはいかない。夏帆は、わずかに泣き声を混ぜて、もう一度言った。

「ごめんなさい！」

美紀子は答えない。ぴくりともしないで座っている。

「さっき警備員さんからの電話を受けた時、お母ちゃん、どうしたと思う。電話口で、『まさかあの子が！　何かの間違いです！』って叫ぶなり、泣き崩れて廊下にへたりこんだんだぞ」

真面目と思いこんでいた娘がだいそれたことをしでかした場合、親が口にできる言葉のバリエーションなど、それくらいしかないのかもしれない。

だが、兄がいくら沈痛な面持ちで語ってくれても、夏帆の胸にはなぜか、もはやまっすぐ届かないのだった。

〈まさかあの子が〉

〈何かの間違いです〉

昼メロとかにありがちなセリフだよね、と思ってしまう自分が最低なのだろうか。

最低には違いない。だが、電話を受けた瞬間、〈娘に裏切られた母親〉〈育て方を間違えた愚かな母親〉という役どころに向けて母が一気にのめりこんでいった様をありありと想像させられてしまい、そうなるともう、夏帆の中にこみあげるのは嫌悪ばかりなのだった。それは、自分のしでかしたことに対する後悔の強さとはまったく別のものだった。

美紀子は、むこうを向いて黙りこくったままだ。嫌悪以上に恐怖がいや増す。

「お母ちゃん」六畳間の入口に立って、夏帆はささやいた。「ごめんなさい。どうやって謝ればいいかわからないけど、ほんとに、ごめんなさい。もう絶対、絶対、こんなことしないから」

と、その時だ。

突然、美紀子がもがくように立ちあがると、鏡台の隣にあるカラーボックスに走り寄った。ボックスの上には、美紀子に請われて伊智郎が作ってやった木製の祭壇が置かれている。毎週行われる学校の日曜礼拝に保護者席から参加するうち、美紀子はキリスト教へと傾倒し、洗礼まで受けていた。夏帆が小学三年生、秋実が一年生の時だ。

いま、その祭壇の扉を狂ったように引き開けると、美紀子は中に収めてあった十字架を取って胸に押しあてた。再びうずくまって両手を組み合わせ、

「神様！」涙声で祈る。「ああ神様！　いったいどないしたらええんですか」

血を吐くほどの強さで叫びながら、美紀子は身もだえした。

「これでもうちは、あの子を一生懸命育ててたんです。素直なええ子に育ってくれたとばっかり思てたんです。それが……それがまさか人様のものに手ぇ出すやなんて……。ああ神様、どうか許したって下さい。うちがあの子のぶんまで謝りますさかい、あの子のしでかしたことをどうか許したって下さい。お願いします、お願いしますぅ……」

うううう、と伸ばした語尾が、そのまま泣き声になり、号泣へと変わる。絨毯の上につっぷし、激しく頭を振りたてて、美紀子は絵に描いたように〈さめざめと〉泣き続けた。

夏帆は、あっけにとられてそれを眺めていた。

ああ、こんな母を前にも見たなとぼんやり思う。小学校に上がる前だ。遠い親戚のおばさんが亡くなったとかで、滋賀県の田舎《いなか》まで母に連れられていったことがある。夏帆

一人だった。

葬式というものが何を意味するものかもわからずにいた夏帆は、美紀子が棺の中を覗くなり、その人の名を連呼しながら大声で泣きだしたのを見て、おびえた。

〈○○さぁん、○○さぁん、わかりまっか、美紀子でっせえぇ〉

棺にすがりついて泣き叫ぶ母親を、まわりの女性たちが一歩引いて眺めていた、その空気を子ども心にも覚えている。今思えばあれも、昔ちょっと世話になった程度の親戚との対面にしては、そうとう過剰な反応だったのではないか。

美紀子は、まだ泣き続けている。時折、神様、という言葉が口からもれる。

犯した罪は深刻に違いないのに、夏帆には母の言動があまりにも芝居がかって見え、そのせいで、ことの重大さも真摯な反省の気持ちも、正直なところどこかへすっとんでしまっていた。

のろのろと弘也のほうに向き直る。兄は、気まずそうに視線をそらした。

「とにかく、これだけは言っておくけどな、夏帆」

母親はしばらく話などできる状態でないと判断したのだろう。弘也は、代わりを務めるように言った。

「今日、お前のしたことは、まぎれもなく泥棒なんだ。犯罪なんだよ。どうしても欲しかったとか、小遣いでは買えなかったとか、どんな理由があろうが、お前が許されないことをしたっていう事実には変わりないんだ。わかるか」

夏帆は、うなだれたままうなずいた。

「あの警備員さんが言ってたよな。お前のこと、しっかりしたお嬢さんだって。こんな時でも靴を揃えて上がったって。だけどな、俺はそれを聞いて、そんなことがいったい何になるんだって思ったよ。どんなに躾《しつけ》がちゃんとしてようが、人前で恥ずかしくないふるまいができようが、人の見てないところで泥棒してるんじゃ何の意味もないじゃないか。そうだろ？」

「……ごめんなさい」

「その、泣き声やめろ」と、弘也は言った。「うそ泣きすんな」

「うそ泣きじゃないもん！」

ますます泣き声になって小さく叫ぶと、兄はいささかうんざりした顔になった。

「わかったよ。うそ泣きは言い過ぎかもしんないけど、お前、ちょっと大げさなんだよ。普通に話せ」

言いながら、弘也は向こうにいる母親へ視線を投げた。

相変わらず奥の部屋は薄暗いままだが、美紀子は、突っ伏してすすり泣くのをやめたようだ。今は体を起こし、膝の前に置いた十字架に向かって手を合わせている。

「だいたいさ、反省してるって言うけど、俺には信じられないよ。帰りのタクシーの中でお前、寝てたろう」

ぎょっとなった。母親には言われるかと怖れていたが、まさか兄から指摘されるとは思わなかった。

「自分のしでかしたことの大きさが、まだわかってないんじゃないのか？　本気で悪いと思ったら、帰りの車でスヤスヤ寝られるわけがないだろう」

「スヤスヤって、そんな……」

悲しさと情けなさのあまり、声に思わず苦笑にも似た響きが混じってしまう。それはあくまでも今の自分に向けられた情けなさだったのだが、

「ばか、笑い事かよ！」

とたんにかみなりが落ちた。

「あきれたね、俺は」と、突き放すように弘也は言った。「あんな時に寝られるなんて、いったいどういう神経だよ。お前、まだわかってない。反省どころか、全然わかってないよ」

台所の椅子にどかっと腰を下ろすと、弘也は乱暴に胸ポケットから煙草を取りだし、火をつけた。

夏帆は、口がきけなかった。声もなく茫然としていた。

日頃、母に延々と叱られている時など、横からさりげなく助け船を出してくれる兄。時には自分が先に妹を叱ることで、母の怒りが爆発する前にかばってくれる兄。その大好きな兄に、いきなり梯子《はしご》をはずされた気がした。

迎えにきた二人の怒りを怖ろしいと思い、悲しませてしまったことを申し訳なく思い

ながらも、しかし何といっても家族は家族だ。情け容赦のなかった店員や、淡々と役目をこなす警備員に比べれば、やはり自分側の人間には違いない。自業自得とはいえ傷ついてずたずたになった心を、受けとめてくれるのはやはりこの人たちなのだ、と──意識しなくともそう信じこんでいたために、つい、タクシーに乗ると同時に気がゆるんでしまった。その一瞬の隙のような甘えを、「反省不足」という別の言葉で決めつけられてしまったのが、夏帆にはひどくこたえた。これが母からであればそんなにはこたえなかったかもしれない。言われたのが弘也からであるだけに辛かった。

この兄でさえ、わかってくれないのか。

……いや、違う。そうじゃない。兄ですら同情してくれる余地もないほどのことを、自分はしてしまったのだ。やはり自分は、〈まだ全然わかってない〉のかもしれない。

「とにかく、」苛立ちを落ち着けるように煙を吐きながら、弘也は言った。「部屋へ行って、一人でしばらく考えてきな。今日、お前がしでかしたこと。これから先、どうやったらそれをつぐなえるのかってこと」

「はい」

「また寝てんじゃないぞ。本気で考えろよ」

思わず泣きだしそうになったが、ことさらに泣き顔を装うことのないように気をつけながら、はい、とくり返した。〈普通に話せ〉と言われたから、できるだけ普通に聞こえるように、感情を込めずに言った。できるだけ普通に聞こえるように、などと考えた時点ですでに演技ではないかとも思ったが、そこまで気にし始めるともう、何をどうしていいかわからない。こんなにも、自分の言動のすべてには、いちいち演技や計算が入りこんでいたのか。一旦そうして意識し始めると、これまで〈何気ない〉つもりで発していた言葉や起こした行動が皆、じつは無意識のうちに〈何気なさを装った〉ものであったような気がしてくる。

夏帆は、混乱した。

自分は、いつのまにこんなふうになってしまったのだろう。母を見て育ったからだろうか。それとも、遺伝なのか。遺伝だとしたら、もしかしてこのままずるずると、抗う術《すべ》もなく母とそっくりの女になっていくということだろうか……？

（いやだ）

突然マグマが噴きあげるかのように思った。

いやだ。絶対にいやだ。お母ちゃんには似たくない。あの人のようになりたくない。

――それは、生まれて初めて夏帆に訪れた、母への激しい拒絶感だった。

＊

買ってきたばかりの花を生け終えて離れたとたん、猫の雷太がひらりとテーブルに飛び乗って匂いを嗅いだ。それだけならまだしも、ユリの葉をかじって引っぱろうとするのを慌てて叱ったところへ、ふいに携帯が鳴りだした。

着信音だけで、木更津の実家からだとわかる。

夏帆は、例によって迷った。秋実からのそれと同じく、母親からの電話は時にひどく長引く。庭作りの話、畑を貸してくれている農家のご主人の話、スイカの生育状況、日曜ごとに通う教会でのあれこれ、親戚や知り合いの噂《うわさ》、体の不調、ありとあらゆる愚痴……。忙しいからまたね、のひとことが言えない夏帆にとって、〆切が迫っている時の母との会話はできるだけ避けたいものの一つだった。

いいかげんなものだ。〆切間際などと言いながら、花を買いに出ることはするくせに、母親と喋る時間については急に吝嗇《りんしょく》になるのだから。

だが、電話に費やす時間だけの問題ではないのだった。母と話すと、たいていの場合、後々にまで精神的なダメージが残る。むしろ後になってよけいに効いてくると言ってもいい。夏帆は、半ばあきらめの境地で携帯を耳に当てた。

「もしもし」

〈おう、やっと出よった〉

相手は意外にも、美紀子ではなくて伊智郎だった。

「え、お父ちゃん？　どうしたの？」

びっくりして思わず訊くと、

〈いや、どうもせえへんけども。お母ちゃんがおらんので、まあ試しにな〉

いささか面映《おもは》ゆそうに父が答えた。

珍しいこともあるものだ。母が電話の途中で父にかわることはあっても、父が自分でかけてくるなど、これまでなかった。べつだん用事もないのに声聞きたさに娘のところへ電話をかけるなんて、きっと父にとっては女々しく思えて我慢ならないのだろうと思っていた。

……いや。思っていた、ではない。あの頑固な父が、そんなに簡単に変わるわけがない。

「どうもせえへんことないでしょ?」と、夏帆は言った。「もしかして、お母ちゃんには聞かせたくない話?」

水を向けてみると、父親は、ふむ、と言った。肯定とも否定ともとれる調子だった。

〈あのなあ、夏帆。お前、近々こっちへ来られへんか〉

「いいけど……今の〆切が明けたら行けると思うけど、ねえ、どうしたの?」

重ねて訊くと、伊智郎はようやく言った。

〈いっぺん、お前の目ぇで確かめてほしいことがあるんや〉

第八章　――倫

　昔、母に手を引かれて父の職場へ連れていかれたことがある。夏帆は小学校へ上がる前で、秋実はまだ歩くよりも抱っこされるほうが多いくらいの年頃だった。

　父の同僚のおじさんが、使われていない古いタイプライターに触らせてくれたのを覚えている。ピアノに見立てて、鼻歌を歌いながら弾く真似をして遊んでいたら、上手だねと褒めてくれた。

　どうして父の職場へ、それもわざわざ子ども連れで出かけていったのか、事情はわからない。思いだすのは、母が着ていた白っぽいツイードのスーツと、ふだんに比べて半オクターブも高いよそゆきの声だ。

　流行のしゃれた帽子を目深にかぶり、唇にくっきりと鮮やかな紅を引いた母は映画女優のようだった。灰色に沈んだオフィスの中ではひときわ目立っていて、事務服に身を包んだ他のどの女の人より美しく華やかだった。

　そんな母親を誇らしく思う一方で、夏帆はなぜかうっすらと怖かった。

〈夏帆。早うこっちへ来て、おじちゃんにご挨拶しなさい〉

〈これ秋実。パパのお仕事の邪魔したらあかんのよ〉

そんなふうに、ことさらに笑みを含んだ声で自分や妹の名を呼ぶ時も、あるいはさも愛しそうに頭や肩に触れる時も、母の心はここになかった。こちらを向いていても、その顔はのっぺらぼうだった。一分の隙もない化粧、一張羅《いっちょうら》の服、いつもより抑揚の大きな喋り方、〈パパ〉などというすました呼び方……。すべてが、いつもとは少しずつ違っていた。まるで全身を見えない棘《とげ》で鎧《よろ》っているかのようだった。

小柄な女のひとが、母にはお茶を、夏帆や秋実にはオレンジジュースを運んできてくれたのへ向かって、

〈ああ、どうぞお構いのう〉

母がことさらにゆっくりと言ったのを覚えている。

〈鈴森の、家内です。主人が、いつもお世話になってます〉

いいえこちらこそ、とぎこちなく会釈をした女のひとは、きびすを返しぎわ、夏帆の顔を見て、ちょっと困ったように微笑んだ。

父親がめずらしく遊園地へ連れていってくれたのは、そのどれくらい後だったか。何に乗ったかは覚えていない。ただ、帰ってからのことだけ覚えている。

夕方、父と一緒に家に帰り着くと、母親は夏帆を手招きして優しくこう訊いた。

〈誰と行ってきたん？〉

そして、答えを聞くなり怒り狂った。

〈子どもをダシに使《つこ》てまで！〉

幼すぎた夏帆には、父からの口止めの意味すらわかっていなかったのだ。

わからないと言えば、クリスマスを前に父から手渡されるカレンダーについてもそうだった。〈会社のお姉さん〉がわざわざ毎年、夏帆ちゃんたちにと手渡してくれるというカレンダーは、机の上に立てて置くことができるようになっていて、可愛い子猫の写真が月替わりで載っていた。とくに根っから猫好きの夏帆はもらうたびに嬉しかった。しかし、母親の前ではあまり喜ばないように気をつけなければならなかった。そのカレンダーを渡されるたび、母はなぜだか目に見えて不機嫌になったからだ。

はたまた、ある日曜の夜、海釣りから戻った父が釣ってきたイナダの目がどんより濁っているという理由で、台所の母が猛烈に父を罵《ののし》ったこともあった。

〈まるきりボウズやったのが恥ずかしかったから、港で買うてちょっと嘘ついただけやないか〉

と父は弁解した。七つか八つになっていた夏帆はといえば、どうしてお母ちゃんはその程度のことであんなに怒るのだろう、お父ちゃんの気持ちも考えてあげればいいのにと思った。

あの頃は幼くて、何もわからなかった。だから、今になって思い返しても、あの女性の姿形に関しては記憶にぼんやり白いもやがかかったままだ。そのことが、じつは夏帆にはもどかしい。どんな女性だったのだろう。きれいなひとだったのだろうか。父はそのひとのどこに惹かれたのだろう……。

はっきりわかっているのは苗字だけだった。小泉《こいずみ》、といった。夏帆が高校に上がる頃に、母親から聞かされたのだ。あの女性のことを話す時、美紀子は必ず、小泉が、と憎々しげに呼び捨てにした。

〈小泉が、今年も堂々と年賀状送ってきよった。ほんま厚かましい〉

〈どうせまた、帰りに小泉のとこ寄ってるんや。決まったぁる〉

なんと、父とそのひととの仲は、その時点ですでに十数年も続いていたのだった。そこまでいくともう、浮気というより二重生活とか別宅と呼んだほうが当たっているかもしれない。

その長年の間に美紀子があちこちへこぼしまくったせいか、伊智郎の行状は親戚も知るところとなっていた。

「ったく、姉ちゃんが騒ぎすぎなんや」

母の弟である清一叔父《おじ》は、あきれたように夏帆に言った。

「なんやかんや言うたかて、伊智郎にいさんは外で泊まってきたりはしはらへんねやろ？　給料袋かて、きちっと家へ持って帰らはるねやろ？　それで何が不満やねん。贅沢《ぜいたく》やで、姉ちゃんは」

さすがにそれは男の理屈だろうと思ったものの、夏帆は、母をかばう気にもなれなかった。毎日、高校から帰るのを待ちかねたように愚痴の続きをこぼす母親が、とにかく鬱陶《うっとう》しくてたまらなかったのだ。

いまだに不思議でならない。たった二つしか年の違わない秋実には父の浮気をひた隠しにしていたくせに、どうして母は自分にだけ逐一話したのだろう。

聞きたくなんか、なかった。小さい頃から夏帆が父親になついているのを知っていて、なぜわざわざそんなことを聞かせるのか。

〈何がつらいて、自分より若い女の体と比べられるのがいちばんつらいねん〉と、美紀子は何度も夏帆に言った。〈わかるか、あんたにそのつらさ〉

わからない。わかりたくもない。もうやめて。

〈セックスの最中にやな、俺の乳首をなめてくれとか何とか、小泉のとこで覚えてきたことを要求されるのはもうたまらんねん〉

死んでしまいたくなるほど嫌だった。女同士、いくら味方が欲しいからといって、十代の娘に聞かせていいこととそうでないことがあるはずだ。親と子どもの間にだってルールはある。いくら何でもそれは反則だろうと思った。

かといって、うっかりなだめたり、たしなめたりしようものなら、これ見よがしに泣かれる。

〈なんであんたは女の子やのにお母ちゃんの味方してくれへんのん？　なんでいちいちお父ちゃんと同じことを言うのん？　あんたはお母ちゃんの子やない。ほんまに骨の髄

からお父ちゃんの子やわ〉
いいかげんうんざりした夏帆は、それこそ骨の髄から思った。
そんなにつらいなら、いっそ尼寺へでも入ってしまえ、と。

＊

「何それ、出家ってこと？」

大介はどこか面白そうに言い、煙草に火をつけた。運転席の窓をおろし、ひょいと肘をのせる。

「高校一年生にしちゃ、わりと突飛《とっぴ》な発想なんじゃないの？」

「尼寺っていったって日本のお寺って意味じゃないのよ」

夏帆は言った。風の音に負けないように声を張る。

「私が通ってたのはミッション系の学校だし、うちの母親はほら、途中から自分で志願して洗礼まで受けたバリバリのクリスチャンだったでしょ。だから、あのころ私の頭にあった絵としては、修道院のシスター。『ハムレット』の〈尼寺へゆけ〉のイメージ」

はははあそっちね、と大介は言った。

「まあ、今の時代、夫の浮気に悩んで修道院に入るなんてことが可能なのかどうかは知らないけど……具体的にどうとかっていうより、あの頃はとにかくもう、どこでもいいからどっか別の世界へ行っちゃってほしかったの。母親に」

「言うね」

「それほどのストレスだったってことよ。ほんとに、顔を見るのもいやだった。母親が買い物へ行ったっきり、帰りがちょっと遅かったりすると、いっそどこかで事故にでもあってればいいのにって思った。何しろ妄想がたくましいもんだから、あとに遺された父親と兄貴と私と秋実とで、つましくやっていくところをあれこれ想像までしちゃってさ。玄関が開く音がするとがっかりしたくらい。なんだ無事だったのか、って思って」

「マジで」

「マジでよ。あなただって、親が疎ましかった時期はあるって言ってたじゃない」

「そりゃ人並みに反抗期はあったけど、夏帆が今言ったみたいなのとはちょっと違うと思う」

「そう」

それは、何よりだね、と夏帆は言った。皮肉ではなかった。

半分ほど吸ったところで、大介は煙草をもみ消し、窓を閉めた。風音が遠のいて車の中に静けさが戻ってくるのと入れ替わりに、ラジオから流れる音楽が再び聴き取れるようになる。スティングのわずかにかすれた声が、もの悲しいメロディをつぶやくように歌う。たしか殺し屋と少女の愛を描いた映画の主題歌だ。

煙草を吸っている間だけ片側三車線のうちの真ん中を走っていた大介が、じわりとスピードをあげ、追い越し車線へ移る。向かう先は木更津。夏帆の実家だった。

父親がめずらしく電話をかけてきたのが、ちょうど一週間前のことになる。

〈近々こっちへ来られへんか。いっぺん、お前の目ぇで確かめてほしいことがあるんや〉

あんなふうに言われてしまっては、気にかかって仕方がない。

懸命に仕事に集中し、連載中の小説五十枚をようやく書きあげられたのがゆうべのことで、あした実家を覗いてくるつもりだと言ってみたら、大介が運転手を買って出てくれた。彼は彼で気にしてくれているようだった。

「恋愛結婚だったの?」

と大介。

「誰。うちの親?」

「うん」

そうみたいよ、と夏帆は言った。

「その昔、母方のおばあちゃんから聞かされたところによれば、の話だけどね」

「へえ」

「……そっか。そういえば私、まだあなたに話したことなかったんだっけ」

「何を」

「うちの親たちのなれそめ」

大介がふっと笑った。「ないよ、そんなの」

夏帆は口をつぐんだ。

「なに。よっぽどスペシャルな出会いだったわけ？」

と、大介が横目で夏帆を見る。

「っていうか、時代が時代だったからね。父親は、シベリアから復員してきたの。当時、母親が家族と一緒に住んでいた家に。戦争が終わった直後から四年間も捕虜として抑留されたあとで帰ってきたから、当初はバリバリの共産党員で真っ赤っかだったみたい」

「ええと、ちょっと待って」

戸惑ったように大介がさえぎる。

「そもそも、なんでお父さんは、お母さんの住む家に復員してきたわけ？　親戚同士だったとか？」

「なかなかいい線いってるけど……」夏帆は、曖昧に首をふりながら続けた。「親戚どころじゃなくてね。義姉《あね》と義弟《おとうと》の関係だったの」

「は？　あねと、おとうと？」

「そう。うちの母親はね。もともとは、父の兄の奥さんだったわけよ」

「はあ？」

よほど驚いたのだろう、大介が素《す》っ頓狂《とんきよう》な声を出す。

「ってことは……なに、お父さん、兄貴の嫁を略奪婚？」

まあそういうことになるよね、と夏帆は言った。

「そもそも母がどういう経緯で最初の結婚をしたのかは詳しく聞いてないけど、ああいう時代だから、今みたいな恋愛結婚とは違ってたはずよね。お見合いってほどではないにせよ、知人を通じての紹介とか、そんな感じだったみたい」

ふと気がつけば、並行して走る車はずいぶん減っていた。あたりの風景がのどかになり、フロントガラスに広がる緑のかさもぐんと増している。

「たぶん、抗いようがなかったんだと思うの」

ふっと途切れた防音柵の向こう、晴ればれとひろがる空と田んぼを眺めながら夏帆は言った。

「何に？」と大介。「その結婚話に？」

「ううん。降って湧いたみたいな恋に。惣介《そうすけ》おじさん……っていうのがつまり父の兄なんだけど、何しろすごく穏やかな人でね。別の言い方をすると、少し鈍感っていうか。うちの母は、それが物足りなかったみたい。『何を考えてはるのやらちっとも言うてくれはらへん、ほんまに暖簾《のれん》に腕押しの人やった』って、よく言ってた」

「お母さん、そういう過去の話まで夏帆に聞かせたんだ」

「そうよ。どうして？」

「いや。ふつう、娘とかには隠しておきたいことなんじゃないかと思ってさ」

「ふつうじゃないんだもの。とにかく何でもかんでも開けっぴろげにすることがあの人の信条だから」

　まあまあ、と大介がなだめる。

「とにかく――まずはそういう、穏やか過ぎる人との結婚生活があったわけよ。日本では、戦争が終わって四年がたってる。平和にもだいぶ慣れてきた頃でしょう。そこへ、とっくに戦死したはずの次男がシベリアからいきなり帰ってきたわけ」

　空襲警報におびえる日々がようやく遠ざかり、焼け跡にも徐々に、粗末ではあっても真新しい木の香りのする家々が建ち始めた四年間。しかしその同じ四年間を、伊智郎は、シベリアという極寒の地で、ソ連軍の捕虜として生きるか死ぬかの強制労働をさせられて過ごしたのだ。後にわかったことだが、彼のいたハバロフスク近郊の収容所は、シベリア全土に散らばる収容所の中でも最も死者が多かったところのひとつだった。

「そういうところから、ぎりぎり生還してきたわけだから……これも母が言ってたことだけど、帰ってきた当初なんか、怖くてそばにも寄れなかったって。目なんかぎらぎらして、ケモノみたいだったって。無理もないよね、生きて帰れるほうが不思議なくらいの日々だったんだろうから」

「今のお父さんからは、あんまり想像できないね。環境ひとつで、そんなにも変わるんだな、人って」

　ギアの上に置かれていた大介の手に、夏帆はそっと自分の手を重ねた。大介が手を反転させて握り返してくれる。

「無理もない……っていう意味で言えば、母親が気持ちを持ってかれちゃったのも、女として無理もないことだったのかな、って思ったりするの。そういう牡《おす》の匂いむきだしの男と、ひとつ屋根の下に暮らしていて、何も感じないでいられるわけないもんね」

「そこは、理解できるんだ？」

「まあ、私も今はそれなりに大人になったから」

と夏帆は苦笑した。

「じゃあ昔は？　聞かされた時はいやだった？」

「うーん、それがそうでもないの。まだ高校生だったから、自分じゃ生意気に理解してるつもりでも、男と女のことまで全部ちゃんとわかってはいなかったと思うんだけど……それでも不思議といやじゃなかった。たぶん、それだけ父のことが好きだったからじゃないかな。ほら、言ってみれば父は、その恋愛における勝者なわけじゃない。兄から妻を奪うくらいのものすごく情熱的な恋愛だったんだろうな、なんて勝手に想像して、勝手に盛りあがってた気はする。そういうドラマティックな恋愛への憧れもあったしね」

「ああ、お年頃だから」

「そう、お年頃だったから」

「俺、いま過去形で言ってないよ？」

「心の声が聞こえたの」

と夏帆は笑い、そしてふっと、その笑みを引っこめた。

「母からそのことを聞かされてからしばらく後に、おばあちゃんと話したことがあるんだけどね。惣介おじさんの家を父と母が出る時、おばあちゃんも立ち会ったそうなんだけど、あの時のことは忘れられないって言ってた。惣介おじさん、自分の弟と妻が二人して家を出ていくのを、玄関先でじっと立ちつくして見送ってたんだって。『あの時の惣介さんの顔を思いだすと、我が娘のしたことながら、気の毒で申し訳のうて今でも涙が出る』って、おばあちゃん言ってた」

ちょっと待って、と大介がさえぎった。ハンドルをつかんで座り直す。

「そのおじさんのこと、夏帆は知ってるんだよね」

「もちろん」

「ってことは、それから後も……つまり兄弟で一人の女を奪いあった後も、ずっとふつうに親戚づきあいは続いてたってこと？」

「ふつうにだったかどうかは知らないけど、とりあえずそういうことになるかな」

うーん、と大介が唸った。

「ね。人間って不思議だよね」

「いや、俺もまさに今、そう言おうとしたとこ」

惣介伯父《おじ》について、美紀子が「何を考えてはるのやらわからへん」と評した部分は、もしかすると伯父の懐の深さだったかもしれないし、あるいは本当に鈍かっただけかもしれない。いずれにしても小さい頃から夏帆が見てきた限りでは、親戚づきあいはふつうにあった。たとえば誰かの結婚式や葬式で一緒になった時など、惣介伯父のことを美紀子はふつうに名前で呼んでいたし、伯父もふつうに弟と話をしていた。兄弟の母親である祖母でさえ、順ぐりに息子二人のものになった嫁のことを、美紀子さん美紀子さんと呼んで頼りにしていたのだ。——そうなると、〈ふつう〉とはいったい何なのかと思ってしまう。

「それでもさすがに、一切どこにも歪《ひず》みが生じなかったたってわけじゃなくてね。このことは、今まであなたにも話してなかったけど……」

大介が、無言でちらりとこちらを見る。

「うち、ほんとは、いちばん上にもう一人、兄がいるの」

は？　と大介が目をみはった。

「弘也さんの上にってこと？」

「そう。弘也兄ちゃんより三つ年上で、隆也《たかや》っていうの。つまり私とは十三歳違い」

「初めて聞くよ、そんなの」

「だから、初めて話すんだってば」

「その人、どうしてるの今」

「知らない」

「知らないって、」

「最後に会ってからでも、もう二十年近くになるかな。そもそも、そのずっと前にうちの親とぶつかって勘当みたいなことになってたんだけど」

大介が再び唸る。

長兄について、人に話したことはほとんどなかった。家族と親戚以外で事情を知るのは、弘也の妻と秋実の夫、あとはせいぜい夏帆の前夫くらいのものだ。鈴森の家族の中ですら、隆也の存在はまず話題にのぼることがない。とくに母親の前では長兄の話はタブーだった。

ただ、昔に比べると、今となってはもう、兄の不在を意識することはめったにない。はじめのうちこそ意識して語られなかったことが、いつしか沈黙のほうが当たり前になり、さらにその日常があまりにも長く続いたために、今では隆也という存在自体がひどく遠い影のようなものに変質してしまっていた。

「だけど、それがどうして〈歪み〉？」

夏帆は、大きく息を吸いこみ、吐きだした。

「このことは、私も、母の弟の清一おじさんから聞かされて初めて知ったんだけどね。上の兄が生まれた時期が、その……なんていうかこう、ちょっと微妙だったみたいなの」

「微妙ってのは、つまり」

「……うん」

大介は、それ以上、何も言わなかった。ただ、前を向いたままハンドルを握っていた。

「たぶん兄自身も、自分の出生について疑問を持ったんじゃないかな。親戚の誰かから、親たちの昔のいきさつを聞かされて」

単調な走行音。オーディオから流れる音楽。

「そもそも上の兄が、家に寄りつかなくなるほど激しくうちの親とぶつかった背景には、そのあたりの感情的な問題がいくらかは影響してたんだろうと思うの。でも、これも清一おじさんに言わせると、実際に兄貴がいったいどちらの子だったのか——つまり、惣介おじさんとうちの父親のどちらの種だったのかっていうことは、おそらく身ごもった母親本人にもわかってないんじゃないかって。本人にわからないんじゃ、誰にもわかりっこないよね。何しろ、もともとが兄弟だし、顔までそっくりなんだもの」

隆也の結婚は早かった。二十歳の時に六つ年上の女性と所帯を持ったのだった。その後も毎週のように夫婦そろって食事をしに来ていたのだが、三年後のある晩、とつぜん親と決裂した。夏帆が四年生の時だ。

直接の原因は、母親との口論だった。昔から極端なほど母親孝行だった隆也が、その夜はいったい何を思ったのか美紀子をあしざまに罵り始め、それをかばった父親とも対立することとなったのだ。隣の部屋で寝ていた夏帆や秋実までが目を覚ますほど、激しい言い合いだった。すすり泣く母親の声に、夏帆は起きあがり、おびえる秋実と抱き合っていた。

ふすま越しに聞こえてきた、父の厳しい声を覚えている。

〈俺の言うたことをよう考えろ。それがわかるまではこの家に帰ってくるな〉

隆也にはそれが、二度とこの家に帰ってくるな、と聞こえたのだろうか。それきり、電話一本かけてよこさなくなった。

とはいえ、きょうだい四人の間にだけは、そのあと何年かの間、わずかながら行き来があったのだ。それすらも途絶えてしまったのは、次兄の弘也の結婚がきっかけだった。

「弘兄《ひろにい》はね、上の兄のところへ直接訪ねて行って、『こんど結婚することになったから兄貴もぜひ式に出席してくれないか』って頼んだの。『親とはまだわだかまりがあるにしても、弟の俺と、結婚する彼女のために、どうか式にだけは出てほしい』って。その時は上の兄も、『わかった、そういうことならぜひ出席させてもらう』って喜んでくれて、その日はめでたく普通に別れたはずなのに……そのあと、弘兄が送った式への招待状に、直筆のひとことを書き添えなかったのが悪いとか言って怒っちゃって、それっきりぱったり」

「え？」と、大介が眉を寄せた。「何それ？」

「わけわかんないでしょ。音信不通のところへいきなり招待状だけ送りつけたのならともかく、その前に会って話だってしてるのに。それっきり、とうとう式にも出てくれなかったの」

ほんとにそれだけなのかな、と大介が首をひねる。「何か別の理由があったんじゃないの？」

「って思うでしょ。でも、ほんとにそれだけだったんだって。当の隆兄《たかにい》から、直接聞かされたもの」

大介の疑問を感じ取って、夏帆は言った。

「だいぶ後になって、一回だけ会ったことがあるの。それが最後だった」

あの時のことを思いだすと、夏帆はいまだに胸苦しさに襲われる。指折り数えてみれば、もう十八年も前になるのだ。夏帆は二十歳だった。

その時は、こんどは兄と夏帆との間で言い合いになったのだった。いったい何がどうなったものか、夏帆がうっかり母親をかばって口にした言葉が、兄にはひどく気にさわったらしい。

〈可愛げのない女になったなあ、お前。あの家にすっかり毒されやがって〉

会っていない年月の間に、ずいぶんと面変わりした隆也は言った。

〈たとえこの世に女がお前一人しかいなかったとしても、俺はお前みたいな女とは絶対に結婚しないね〉

吐き捨てるようにそう言われ、売り言葉に買い言葉で、

〈こっちだって兄貴みたいな男はぜったい願い下げだよ〉

そう言い返しはしたものの――あとから襲ってきた、あの暴力的なまでのうら寂しさはいまだに忘れられない。

もののたとえとはいえ、実の妹に向かって、結婚しないも何もあるものか。いったい何を言いだすのだ。

ばかばかしくて、悔しくて、腹が立って情けなくて悲しくて、その夜は部屋に閉じこもったきり一人で泣いた。下の兄の弘也とは違い、昔からなぜだか怖くて近寄りがたい隆也だったが、それでも血を分けたきょうだいであり、家族だったのだ。愛情がなかったわけではない。

だが、今になって何より不思議なのは、かつての自分の結婚だった。兄貴みたいな男はぜったい願い下げだ、とえらそうなことを言ったわりに、よくよく考えてみると、離婚した前夫は、隆也と非常によく似ているのだった。とくに、人の言動の小さなあらを見過ごせずに激怒するところや、相手をいったん切り捨てたが最後もう二度と許さないところなどはそっくりだった。心理学的な統計に〈女は自分の父親と似た男と結婚する〉などという説があるらしいが、兄についても似たようなことが言えるのだろうか。

車のナビが、高速道路の出口を告げる。なめらかに車線を変えながら、大介が、ふっと息を吐いた。

「なに？」

「いや。夏帆んちもまあ、いろいろ抱えてるなあと思ってさ」

「そうかなあ。あ、そういえば、あなたが好きだって言ってくれてたあの小説ね」

夏帆は、数年前に上梓した作品の名前を言った。ひとつの家族を構成する一人ひとりを各章ごとにかわるがわる主人公にした小説で、夏帆にとっては作家として飛躍する大きな足がかりとなった作品だった。

「あの時に、ボロクソの書評を書かれたことがあったの。あの小説ってほら、一家の父親は戦争帰りで、後妻である母親はその元愛人で、彼女の連れ子である息子はつまり父親の実子で、それを知らない前妻の娘と彼とは血のつながりがないと信じて恋に落ちて……って、そんなふうな話だったじゃない？　そしたら、とある書評に、『一つの家族がここまでややこしい事情を抱えてるなんてことがあるわけないじゃないか、ご都合主義でリアリティがなさすぎる』って書かれちゃってさ」

「へえ」笑みを含んだ声で、大介が言う。「それ読んで、夏帆はどう思ったの？」

「わかってないなあって」

大介がぷっとふきだす。

「あるわけないどころか、いくらでもあるんだよ、って思った。あなたが知らないだけで、たいていの家族は、他人には言えないような事情や秘密をいっぱい隠し持ってるものなんだよ、ってね。げんにうちなんか、もっとややこしいことだらけだし」

「うそ、まだあんの？」

と大介。

「――あるよ」夏帆は、静かに言った。「聞きたくなければ、話さないでおくけど」

ちらりと見やると、大介は前を向いたまま、首を横にふった。

「そう」夏帆は微笑した。「じゃ、いつかそのうちにね」

高速を下りて間もなく実家に連絡を入れ、着く時間を知らせた。ここまで来れば、もう渋滞はありえない。

電話に出たのは母親の美紀子だった。

〈あんた一人で来るのん?〉

夏帆は苛立った。

「大介と二人で行くって、ゆうべ言ったじゃない」

〈そんなん言うたか?〉

「言った」

〈そうやったかな。うち、聞いてぇへんで〉

その通り。聞いていないのだ、人の言うことなど。

呑みこんだ文句の代わりに、途中でお寿司《すし》でも買っていくからと言ってみると、

〈ほんまか?〉美紀子は声を跳ねあげた。〈お父ちゃん! なあ、お父ちゃん、いたはる? 夏帆がなあ、お寿司買うてきてくれるねんて!〉

別室の父に報告したのであろう大声が、ややあって再び送話口に戻ってくる。

〈ああ嬉し、こんな嬉しぃこと有りか。幸福の突きあたりやわ。夏帆あんた、いつからそんな親孝行な子になったたん?〉

はいはい、また後でね、と苦笑いで電話を切る。相変わらず、いちいち大げさな母だと思った。

家の前に車を止めたのは、午後三時を少し回る頃だった。近所の農家から借りているという畑土の表面は白っぽく乾き、トマトやナスの葉はだらりとうなだれている。いつのまにこんなに日射しが強くなったのだろう。

都会の暮らしでも、それなりに季節の移り変わりはわかる。が、それも昼夜が逆転していなければの話だ。毎朝、同じマンションに住む人々が鉄のドアを施錠する音を聞きながら、入れ替わりに眠りにつくような生活を送る夏帆にとって、肌を灼く日射しのもと、緑の草いきれの中に立ちつくす感覚など、ずいぶんと久しぶりのものだった。

「おお、よう来たな」

と、伊智郎が顔をほころばせた。

うっそうと葉を茂らせた梅の木陰、かつて夏帆がプレゼントした肘掛け付きのガーデンチェアに、伊智郎と美紀子は腰かけていた。二人とも、またひとまわり小さくなったように見える。

「今年はようスイカがなってなあ」

と美紀子が言った。つば広の麦わら帽子をかぶり、まぶしそうにこちらを見上げてくる顔は上機嫌だ。

けれど、半袖シャツから突き出た母の腕を見て、夏帆はぎょっとした。文字どおりの骨と皮だった。骨の隆起や窪《くぼ》みを忠実に覆う薄い皮膚にはちりめんのような皺が寄り、そこかしこに茶色い斑点《はんてん》が浮き出ている。これが、老いるということなのか。

　視線を感じ取ってか、美紀子が言った。

「よう灼けてるやろ」

「あ、うん」急いで付け加える。「いいんじゃないの、健康的で」

「そうか？　みっともないと思うんやけど、この暑さやろ？　長袖なんかとても着てられへん」

　そこでふと、夏帆の背後に目をやり、けげんな顔になった。

「あれ誰や？」

　夏帆はふり返った。庭先にとめた車の後部座席から、大介が、買ってきた寿司折りや伊智郎の好きなパンの袋などを取りだしている。彼以外に人影は見えない。

「誰やって、あれ、大介だよ。こないだも連れてきたじゃない」

「大介くん？」母親が目をすがめる。「……ああ、ほんまや。まぶしぃて誰や知らん人みたいに見えたわ」

　両手に袋をさげた大介が、こんにちは、ご無沙汰してます、と近づいてきたところへ、美紀子がよたよたと立ちあがり、満面の笑みで右手を差しのべた。

「いや、大丈夫ですよ。中まで運びます」

「ちゃうやん、誰がそれ持ったげよなんて言うた」おかしそうに笑いだしながら、美紀子は言った。「握手やがな、久しぶりの握手」

あ、と勘違いに気づいた大介が、苦笑とともに袋を左手にまとめて持ちかえ、右手を差しだす。美紀子はその手をつかみ、大きく上下に振った。

「はい、ようこそおいでやす。お母ちゃんはな、いっつもこうやねん。嬉しなると、誰とでもこないして握手してまうねん」

夏帆は、黙って目を落とした。

「畑、すごい充実ぶりですね」と大介が言った。「お父さんがなさってるんですか」

おう、まあほとんどはな、と答える伊智郎も満更ではなさそうだ。

「野菜のほうはな、うちは手ぇ出さへんねん」美紀子が割って入る。「手ぇは出さんと、口だけ出すねん」

大介が笑うと、

「おかしぃか？」美紀子はますますやんちゃな顔つきになった。「このとおり、達者なんは口だけや。もう腰は痛いし体はよう動かへんけど、口だけやったらなんぼ動かしたかて、どっこも痛いことないからな」

「あれは、スイカですか」

空いているほうの手で、大介が畑の一角を指さす。大きく切れ込みの入った葉がわさわさと茂る陰に、緑と黒の縞《しま》模様が覗いて見える。

「せやせや。スイカだけは、うちでないとあかんねん。毎朝、花が咲くたんびに授粉してやって、その日付をああしていちいち古ハガキに書いて札立てたぁるねんで。いつ咲いた花かわかったら、そっから数えて何日目が食べ頃かわかるやろ」

「はあー、なるほど」

「なんし、うち、このとおり凝り性の負けず嫌いやろ？　いっぺん作るとなったら、ここいらのどこの畑のスイカより立派なんができな悔しいねん。今年でまだ三年目やけど、ここの畑貸してくれてる地主さんがこないだ見に来はって、えらい感心してほめてくれはったわ。プロ裸足《はだし》やてぇ」

美紀子は麦わら帽子を押さえながらころころと笑った。

「あのへんのなんかは、もう食べ頃やで。ほんまに甘いわ。糖度計で調べたら、十三度以上あったくらいやし」

「え、糖度計まで持ってるんですか」

「せやから言うたやんか、凝り性や、て」

横から伊智郎が、帰りにいくつでも持っていきなさい、と言った。

「スイカもやけど、ナスやトマトもなかなか旨いねんド」

父の少しおどけた口調に、夏帆は微笑んだ。

「うん、じゃあ、遠慮なくもらって帰るね。って、今来たばっかりだけど」

「そうやんか！」美紀子がぽんと手を叩く。「暑いとこ、立たしといてすまなんだ。さ、中へ入り入り、お茶でも淹れたげよ。お母ちゃんの淹れるお茶は美味しいねんでぇ」

「知ってます」と大介が言った。「お寿司もありますから」

「ほんまか？　ああ嬉し、大ごっつぉやんか」

バラのアーチをくぐり、通路に覆いかぶさるように茂ったマーガレットの株をよけて玄関へ向かう。

夏帆は、わざと少し遅れて大介を先に行かせ、父親の耳もとにささやいた。

「お母ちゃん、ずいぶんと上機嫌だね」

「ああ、えらい楽しみにしたはったからな」

伊智郎は、ハスの咲く水がめの中を覗くふりで立ち止まった。

「朝からもう何べんも、『夏帆が来るのは今日やったなあ』言わはって」

「でも、私が大介と暮らしてること、まだ〈ふしだら〉だって言ってるんでしょ」

「そうやなあ、時々はな」

まあええ、それはほっとけ、と伊智郎は言った。

「お父ちゃんは、いいの？」

「何が」

「娘が、再婚もしないで年下の男と〈同棲〉してても」

すると伊智郎は、ふっと鼻から短く息を吐いた。

「ええも悪いも。お前らが二人で選んでしてるこっちゃ。もうええかげん、親の出る幕ではないわな」

早よ入りー、と家の中から美紀子の呼ぶ声がする。開け放した玄関ドアのほうを眺めやりながら、伊智郎が続けた。

「ま、お前は、自由にやれ」

夏帆が驚いて顔を見ると、伊智郎はいささか複雑な表情で、それでも眉尻を下げていた。昔は濃かった眉が、すっかりまばらに白くなっている。

「結婚もまあ、いっぺんはしたことやし。孫やったら、弘也と秋実のとこにおるし。そもそも、そうして縛られん生活をしてることが、お前の仕事には必要なんやろ」

「……うん」

「お前の好きなように生きて、ええ仕事をして、とにかく体だけは大事にしなさい」

「……はい」

「もう若《わこ》うはないねんぞ。これで四十過ぎたら、いっぺんにガタが来るぞ」

はい、と夏帆はくり返した。

「ありがと。気をつけます」

なあ、早よ入りぃなー、とまた声がした。何してんのー、冷房の風が逃げるがなー。

「さ、入ろか」

と父が歩きだす。

ふと肝腎なことを思いだして、夏帆はその背中に言った。

「ねえ、私に確かめてほしいことって何？」

伊智郎は、ふり返らずに肩をすくめた。

「その話は、あとでまたな。というかまあ、お前がおる間にべつに何にも思うところがなかったら、それはそれでかまへんのじゃ」

気になりはしたが、それ以上食いさがるわけにもいかず、父に続いて家に上がると、美紀子が急須に煎茶の葉を入れているところだった。他の何をケチっても、お茶に関してだけはケチりとうないねん、というのが美紀子の口癖で、いつもきまった店から最上等の茶葉を買ってくる。

「お店のおばちゃんがな、うちの顔をよう覚えてて、前を通りかかったら向こうから挨拶してくれはんねん。何も買わへん時でも、ちょっとちょっと言うて呼び止めて、美味しい玉露淹れて出してくれはったりな。ほんまに、誰とでもそうしてすぐ仲良うなってまうのはうちの特技やねんわ」

最後の部分は大介のほうを見て、美紀子は言った。

夏帆は棚から湯呑みを四つ取り出した。流しに持っていって水を出す。

「ああそれ、もう洗ろてあるで」

わかっている。何しろ食器棚の中にあったのだ。

「汚れてたか？」

「ん、ちょっとね」

「すまんすまん。このごろ、目ぇが悪なってしもてなあ」

「大丈夫、ちょっとだけだから」

言いながら、美紀子からは見えないように素早くスポンジにクレンザーをつけ、湯呑みの底の茶渋や、糸底《いとぞこ》のまわりの黒ずみをこすり落とす。

どの食器をとっても表面が脂っぽいのは、じつは「このごろ」に始まったことではないし、老眼のせいでもない。おそらくはほとんど洗剤を使わず、水でざっと濯《ゆす》いでいるだけなのだろう。

美紀子には昔からそういう大ざっぱでいいかげんなところがあった。子どもの頃から妹の秋実ともども、部屋を片付けなさいとか、ずぼらを直しなさいなどとよく叱られたものだが、じつは母こそが〈片付けられない女〉の最たるものではないかと夏帆はずっと思っていた。家の中は、客の来る時と正月以外は常に散らかっていたし、学校へ行くのにシャツがないと思って探すと、洗濯機の底で脱水されたままよじれて干からびていたりした。

美紀子がそうなった理由の一端は長年続いた伊智郎の浮気にもあったのだろうから、夏帆としても一方的に責める気にはなれない。

だが、それにしたってゴミ溜めのような家だった、と今になると思う。あの頃はそれが日常だったからあまり感じなかったけれど、台所の灯りをつければ必ずゴキブリが物陰へ走ったし、ぎっしりと乾物類の詰めこまれた棚では乾麺や小麦粉の袋などがよくネズミに齧《かじ》られていた。糞までが、黒い米のようにぽろぽろと散らばっていた。

〈そういう時代やったんや〉

と、美紀子なら言うかもしれない。

〈今みたいにどこもかしこも御清潔な時代とは違うたんや。ゴキブリかてネズミかて、そこらじゅうにおったんや〉

しかし、百歩譲って時代のせいだったとしても、ふつうはネズミの糞など見つけたら即座に片付けるだろう。少なくとも、夏帆が遊びに行く友人宅ではそんなものを見たことなどなかった。やはり少なからず特殊だったと言わざるを得ない。

濯ぎ終えた湯呑みを拭こうとして布巾に手を伸ばしかけ、それも汚れていたので、キッチンペーパーをちぎる。

いっそ何日か泊まりがけで来て家中の食器やタオル類をすべて漂白したい、といつも思うのだが、なかなか時間が取れない。そんな時間があったら、まずは自分の家を片付けるべきだろう。それくらい、夏帆の家も散らかっている。

「そういえばこないだ、お茶屋さんの隣でパン買うた時にな」急須にお湯を注ぎながら、美紀子が言った。「お店の奥さんから、『またお嬢さんの広告が新聞に出てましたねえ』て言われたわ」

夏帆は、湯呑みを拭く手を止めた。

「パン屋さんのおばさんにまで、そんなこと話してるの?」

「そんなこととは?」

「うちの娘は小説家で、とか」

「せやかて、しゃあないやんか。パンかてお茶かてしょっちゅう買うて話しこんでたら、どうしてもそないな話になるもん」

夏帆から漂う不穏な空気を感じ取ったのか、美紀子は弁解がましい口調になった。

「まあ、そう言いないな。親が娘のこと話して何が悪いねん」

「悪いとは言ってないけど」

そう、べつに、悪いわけではない。ただ嫌なだけだ。母親が人にそういう話をする時に特有の、謙遜に見せかけた自慢げな顔つきや口ぶりがありありと思い浮かんでしまって、それがたまらなく嫌なのだ。生理的に受け付けられない。

と同時に、自分の狭量さにも腹が立つ。たまたま作家になった娘のことを母親が自慢するくらい、べつにかまわないではないか。ささやかながらよそ様に誇ってもらえるような娘になれたのなら、よかったではないか。親孝行ではないか。それを、どうして自分は……。

〈えらい！　さすがはお母ちゃんの子や〉

子どもの頃からくり返されてきた褒め言葉がよみがえる。そしてまた一方で、期待にこたえられなかった場合の言葉も。

〈あんたはお母ちゃんの子やない、お父ちゃんの子や〉

「なんし、そないして宣伝しといたら一冊でもよけいに売れるかもしれへんやんか」なおも弁解がましく、美紀子は言った。「あんたには感謝してもらわなならんくらいやで。なあ、にいちゃん。にいちゃんかて、そう思うやろ」

ぎょっとなって、夏帆は目を上げた。

どうやら美紀子はそれを大介に向けて言ったようだ。何も知らない大介が笑って、そうですねえ、などと答えている。冗談めかした気軽な呼びかけととらえたのだろう。

しかし夏帆にとっては、とてつもない違和感があった。

(——にいちゃん)

久々に聞くそれは、別れた夫の愛称だったのだ。彼の家族がそう呼んでいたので夏帆もそれに倣《なら》い、やがては美紀子までも、という具合だった。

まさか母親は、娘のパートナーなら誰でもそう呼ぶつもりなのだろうか。大介の手前、今ここであからさまに咎《とが》めるわけにもいかず、夏帆は苛立たしさをこらえてお茶を運んだ。湯呑みを乱暴に置かないようにするのに苦労した。

「お父ちゃん、お茶入ったで」

美紀子が伊智郎を呼ぶ。返事がない。

「お父ちゃーん！　何してんのーん？」

今行く、と奥のテラスから声がした。

「このごろなあ」と、美紀子が小声でささやいた。「あのおっさん、めっきり耳が遠ならはってな。言うと怒らはるから言わへんけど」

「しょうがないよ。年が年だもの」

「まあそうやろうけど、夫婦二人きりでおってみ。長いこと連れ添った相手が、日に日に衰えていくのを見るのは辛いもんやで。あんたも年取ったらわかるわ」

「私は大丈夫」

「なんで」

「だってこのひと年下だもの」

そのための年の差だもんね、と夏帆が見やると、大介はわざと口を曲げ、眉を片方だけ跳ねあげてみせた。

「そのためのとは、俺は知らなかったけどね」

「なんや、アホらしてよう言わんわ」

お仲のおよろしいことで、と皮肉を言って、美紀子は肩をすくめた。

「それであんたら、年はいくつ違うの？」

七歳です、と大介。

「えっ。七つも？」

驚かれて、夏帆のほうが驚いた。

「その話、前にもさんざんしたじゃない」

「せやかて、七つもやなんて」

そこへ、奥から伊智郎が出てきた。

「なあ、お父ちゃん、あんた知ってたか？　にいちゃんのほうが、夏帆より七つも下やねんて」

ハイ知ってますよ、と伊智郎が言う。

「ねえ、『にいちゃん』って呼び方やめて」

「なんで？　にいちゃんは、にいちゃんやがな」

「まあ何だかんだ言って、俺のほうが夏帆さんより早死にしそうですけどね」

と、大介が割って入る。

「なんで。どこか病気でもあんの？」

「さあ、調べたこともないですけど。ただ、酒も煙草も人並み以上に嗜《たしな》むもんで」

「あかんあかん、せめて煙草はやめ。な、悪いことは言わへんから」

大介が、答えずに微笑する。

「お父ちゃんもな、なんぼ言うても煙草だけはやめはらへんねん。前に心臓で倒れはった時に、医者からあんだけ言われたくせに」

すると、横から伊智郎がぼそりと言った。

「死ぬとき健康でどうする」

大介がふきだした。

「それ、いいですね。俺も、座右の銘にします」

四人で向かい合ってお茶を飲み、話をし、夕飯には夏帆たちが買ってきた折り詰めの寿司を食べた。さすがは木更津というべきか、スーパーの寿司でもネタはなかなか新鮮で、少食の美紀子は半分も食べられなかったが、美味しい、嬉しい、ありがたい、と満足そうだった。

夜八時を回り、そろそろ帰ると言ってみると、伊智郎は大介を奥のテラスへ呼び、大きな段ボール箱を運ばせた。立派なスイカが二つと、ナスやトマトがたくさん入っていた。さっき父がごそごそやっていたのはこれだったのだ。

礼を言って玄関へ向かう夏帆に、

「忘れ物、なんもないか？」

美紀子はきょろきょろと部屋の中を見回した。その視線が、流しのそばにまとめてあった寿司折りの残骸で止まる。

「せっかく遠いとこ来てくれたのに、晩御飯、あんな安物のお寿司でごめんやで」

えっ、とふり返ると、母親は真剣な顔でなおも言った。

「もっとええお寿司とったげたらよかったなあ。あれ買うてきたん、誰や。お父ちゃんか？」

夏帆は、言葉をなくした。母の後ろに立つ父を見やる。

父が、黙って目を伏せた。

Interval――美紀子

お父ちゃんにな。あんたこのごろ耳が遠なったなあ、気ぃつけや、て言うたら、えらい怒らはった。ものすごい剣幕で、目ぇ三角にして、

〈一日に何べんも何べんもおんなじことばっかり言うな、ええかげんしつこい〉

そない言うて怒らはるねん。

何べんも何べんもて、そんなはずあらへん、せいぜいほんの一回か二回のことやんか。九官鳥やあるまいし、そんなに何べんもおんなじこと言うかあアホ、て腹立ったわ。ほんま、ひとのこと馬鹿にして。

それにしても、なんであんなに怒らはってんやろ。ふだんは穏やかな人やのに。やっぱり、あれやろかなあ。年取って頑固にならはったんかなあ。それとも、自分が衰えてきたていう事実を認めてしまうのがよっぽどイヤなんかなあ。

せやかてな、うちはお父ちゃんのためを思て言うたげてんねんよ。

うちが相手の時はええねん。こっちが何か言うても黙ってはったら、ああまた聞こえ

てぇへんねんなぁ思て、それこそ何べんでもおんなじこと言うたげるがな。

せやけど、外でほかの人から話しかけられても知らんぷりしてはったら、相手は無視されたかと思て気ぃ悪うしはるやんか。そういう時に、隣からうちが、

〈ああすんまへんなあ、この人、このごろ耳が遠なってしもて〉

て言うたげたら、それだけで丸ぅおさまるやんか。せやろ？

お父ちゃんも、きちんと自覚しといてくれなあかんねん。ひとのことをしつこいとか言うて怒らはるより、いっそ自分で自分のことを、俺も耳が遠なってなあ、て笑えるくらいのほうがなんぼか正直で潔《いさぎよ》う見えると思うねんけど、あかん。今は何言うても、うるさそうにしはるだけや。

いっそのこと補聴器つけたらどないや、て言いたいところやねんけど、そんなん言うたら、お父ちゃんまた怒らはるやろ。ほんま、難儀なおっさんやで。

え？　無神経やて？　男のプライドを傷つけたったら可哀想やて？

夏帆、あんたはほんま、お父ちゃんの子ォやなあ。お父ちゃんの味方ばっかりして。あのな、うちかてそのくらいのこと、ようわかってるがな。デリケートな問題や、て言いたいねやろ？　そんならこっちもあえて言わせてもらいまっけど、デリカシーがないのんはお父ちゃんのほうやで。

こないだかてな、町内会の集まりで、うちがお父ちゃんのハゲをわざとからこうて座を明るうしてたら、何て言わはったと思う？　みんなが聞いてる前で、

〈そう言うこいつも、このごろちょっとボケてきよりましてな〉

そない言わはってんで。もう、腹立って腹立って腹立って、目ぇから火ぃが出るか思たわ。

そんな言い方てあるか？　なあ。そら、連れ添うて五十年もたったら、お互い、年かて取るわ。物忘れかてするわ。しゃあないやんか、年が減ってく人間なんておらへん。お互い様やんか。

それやのに、〈こいつこのごろボケてきよりまして〉やなんて、そんなこと、何もわざわざ人様の前で言わならんことか？　うちがお父ちゃんの、見たまんまのハゲをからかうのんとはわけが違うわ。あまりにも思いやりがなさ過ぎる、思て、あの時は帰ってから泣いて怒ったった。

びっくりしはったんやろな、

〈すまんすまん、ほんの軽口やないか〉

て謝ってはったけど、そんなん、軽口なんかですまされることやあらへん。こっちがどれだけ傷ついたか、いうことかて、ほんまのところはわかってはらへんねん。どうせ。

なあ夏帆。

うち、ほんまに物忘れひどなったか？　亡くなったおばあちゃんみたいになってきたか？　そんなことないなあ？　まだまだ、あないにひどいことにはなってへんやろ？

おばあちゃんは、ボケ始めてからが早かった。ずっと続けてたお習字教室を急にやめはったんが一番の原因や思うわ。やめたとたんにみるみるボケていかはった。生きる張り合いがのうなったんやろな。

　弟夫婦らに言わせるとな、通うてくる子どもらから月謝をもらい忘れたり、もろたことを忘れたりしはるさかいにやめてもろたそうやけど、そんなん、なんぼでも他にやりようはあるやんか。月謝なんかもらわんと、ただで教えてたかてええねん。あんな年寄りから生きる張り合いを奪《うば》うたら、そらいっぺんにボケはるのもあたりまえやがな。

　かわいそうやったなあ、おばあちゃん。いま聞いたことも、自分が言うたことも、ごはん食べたかどうかさえも忘れはって。

　寝たきりになってからは娘のうちのことさえわからんようにならはって、いつやったかうちが電話で、美紀子でっせ、お母ちゃん、て言うたら、なんて言わはった思う？〈美紀子でっか？　美紀子はなあ、いま裏山の高い木ぃの上にのぼって、呼んでも呼んでも下りてきぃしまへんねん〉

　そない言わはった。もうなあ、情けのうて情けのうて、泣きとなったわ。

　うちがあんなんなったら、ちゃんと言うてや。ボケてきたら、「ボケてきたで」てはっきり言うてや。

　な、頼むわ。お父ちゃんなんかはたかが「耳遠なった」言われるだけで怒らはるけど、うちは怒らへんから。年のせいで物忘れすんのだけはしゃあないけど、おばあちゃんみたいになる前に言うといてもろたら、自分で気のつけようもあるやんか。忘れとうないことは先に書き留めるクセをつけるとか。

え？　別にまだ、ボケてないてか？

そうか。そんならよかった。

第九章　──蜜

自分がボケ始めたら、はっきりそう言って教えてほしい──。

いくらそう頼まれたからといって、ハイそうですか、と教えられるわけがない。

美紀子の場合、真に迫った顔で人の同情を誘うようなことを言ってみせる時ほど、本心は逆なのだ、と夏帆は思う。あの謙虚さは、巧妙な擬態なのだ。真に受けてはいけない。

ボケてきたか？　と訊かれて、そうだね、たしかにちょっとボケてきたね、などと答えようものなら、いったいどうなることか。半狂乱になって泣きだすか、何日も険しい顔をして口をきかなくなるか、あるいはその両方か。想像するだに気が滅入《めい》る。

それに加えて、美紀子はなぜか弘也や秋実には最近の〈物忘れ〉のことを話そうとしなかった。伊智郎との間の小さな諍《いさか》いや軋轢《あつれき》のことなども、電話で打ち明けるのは夏帆に対してだけだ。一人で受けとめるには、あまりにも重たい荷物だった。

あのな、怖いねん、と美紀子は言った。

〈おばあちゃんがボケていくところを見てたやろ？　うちもいつかあんなふうになるんちゃうか思たら、なんや情けのうてな。あのおばあちゃんかて、昔はあんなに頭のええ、シャッキリシャンとした人やったのに、さいごのほうはもう、目の前の霞《かすみ》か何かを摑《つか》もうとしてほわほわほわほわほわほわ手ぇを動かすほか、なぁんもわからんようになってしまわはって……。ほんま、こういう恐怖は、あんたら若いもんにはきっとわからへん思うわ〉

そうだね、そうなのかもしれないね、でも大丈夫、お母ちゃんはまだボケてないよ。

電話で相づちを打ちながら、しかし夏帆は思った。

わかるにきまってるじゃないか。その恐怖を誰より正しく理解できるのは、今まさに祖母と同じ壊れ方をしていく母親を、いつかは自分もと思いながら見ているしかない娘の私なのだ、と。

〈一応、薬は処方してもろた〉

と、父の伊智郎は言った。美紀子が庭に出ている間を見計らって、今度も父のほうから夏帆の携帯にかけてきたのだった。

〈薬でぴたりと治るというもんではないけども、それでも進行を遅らせることはできんでもない、ということでな。ほれ、駅前の医院あるやろ。いつも俺が心臓の薬をもらいにいってるとこ。あそこの先生に頼んで、美紀子を診察してもろたんや〉

驚いた夏帆が、

「よくまあ、お母ちゃんがおとなしく承知したね」

そう言うと、伊智郎は受話器の向こうで小さく鼻を鳴らした。

〈アルツハイマーの診察やなんて言うたら、テコでも動かへんやろからな。しゃあない、一種のだまし討ちや〉

「え？」

〈先生には前もって、事情を話して口裏を合わせてもらうように頼んどいてな。その上で、美紀子には、『俺らももうええかげん年取ったし、これからはせめて一年にいっぺんくらいは健康診断を受けるようにしよや』言うて、医院まで連れてった〉

「はああ。さすが」

まあ、だてに五十年も連れ添うてないワ、と伊智郎は言った。

〈曲がりなりにも健康診断と言うてしもたからには、不自然にならんように、ついでに俺も一緒にあちこち検査してもろた。おかげさんで、一挙両得デス〉

深刻な話をしている時でも、どこかで自分と自分を取り巻く状況を突き放し、皮肉めいた口調でとぼけてみせる——そんなところが伊智郎にはある。

夏帆は父のそういうところが好きだったが、美紀子は逆に、お父ちゃんは冷たい、と言ってこぼしていた。そういうとこまで、夏帆はお父ちゃんそっくりや……。

「それで、結果はどうだったの」

〈二人とも、体はどっこも悪いとこ無いと。まあ、俺の心臓については、これまでどおり血ぃをサラサラにする薬を死ぬまで飲み続けなならんけどもな。それ以外は、俺も美紀子も、この年にしたら上出来やそうな。まだしばらくは死にそうにないとさ〉

憎まれっ子世に憚《はばか》るっていうもんね、と夏帆が言うと、伊智郎も、そういうこっちゃ、と笑った。

〈これからは美紀子にも、毎日ちゃんと薬を飲んでもらわなならんのでな。血圧の薬、ということにして処方してもろた〉

「そう」

大変だったね、と夏帆は言った。

「私もそうとうショックだったけど、でもずっと一緒にいたお父ちゃんはもっとだよね、きっと」

〈まあなあ。正直、みぞおちにこたえマシタ〉

声が、さすがに沈んでいた。

「でも、わりと早いうちに気づいて対処できただけ、よかったんじゃない？」

〈……そうやろかな〉

「そのあたりの対応はやっぱり、薬関係の仕事をしてたお父ちゃんならではだと思うし。だって、アルツハイマーの進行が薬で抑えられるってこと自体、まだ知らない人もけっこういるみたいだもの」

〈それはまあ、そうかもしれんけれども……〉

伊智郎が口ごもる。

「けれども、なに？」

〈本当は、もっと早う対処することもできたはずやと思うたりしてな〉

それは無理でしょう、と夏帆は言った。

「だって、それこそお母ちゃんが自分で言ってたみたいに、こっちは単なる物忘れだと思うじゃない。それがまさかボケの始まりだなんて、ふつう思わないもの」

〈いや。ほんまのこと言うと、俺自身、どうも様子が変やなあ、おかしいなあとは思うてたんや〉

「それ、いつごろから？」

〈もう……そやな、かれこれ一年以上前からかな〉

夏帆は、絶句した。

〈人前では、無意識にも気が張るのか、ほとんど症状も出んのやけども……〉伊智郎は、くぐもった声で言った。〈それやからお前もこれまで気がつかへんかったんやろうけども、ふだん、俺と二人きりでおるとな。ちょくちょく妙なことを口走ったり、つい今言うたことを忘れたりしはることがあってな〉

まるで河原の石でも拾うかのように、ひとことずつが途切れとぎれだった。

〈そのたンびに、心の中で打ち消してた。どっかで本当のことをさとっていながら、認めてしまうのが怖《こお》うてな。結論を出すのを先延ばしにしてた気がする。俺がもっと早うに、ちょっとおかしいなと気づいた時にすぐ診《み》てもろて、薬もその時から飲ませてたら、今みたいなことにはなってなかったかもしれんわな〉

父親のかかえる後悔が、ひりひりとしみてくる。耳の穴に煮えた酢を流しこまれるようだ。夏帆は、思わず携帯をきつく握りしめた。

「大丈夫だよ」

何の根拠もない。だが、言わずにいられなかった。

「お母ちゃんぐらいのはまだほんと、年取ったら誰にでもある物忘れがちょっとばかりひどくなった程度のことなんだしさ。べつに、ふだんの生活に支障が出るほどじゃないんでしょ？」

〈ああ、まあ、それはな。身の回りのことは全部自分でしはるしな〉

「でしょ？」

〈朝起きたらすぐ化粧するとこも変わらんし、外へ出かける時は、帽子もしっかり斜めにかぶらはりマス〉

いささか無理をしたような父の口調にそれでも救われながら、夏帆は、鏡台の前に置かれた赤いビニール張りの椅子を思い浮かべた。昔、母親の指定席だったあの椅子は、今もまだ母の部屋にあったはずだ。

伊智郎が言った。

〈あのお母ちゃんが、身だしなみに構わんようになる時が来たら、いよいよやということ

とかもしれんなあ〉

　人からどう見られるかを異様に気にかけ、常に自分を演じてきたあの母親が、化粧をしなくなったり、身なりに構わなくなったりする時が来るなど想像もできなかった。

「大丈夫だってば」と、夏帆はくり返した。「亡くなったおばあちゃんみたいに、現実とそうでないものの区別がつかなくなったら問題だけど、そういうわけじゃないんだから」

〈うん、それはまったくないな〉

「なら、まだたいしたことないよ。薬だって飲み始めたんだし。そばで見てるお父ちゃんはそりゃきついと思うけど、私ももっと頑張ってできるだけそっちへ顔出すようにするから」

　おう、と伊智郎が言った。

〈頼むわな〉

「うん」

〈ほんまやド〉

　念まで押され、

「うん。ほんまにね」

　答えるなり、ふっと泣きそうになった。

昔から本当に頑固な父だったのだ。病気をしても怪我をしても弱音などほとんど口にしたことはなかったのに、その父が、今度のことではどれほど精神的にまいっているか、あらためて思い知らされる。

〈おっと、お母ちゃん、外の草取りから戻ってきはったワ〉

「あ、じゃあ切るね」

〈まあそう言わんと、ちょっとだけ声聞かしたってくれや〉

遠ざかった父の声が、美紀子、夏帆から電話やぞ、と呼んでいる。ややあって電話に出た母親は外の暑さを嘆いたあと、

〈夏帆、あんた元気なんか？　いったいどないしてんの、このごろちっとも顔見せんと〉

と文句を言った。

ほんの数日前に大介と会いに行ってから今日までの出来事を、ぽつぽつと話して、切りあげる。

携帯の画面が暗くなるまで、夏帆はそのままじっと立ちつくしていた。

＊

紅茶がいい、紅茶を淹れてよ、と、家に上がりこむなり秋実は言った。

「マンゴー・タルトだよ。それも宮崎の完熟マンゴーだもの、この香りにはぜったいコ

ーヒーより紅茶のほうが合うと思う。紅茶紅茶、ぜったい紅茶」

「わかったから、ちょっとそっちで座ってて」

わざわざ買ってきてくれたのは妹だったので、その主張を受け容《い》れ、夏帆は温めたティーポットにダージリンの茶葉を入れた。秋実がキッチンに入ってくる。

「待ってててったら」

「いいじゃん、見てても。お姉ちゃんがお茶とか淹れるの見るの好きなんだもん」

「なんで」

「うーん、なんか手つきが優雅でさ。あたしと違ってセレブ～な感じ」

「なに言ってんの。へんな子」

秋実は頓着せずに、ダイニングの椅子を引いて座った。テーブルに頬杖《ほおづえ》をつき、姉の手もとを眺める。

夏帆は、勢いよくポットにお湯を注ぎ、テーブルの隅に置いてあった小さな砂時計をひっくり返した。茶葉がひらくまでの数分間、中でできるだけたくさんぐるぐると躍ったほうが、味も香りも断然よくなる。そのために、ポットの形状も丸っこいものを選んである。

「せっかく人数ぶん買ってきたのにな」紙箱に一つ残ったタルトを見やって、秋実は言った。「大介さん、どこ行ってんの」

「知らない」

「え、うそ。訊かないの？」

「訊かないよ」

「どうして？」

「用がある時は携帯で連絡がつくもの」

「そりゃそうだけど、心配じゃないの？」

「まあ、子どもじゃないんだし」

「違うって、そういう心配じゃなくてさ」

秋実が、立っている夏帆をじっと見上げる。視線の角度のせいか、妙に心細げな表情に見える。

「心配したって何が変わるわけでもないからね」

と、夏帆は言った。

そのひとことの裏側に押しこめた山ほどの思いを感じ取ったのだろうか。秋実は、唇を曲げた。

「お姉ちゃんは、強いね」

「そんなことないよ」

「ううん、そうだよ。考えてもどうにもならないことは考えないでいられるんだもの。強いよ」

夏帆は、砂時計を見やった。砂は、ようやく半分ほど落ちたところだった。

何かを待っているときの時間は、流れるのが遅い。たとえば、そう、どこで何をしているかわからない恋人の帰り、とか。

「高そうなカップ」

秋実が紅茶茶碗《ぢゃわん》をひょいと持ち上げて、裏の銘を見る。

「こら、お行儀の悪い。お里が知れるよ」

「言うと思った」秋実が苦笑する。「あたしだって、よそじゃやんないよ。お姉ちゃんてば、だんだんお母ちゃんそっくりになってきたよね」

一瞬、中身を妹の手の上に注いでやろうかと思った。黙ってポットのふたに手を添える。

「あたしなんか、家族に毎日、帰りの時間を訊いちゃう。もちろんダンナにもね。残業とか飲み会で遅くなる時とか、電話してくれないと怒り狂っちゃう。うちも昔、そうだったしさ」

「それで、彼はいやがらずに連絡してきてくれるの?」

「まあね。ほんとはいやなのかもしれないけど、一応は」

「なら、いいじゃない。それぞれのやり方があるよ」

砂の最後の一粒が落ちきるのを見届け、夏帆は、温めておいたカップに紅茶を注ぎ分けた。琥珀《こはく》の液体とカップの境目のところに、金色の環《わ》ができるのを確かめて、よし、と思う。紅茶ひとつ淹れるのにも、夏帆には夏帆のやり方があり、こだわりがある。すっかり身になじんだその一連の動作が、秋実の目には優雅な手つきと映るのかもしれない。

おそらく――自分には母親と似ているところが、自覚している以上にたくさんあるのだろうと夏帆は思う。

〈お母ちゃんの淹れるお茶は美味しいでぇ〉

母が特上の日本茶を買い続けているのと同じように、紅茶の茶葉やコーヒー豆は店で最上ランクのものを買わずにいられない。高いものなら何でも美味しいとは限らないが、こと嗜好品《しこうひん》に限って言えば、美味しいものはたいてい高いのだ。

陶器や焼きもの、包丁などの道具類についても、母は、

〈スコッチョええもん〉

〈清水《きよみず》の舞台からなんべん飛び降りたやらわからへん〉

と言いながら買い求め、そのわりに、

〈こういうもんは一期一会の出会いやから〉

を選び抜き、

〈持ってるだけでも嬉しいねん〉

と納得して、

と所有することそのものに喜びを覚えていた。

――そっくりではないか。うんざりするほど、母の血を引いている。

だが、仕方がない。遺伝子とはもともとそういう働きをするものだ。親になど似たくないといくら抗ってみても、思うようにはいかない。顔や体つきは言うに及ばず、離れて暮らしていてもなお、話し方や口癖まで似てくるのが親子だ。

夏帆は、棚からお盆を取りだした。タルトの皿をのせようとすると、

「ここでいいじゃん」と秋実が言った。「あっちへ運んだらまた片付けなくちゃならないし」

この子も主婦が板に付いてきたものだと感慨深く思いながら、お盆を引っこめ、タルトと紅茶を妹の前に置いてやる。ついさっき胸の裡《うち》に吹き荒れた激情はもう落ち着いていて、夏帆は一瞬でも妹にあんな思いを抱いたことに、後味の悪いうしろめたさを覚えた。たかだか母親との共通点を悪気もなく指摘されたくらいで、あれほど激しく頭に血がのぼるなんて……もし自分の友人がこんなふうだったら、いっぺん専門家のカウンセリングを受けてみてはどうかと助言しているところかもしれない。

妹の向かい側に腰をおろし、夏帆はタルトをひとかけら口に入れた。

「あ、美味しい、これ」

思わずつぶやくと、秋実は、そうでしょう、と得意そうな顔でうなずいた。

「わざわざ列に並んで買ってきたんだよ。大介さんにもちゃんとそう言っといてよね」

「あのひと、あれでなかなか舌が肥えてるからすぐわかるわよ、特別なお店のだってことは」

どういうわけか、秋実は大介をけっこう気に入っているらしい。彼女に言わせれば、〈大介さんも前の旦那も、あたしの基準からするとどっちもろくでなしだけど、ろくでなしはろくでなしなりに大介さんのほうがずっと人好きがする〉ということになる。不思議なことにそれは秋実だけでなく兄の弘也も同じようで、たまに出張で東京に出てくることなどがあると、わざわざ大介を飲みに連れだしたりする。鈴森家の人間は、血筋的に大介に甘いということなのかもしれない。

熱い紅茶をすすりながら、夏帆はティーカップ越しに妹を眺めやった。透ける素材の白いチュニックブラウスに、裾をロールアップさせたジーンズ。二児の母親にはとても見えない。髪を短く切っているせいでよけいに幼く見え、これで化粧を落とせば学生と言っても通りそうなほどだ。肩は薄く、首や腕はすんなりとして女らしい。そもそも骨格の作りそのものが華奢《きゃしゃ》なあたり、夏帆とはまったく違っている。体つきだけは、秋実のほうが母親似なのだ。

「相変わらず細いね、あなたは。うらやましいくらい」

「でも、脚はお姉ちゃんのほうがずっときれいだよ。あたしなんて、膝から下は魔法使いサリーちゃんの脚みたいだもん。スカートなんか絶対はけないし」

つまり、秋実のコンプレックスは膝から下だけということなのだろうか。

「ちゃんと食べてる？　無理なダイエットとかしてない？」

「全然してないよ」

大きな冂をあけてタルトを頬張りながら、秋実は言った。

「なに、お姉ちゃんはしてるの？」

そりゃ時々はね、と夏帆は言った。

「気をつけてないと、ちょっと油断したらすぐおなか周りがぷよぷよしちゃうもの」

「ふうん。あたしはここんとこ、ダイエットなんて縁がないや。子どもやダンナの残したおかずまで、もったいないからつい食べちゃうくらいだけど、なんでだか太んないなあ。やっぱりほら、運動量の問題なんじゃないの？　毎日毎日育ち盛りの子を二人も相手してると、のんびり太ってる暇なんかどこにあんのって感じ」

かすかだが、ちくりと刺さった。幼いころ、いい匂いのする桃に頬ずりした時のことを思いだす。みずみずしく優しげに見えるのに、ばら色の果皮を覆う細かな産毛は思いもよらぬ凶器で、あの時はしばらくの間、指で頬を撫でるだけでもひりひり痛かった。

「お姉ちゃんはさ」夏帆の顔を探るように見ながら、秋実が言った。「大介さんとする時って、避妊してんの？」

不意を衝かれ、言葉を失った。

「……いきなり何を言うかと思ったら」

「だって、一緒に暮らすようになってからずいぶんたつじゃない。ふつうだったら、できてもおかしくないんじゃないかと思って」

——ふつうだったら。

いちいち引っかかるのは過剰反応というものだと自分に言い聞かせ、カップに両手を添える。

「まあ、おかしくはないだろうけど、もうこんな年だしね」

「なに言ってんのよ、まだ四十前じゃない。今どきは四十過ぎてから産む人だっていっぱいいるよ。お母ちゃんなんか、あんな昔でもあたしたちを産んだの四十過ぎてからだよ」

そうだけど、と夏帆は辛抱強く言った。

「べつに、とくべつ避妊はしてないよ。ただ単にできなかっただけ」

「子ども欲しくないの？」

「欲しくも、欲しくなくもないかな」

「もう、まじめに答えてよ」

「ものすごくまじめだけど。もしもひょっこりできちゃったら産むだろうし、できなければそれまでだし」

単純な話でしょ、と言うと、秋実は不服そうに眉を寄せた。

「じゃあ、できれば嬉しい？」

「そりゃ嬉しいでしょうね」

だよね、とようやく満足そうにうなずく妹に、

「でも、できなくても嬉しいよ」

そう言ってやると、眉根の皺が前より深くなった。

「わっかんないなあ。お姉ちゃん、前の旦那とはどうだったの」

「避妊?」

「そう」

夏帆は首を横にふった。

「なのに、できなかったんだ?」

今度は縦にふる。

「それさ、ちょっと変だよ。お医者行った?」

「行ったよ」

「どうだった?」

夏帆は、口をつぐんだ。

無表情な医者。直截《ちょくせつ》的な問診。何本もの注射と、消毒薬の匂い。くり返される採血、めまいと悪寒、果てしなく歩かされる通路、膨大な待ち時間。

子どもが欲しかったからではない。ただ、何か婦人科系の病気だったりすると怖いし、原因があるなら知りたいと思って受けた検査だった。何種類もの注射を打っては、そのつどしばらく待って血液検査をする。それらの数値の変化によって、卵巣の機能の問題なのか、ホルモンの分泌量の異常なのか、それとももっとほかに原因があるのか、わかるのだという。

じつのところ夏帆は、小学校六年生で迎えた初潮の時から、毎月続けて生理がきたためしがほとんどなかった。半年ほど連続して経血を見たのが最長記録で、たいていは一か月二か月と抜けてみたり、二年ほどずっと来なくてまたふっと来たりした。結婚前にはさすがに気になり、近くの産婦人科医院で検査を受けた。ずいぶんと年を取った院長が触診の末、卵巣が未熟のようだけれども夫婦生活が普通にあればだんだん成熟していく人が多いですよ、と言った。

だがそのまま、七年間の夫婦生活の間にも、まったく改善される様子は見られなかったのだ。

結局、病院の本格的な検査で得られた答えは、〈脳からの指令回路の問題である〉ということだった。何らかの原因で、排卵を促すために脳から発信される信号が、卵巣にまで届きにくいのだという。

「それって要するに……」

おずおずと言いかけた妹に、

「そう。要するに、いちばんおおもとがいかれてるってこと」夏帆は淡々と言った。「まったく信号が届かないってわけじゃないから、生理が来たり来なかったりするわけ。接触の悪い電球みたいなものよ」

前の夫とも、いま一緒に暮らしている大介とも、避妊具を用いてのセックスをしたことは一度もない。それでも妊娠しなかったのだから、おそらくこの先も可能性はほとんどど無いだろう。

だが夏帆は、自分でもあきれてしまうくらい、子どもを積極的に欲しいと思ったことがないのだった。むしろ、苦手だった。うっかり産んだりしても、ちゃんと愛せる自信がないほどだ。甥《おい》や姪《めい》は会えば可愛いと思ったが、それも最初の一時間までの話で、それ以上長く付き合わされるのは半ば苦行のようなものだった。

ありがたいことに、前夫もとくに子どもを欲しがらなかった。夫婦二人きりの生活のほうが自由気ままでいいとさえ言っていた。

以前、そんな話を打ち明けた夏帆に、母親の美紀子は疑わしそうな顔で言った。

〈ほんまに心からそう思てはるんやろか。あんたへの思いやりで、ほんまは欲しいのにそう言うてるだけとちゃうの？〉

わからない。本当のところは、今となっては確かめようもない。ただ、七年を一緒に暮らした夏帆の感触では、あれはきっと彼の本音だったろうと思うのだ。いずれにしても、産めない妻を責めずにいてくれたことには感謝していた。

「ねえ、治療法とか無いの？」

と秋実が訊く。

「無いわけじゃないみたいよ。検査結果が出た時、『お子さんを望まれますか』って訊かれたもの。もしそうなら、このまま不妊治療に通って頂くこともできますが、って」

「なのに通わなかったんだ？」

「そこまで欲しいとは思わなかったからね」

秋実は、テーブルに目を落とした。

「紅茶、熱いの淹れ直そうか?」

と夏帆が訊いても、黙ってかぶりをふる。やがて、顔を上げた。

「わかんない。なんでお姉ちゃんはそうなのかなあ」

「そうなのかなあって?」

「だから、どうしてそんなに平然としてられるのかなあってことよ。だってさ、女に生まれてきて、結婚もして、なのに子どもができにくい体だってわかったら、ふつうはもっと焦らない?」

「ねえ。その『ふつうは』って言い方、やめてくれない?」夏帆はとうとう言った。「さっきからあなたそう言ってるけど、何が『ふつう』で何がそうじゃないかなんて誰が決めたの? あなたにとっての『ふつう』がこの世の常識ってわけじゃないし、この世の常識が必ず正しいってわけでもないでしょう」

「だってそれは……」

「なによ」

なおも何か言いかけた秋実が、唇を尖らせて下を向く。

「……わかった。今のは、そうだね、あたしが無神経だった。ごめんなさい」

こういうところは、昔から素直だ。

「わかってくれればいいんだけど」

冷めかけた紅茶を、夏帆はそっとすすった。

女として、子を産んだことのない人生を、つまらないとか哀しいとか、思ったことはない。妹にも言ったとおり、子を持たなければ味わえない種類の幸福もあれば、子がないからこそ味わえる幸福だってある。何をもって生きることの醍醐《だいご》味と考えるかは人それぞれのはずだ。

そもそも、別れた夫との間にもしも子どもができていたなら、小説家としての今はなかっただろうと夏帆は思う。子育てと仕事を両立させられるほど、器用でもなければ我慢強くもない。

あれは、デビューして二年目だったか、異国を舞台に書いた小説の主人公を、子どもを産めない女性であるという設定にしたことがある。若い頃の奔放な生活がもとでそうなった彼女のことを、恋人は黙って受けとめてくれるのだが、そんな矢先、彼が直前まで付き合っていた相手の女性の妊娠が発覚する――そんなふうなストーリーだった。

新刊インタビューを受けに版元の出版社を訪れた夏帆に、あるベテラン編集者が言った。

〈よく書きましたね。なかなか面白かった。ただ、欲を言えば、産めない女性の悲しみや、相手の男に対する罪悪感の部分が、もうちょっと深く書きこんであるともっとよかったなあ。そういう女性が必ず抱くはずのつらさがあまり伝わってこなかった〉

新進の作家に対する善意の助言には間違いなかったし、言わんとしていることもわかったから、ありがたく受けとめた。だが、一方で夏帆は、釈然としないものを感じていた。

もしもその女性が、子どもが欲しいと心から望んでいるのにできにくい体質であったなら、それはたまらなくつらいことだろう。けれど、夏帆が書いた主人公はそうではなかった。恋人との間に子どもが欲しくてたまらなかったなどと、どこにも書いた覚えはない。産んでやれない自分を卑下したりもしていない。それなのに、どうしてそう疑いもなく決めつけるのだろう。〈そういう女性〉ならきっと悲しいはずで、相手の男に対して罪悪感を抱いて当たり前だ、と。

世の中には、産めなくたって別につらくも悲しくもない女だってたくさんいる。それを、さぞつらいでしょう、悲しいでしょうと決めつける考え方は、一見思いやりと理解にあふれているようにみえて、裏返せば、女というものは子どもが産めるのが当たり前の生きものであり、産めない女は欠陥品であるという考え方とあまり変わらない気がするのだ。

男性からだけではない。産む、産まない、産める、産めない、といった事柄に関しては、同じ女性からも、偏った物の言い方をされがちだ。

ひと昔前か、よほど年齢の高い人ならいざ知らず、今のこの時代に秋実のような若い者までが、女の体、女の役割についてはほとんど疑うことなく旧態依然とした考えを持ち続けている。それが信じられなかった。何が苦手と言って、夏帆は、時折妹が無意識ににじませる、子を産んだ女の優越感のような気配がほんとうに苦手だった。

犬も猫も、牡《おす》と交われば子ぐらい産む。それなのに、何をそんなに勝ち誇り、一段上から人を憐れむような目つきで見るのか、と思う。それとも、いちいちそうやって目くじらを立ててしまうこと自体がこちらの被害妄想なのだろうか。子どものできにくい体質であることを、じつはいちばん気にしているのは自分なのだろうか。

かつて、夏帆がそろそろ初潮を迎えようとしていた頃、入れかわりに美紀子は徐々に閉経に向かっていたようだ。ある日、いきなり血まみれのナプキンを見せられて卒倒しそうになったことがある。

〈いっぺん見せといたげな、急にメンスが来てショック受けたら可哀想や思て。メンスの血ィいうのんは、これくらいたっぷり出るんやで。覚えときや〉

ショックなら今受けていると思ったものだが——あの時の母の血も、時々訪れるだけの自分のそれも、命をつくるだけの力がないという意味では変わらないわけだ。

「この際だから、私も無神経に言い放っちゃうとね……」重たい空気をかきわけるように、夏帆は言った。「めったに生理がないってのは、ほんとに楽よ？」

秋実が、不承不承という感じに苦笑する。

「でもそのかわり、いきなりなっちゃって焦ったりもするわけでしょ？」

「そうそう、旅先なんかだと大変。たいていは念のために用意していくんだけど、たまにうっかりしちゃってね。前に、フィレンツェで慌てて薬局に飛びこんで買ったナプキンなんか、それこそ座布団みたいなサイズだったっけ。わけもなく、『負けた』って思ったもんよ」

言いながら、やっぱり淹れ直すね、と紅茶のポットに手を伸ばすと、

「あ、ううん」秋実が先に腰を上げた。「もう帰らなきゃ。子どもたち、お義母《かあ》さんに預けてきちゃったし」

「いつものことじゃない」

「そうなんだけど、ここんとこちょっと続いてたからさ。あんまり長くはヤバいかなと思って」

無理に引き止めたいわけでもない。もともと、この妹とでは、分かち合える話題も打ち明けられる悩みも限られている。

「そう。じゃ、気をつけて帰んなさいよ。タルトごちそうさま。美味しかった」

向こうのご家族にもよろしくね、と言って玄関から送り出す。

ドアを閉めながら、ふと思った。そういえば秋実の口から、母親の〈物忘れ〉に関する話は出なかった。何か聞いていれば言わないはずがないから、やはり両親とも妹には話していないのだろう。

それでいいのだ、と夏帆は思う。両親の老いについて、自分ひとりで抱え込むのは気が重かったが、だからといってそのことを秋実と話し合うのはもっと気が進まなかった。

どうせ、ありとあらゆる場面で価値観の相違に茫然とするであろうことが目に見えている。秋実が父を腐《くさ》して母をかばう、その口ぶりを想像しただけで胃袋の中身がぐらりと沸くほどだ。精神衛生上、まったくよろしくない。たった二つしか違わないのに、なんて寂しい姉妹――と、言ってしまえばそうなのかもしれないが、妹とは、互いにあまり深く関わり合わないことが最も平和な距離なのだから仕方ない。血のつながりの濃さと、心のつながりの濃さとは、悲しいことだがまるで関係がないようなのだ。

キッチンに戻ると、夏帆は汚れた食器を流しに出した。それから、少し考えたものの、やはり紅茶を淹れ直した。

自分だけのために、集中して最高の一杯を淹れる。そこへ、つい先ごろもらったばかりのモンゴル産の蜂蜜を小さじ一杯たらした。担当の麻田美菜子が、ほかの作家との取材旅行で出かけたからと、土産《みやげ》に買ってきてくれたものだった。

実の妹よりも、編集者である麻田美菜子や滝沢一義とのほうがよほど腹を割った話ができるというのは、おそらく、この仕事でしか生きられない自分にとっては、寂しいことではなくて恵まれたことなのだろう。思えば、そんなふうに胸襟を開いて本音を打ち明けられる友人ができたこと自体、ごく最近のような気がする。

小中高一貫の女子校時代も、推薦で進んだ大学時代も、夏帆のまわりには友人たちがたくさんいたし、相談もよく持ちかけられた。だが、夏帆のほうからいくらかでも心をひらいた相手は、たった一人しかいなかった。

親の前で〈いい子〉のふりをするのが習い性になっていたせいで、ほかの誰に対しても、つねに何らかの仮面をかぶらなければ向かい合えなくなってしまっていた。部活の先輩に対してはこの仮面。もう少し親しいクラスメイトにはまた別の仮面。微妙に異なる仮面をあまりにもたくさん取り揃えすぎて、本来の顔をどこへやったか自分でもわからなくなるほどだった。いちばん大事な友人、桐原香奈恵《きりはらかなえ》に対してさえ、心の奥の奥にある本音はとうとう見せられなかったのだ。

カップの底に沈んだ蜂蜜が、琥珀色の紅茶に滲《にじ》むように溶けてゆく。ぼんやりとそれを眺めながら、夏帆は、今はもうどこでどうしているのかもわからない香奈恵の顔を思い起こしていた。紅茶に蜂蜜を加えると美味しい、ということを初めて教えてくれたのは、香奈恵だった。

門が電動でひらく世田谷のお屋敷。遊びに行っても親がいることはめったになく、代わりにお手伝いさんがお茶を出してくれるような、大きいけれど寂しい家だった。

＊

女子校の常として、勉強以外の何かに秀でた生徒には、しばしば熱心なファンがつくものだ。

夏帆の場合、その〈何か〉とは放送劇、すなわちラジオドラマだった。平均よりも声が低かったせいで、演じる時は必ず男役だった。

夏帆自身も、その役割が嫌ではなかった。

〈あんたにはボーイッシュな髪型や服装がよう似合うなあ〉

母親からそう言われ続けて育った夏帆にとって、少女ばかりの集団の中で擬似的な少年の役割を演じるのは、むしろ女の子らしくふるまうよりも自然なことだったのだ。

おかげで下駄箱《げたばこ》には、しょっちゅう下級生からの手紙が入っていた。読むほうが思わず赤面してしまうような、熱烈な手紙ばかりだった。思春期というのは、恥ずかしくないはずのことを無駄に恥ずかしがると同時に、恥ずかしいはずのことをまったく恥ずかしく思わずにいられる年齢でもあるらしい。

おかしなもので、いったん〈男役〉を任され、周りばかりでなく本人もそれに慣れてしまうと、スカートをはくことすら照れくさくなってくる。制服はもともと定められていなかったので、夏帆は毎日、ジーンズに兄のお古のシャツを着て学校へ行った。たまに新しい服を買ってもらう時も、リボンやフリルの代わりに真鍮《しんちゅう》のボタンや肩章のついたものを選び、色も赤やピンクを避けて黒や青ばかり選んだ。花柄や水玉などは論外、柄物ならチェックかストライプでなければ着たくなかった。

〈たまにはもっと可愛らしい服も着てみたらどうやの〉

と美紀子は言った。

ごめん、でも私ピンクとか似合わないから、と夏帆は答えた。そのぶん秋実が似合う

からいいじゃない。〈秋実は秋実、あんたはあんたやろがな。せっかく女の子に産んだげたのに、なんや張り合いのない〉

夏帆は黙っていた。今頃になってどうしてそんなことを言うのだと思った。

周囲から期待される役割のために、ふさわしい仮面をかぶるのには慣れている。家ではともかく学校での夏帆は、身ごなしも口のきき方もすっかり男のようにふるまうようになっていった。

肩で風を切って大股に歩き、授業中や休み時間には後ろの隅の席から黙って教室を眺め渡す。笑う時も、あまり歯を見せたりしない。唇の片端を少し上げるだけで、笑みはひどく皮肉めいたものになった。

事ごとに頼ってくる友人たちの相談には快く応じ、持ち前の低い声で大人びた助言を与えてやる。そのうちに、夏帆の机の周りには、休み時間のたびに大勢の少女たちが集まってくるようになった。中には他のクラスの子や下級生もいて、毎時間そのうちの誰かが夏帆の膝の上に乗ったり、足もとの床に座って腿にしなだれかかったりしていた。夏帆自身はトイレ以外に席から立つ必要もないほどだった。

お喋りの内容はといえば、本や漫画や昨日観たドラマの話題など他愛のないものだったが、傍《はた》から見れば、教室の中でその一角だけが一種独特のいささか淫靡《いんび》な雰囲気を醸しだしていたのだろう。どこからか、〈鈴森のハーレム〉などという揶揄《やゆ》の言葉が耳に入ってきたりもした。

　気にならなかったと言えば嘘になる。けれど夏帆は、あまり考えないようにした。閉じられた小さな王国の中心でいる日々は、今までになく居心地が良く、自分からそこを出ていく気にはなれなかった。

　毎年、秋の文化祭に上演する劇の脚本はもちろんのこと、夏帆はふだんから大学ノートにオリジナル小説を書き綴っては友人たちに回覧していた。時代設定も何もまったく無視して、ただ趣味に走っただけの小説だったが、恋愛の要素が濃く、キャラクターが立っていたせいだろう、人気は高かった。

　勉強しているふりを装い、家でこっそり書いてきた数ページぶんを、翌日の授業中、クラスメイトや下級生たちが奪い合うように回し読みする。どこを回ってきたかもわからないそのノートが、それでも放課後までには必ず夏帆の手もとに返ってくる。

〈もう、夏帆先輩ってば天才！　どうやったらこんなものが書けるんですか？〉

〈早く続きを書いて読ませてよ。明日までなんか我慢できないよ！〉

　ふだんはろくに喋ったこともないような相手にまで熱のこもったまなざしでそう詰め寄られるたびに、ほかの何を認められるより誇らしく、胸が震えた。

　自分の空想した世界、自分の紡いだ文章が、読む者の心をつかんで揺さぶっている。

　その事実に夏帆は、背骨が痺れるほどの興奮を覚えた。大げさでも何でもなく、まるで全知全能の力を授かったかのような気分だった。空想世界の中でなら、自分は現実の

〈鈴森夏帆〉から解き放たれる。書くことによってだけ、完全な自由を手にすることができるのだ。

高校一年生。実際には文章や構成などまだまだ拙《つたな》く、内容も漫画やアニメのパロディに毛が生えた程度だったはずだ。しかし、それでもなお、今現在の夏帆に通ずるものはすでに存在していたらしい。

〈あなたは、境界線上の人なんだね〉

のちに新人賞を受賞した時、選考委員の一人から言われた言葉だ。

〈どちらか一つの世界だけに属するんじゃなく、常にボーダーの上に身を置いて等しく両側を見はるかしていたいわけでしょう。それはとても難しいことだし、時にあなたを辛くさせることもあるだろうけれど、作家としては非常に重要な資質だと思いますよ〉

——境界線上の人。

その言葉は、ひとつの啓示のように夏帆の胸に残った。友だちに回覧していたあの子供だましの小説においてさえ、主人公は〈白人とネイティヴ・アメリカンの混血〉という設定だったのだ。肌は赤銅《しやくどう》色。瞳はブルー。どちらの社会にも属していながら、完全にはどちらにも居場所を見つけられない者の孤独……。

やがてプロとなったのち、夏帆は、その主人公の設定だけをそのままに、換骨奪胎した長編小説を書いた。一度は日の当たるところに出してやらずにはいられないほど、かつて友人たちだけを相手に書き綴っていた世界は夏帆にとって特別なものだったのだ。

それから後に発表してきた作品の中にも、〈境界線上でしか生きられない者の孤独〉という一点で括《くく》れるものはいくつもある。作家は処女作に向けて成熟する、という言葉があるとおり、なるほど、すべての核となるエッセンスは、そもそもの出発点から夏帆の中に用意されていたのかもしれなかった。

「あなたの小説に出てくる人たちって、揃いも揃って寂しがり屋よね」

隣のクラスの桐原香奈恵から話しかけられたのは、高校一年の終わり頃のことだった。喋ったことなど一度もない、ただ顔と名前だけ知っている程度の相手から突然そう言われ、夏帆は面食らった。どうやらノートは、夏帆が思う以上に広い範囲を回っているらしかった。

「ごめんなさい、読ませてもらっといて勝手なこと言って。でも、あたしにはそういうふうにしか読めない」

「……そういうふうって？」

「そうね。強がって背中を向けるくせに、その背中で愛してほしい、愛してほしいって叫んでるみたい。きっと書き手もそうなんでしょう、とまで言うつもりはないけど。

——ああ、これじゃ言ってるも同じか」

ちょっと話しただけで耳に残る、独特の喋り方と声だった。

少しずつ言葉を交わすようになってみると、香奈恵は、おそろしく頭の切れる少女だった。学業の成績が抜群に良いというわけではないのに、誰よりも明晰《めいせき》で賢かった。

「目立つの、嫌いなの」と、香奈恵は言った。「女子ばっかりのこういう環境で、目立って得することなんてまず無いもの。鈴森さん、あなた馬鹿よ。もっと上手に目立たないようにしていれば、人から陰口叩かれたり足引っぱられたりしないで済むのに」

十六歳にしてすでに、香奈恵はどこまでも〈女〉だった。それでいながら、大人たちの前では〈少女〉に擬態してみせるだけのしたたかな狡《ずる》さがあった。

あの頃は、同学年の中で香奈恵と自分だけが同じくらい浮いていた、と夏帆は思う。いくら目立つまいとしても、香奈恵だってすでに充分変わっていたし、それは周りにも伝わっていた。どちらも複雑な事情を抱えた大人たちの中で育ち、年に似合わず老成して、そのぶん周りをシニカルに見下すようになってしまっていた。

高校二年で同じクラスになったとたん、二人が吸い寄せられるように親しくなったのは当然の流れだったろう。

あの女子校に通っていた十二年間をいま思い起こしても、その最後の二年間ほど充実していた時期は他にない。豊かで、甘やかで、時間はゆっくりと流れていた。まるで蜂蜜のプールに浸かっているかのようだった。

いったいどうして香奈恵と過ごす日々はあんなにも濃厚に感じられたのか――それについて思いを巡らすと夏帆は、昔も今も、付き合う相手に対して望むことがほとんど変わっていない自分に気づかされて苦笑いしたくなる。

会話が刺激的であること。わがまま放題にこちらを振り回してくれること。さらに、そういった言葉や行動すべてを俯瞰《ふかん》する視点をお互いが備えていて、二人の関係性そのものを一つの〈よくできた虚構〉として完成させてゆけること。その過程を愉しめること。たとえるなら、二人で即興の芝居を演じているかのような興奮や昂揚《こうよう》が、夏帆の恋愛には不可欠なのだった。安らいでいる時ですら、頭の隅のどこかで次のセリフや仕草を考えている。それが相手に及ぼす影響と、相手から返ってくるであろうリアクションを想像して、また次に備える。つねに架空の観客を想定しているようなものだ。

そういったナルシシズムを、わざとらしいとか煩わしいなどと考える相手とでは、最初からうまくいかなかった。恋とは所詮、ごっこ遊びなのだ。真剣なごっこ遊びがどれほど楽しいか、その醍醐味を知らない相手との付き合いなど時間の無駄だ、と夏帆は思う。

自分たちの恋愛をどれだけ豊かなものにできるかは、お互いの想像力と創造性にかかっている。世の賢《さか》しらな人々は「映画みたいな恋なんてあるわけがない」と言うけれど、もとより、何の努力も作為もなしにドラマティックな恋愛ができるわけがない。

誰もが一度は憧れるような、切ない痛みを伴う恋をしようと思ったら、言葉も行動も慎重に選んで積みあげていかなくてはならないのだ。

そう、ちょうど、何もないところからひとつの小説を作りあげるように。

第十章――影

同じクラスになってから知ったことだが、桐原香奈恵もまた、自作の物語をノートに書き綴っている一人だった。

けれど香奈恵は、そのノートを誰にも見せようとしなかった。夏帆でさえも、頼み込んで、頼み込んで、ようやく読ませてもらうまでに二か月以上もかかったほどだ。

「あなたと違ってあたしは、人に見せるために書いてるんじゃないもの」

と香奈恵は言うのだった。

それじゃあ何のためにと訊くと、「作文の練習」という答えが返ってきた。冗談かと思ったが本当だった。

「そもそもは現国の先生から、『桐原は文章が下手《へた》だなあ』って言われたのが悔しくて書き始めたのよ。テストの小論文とか、せっかく理屈はちゃんとしてるんだから文章にもっと気を配りなさいって言われてね。毎日ちょっとずつでも書けば少しは巧くなれるかと思ったけど、だからって日記なんかつける気にはなれなかったし」

その点、小説だったら退屈しないで続けられそうだったから、と香奈恵は言った。

いざ手渡されてみると、彼女が書き溜めたノートはすでに十冊をこえていた。異世界を舞台にしたシリーズものの長編冒険ファンタジーだった。

夏帆は、自分でも思いがけないほどその物語にのめりこんだ。豊かな物語性と、確かな人物造形。要するに、文句なしに面白かったのだ。なるほど最初のうちこそは文章の拙さが目についたが、巻を重ねるごとに言葉が整理整頓されてゆき、誤字や誤用が少なくなるとともに無駄も省かれ、表現全体がぐんぐん洗練されていった。七冊目あたりになると、もはや「巧い」といってもいいくらいの文章へとすっかり変貌を遂げていた。

夏帆がそう言って褒めると、香奈恵はクールな表情を少しゆるめた。

「ありがとう。思いきって読んでもらって良かったかも」

放課後のピアノ室だった。香奈恵がグランドピアノによりかかって立ち、夏帆は鍵盤の前に座って適当なフレーズを弾きながら話をする。

最近ではそうして過ごすことが多かった。校舎とは別棟の講堂の中にあるので、合唱部や器楽部の練習が入っている日以外はほとんど生徒の姿がなかった。

「こんなとこに二人っきりでいるの見られたら、あなたのお取り巻きにまたいじめられそうだわ」

「いじめるって、どんなふうに？」

「……べつにいいの、それは。とにかく、あなたがそんなに褒めてくれるってことは、じゃあ、当初の目的はとりあえず果たせたってことかしらね」

ほかの友人たちと比べても、香奈恵の言葉遣いは女らしかった。夏帆が男っぽさを気取っていたのと同じように、彼女も意識して大人の女を演じているところがあった。

「『とりあえず』どころか、充分果たせたんじゃない？」夏帆は、バッハの『インベンション』の右手のパートだけを弾きながら言った。「香奈恵にはさ。本当はもともと、書く才能みたいなものがあったんだよ」

「ほんとにそうだったら、はじめからあんなひどい文章は書かないんじゃないかと思うけど。今になってみれば、自分で読んだってわかるわよ。最初の頃の文章がどれほど目も当てられないしろものだったかってことは」

夏帆は笑って首を横にふった。

「最初の頃のあなたはただ、書くってことそのものに慣れてなかっただけでさ。でもほら、スポーツでも物作りでも、コツさえつかめばいっぺんに上達するタイプっているじゃない。それとおんなじで、香奈恵にはやっぱりセンスがあったんだよ」

「褒め過ぎよ」

「違うってば。私ね、周りでいろんな小説書いてる子たち見ててつくづく思う。文章っていうのは、たくさん書けば誰もが巧くなれるってものじゃないんだなって。言っちゃ悪いけど、ミッチだって、ツカちゃんだってそうじゃん。あんなに一生懸命、ずーっと長いの書いててもさ」

ゆっくりとしたテンポで弾く右手だけの『インベンション』は、それだけでも美しいアリアのようだ。空白の左手のパートは頭の中で響かせながら、夏帆は続けた。

「そりゃ、いっぱい書いて練習すれば、全然書かない人よりはマシになるかもしれないけど、たいていはそこ止まりでさ。自分の文章のどこをどう直したらもっとよくなるかっていうことが、感覚としてわからない人が多いんだ。客観的に見られないんだろうね。だから、あなたにはやっぱりセンスがあったんだよ。ちゃんと意識して、自分で自分を訓練して、いい文章を書けるようになるかどうかは、もしかすると最終的にはセンスよりもここの問題かもしれないけど」

言いながら、左手の指を自分のこめかみにあててみせた夏帆を眺めて、香奈恵はあきれたような顔をした。

「ねえ。それって、ずいぶん傲慢な発言に聞こえるんだけど」

「なんで？」

「だって、学年で一番『書ける』あなたがそれを言うってことはつまり……」

夏帆は苦笑した。

「もしかして、『私はすごく頭がいいのよ』って聞こえる？」

「そうじゃないの？」

「違うよ」

目で問い返してくる香奈恵に、夏帆はふとピアノを弾きやめて言った。

「書くことはさ。私にとっては、まったくの本能でしかないんだ」

まじまじと夏帆の顔を見おろしていた香奈恵が、やがて顎の先を上げ、ふうん、と言った。

「なるほどね」

「なに」

「思ってたとおりだったわ」

「なにが」

「あなたって、みんなからは優しいイイヒトに思われてるけど、あたしはずっと前から、ほんとは違うんじゃないかって思ってた」

とっさに切り返せずにいる夏帆に向かって、香奈恵は艶然《えんぜん》と微笑んだ。そういう表情をすると、どこか古代インドの仏像のように見えた。

「ほんと言うと、去年、隣のクラスから回ってくるノートを初めて読ませてもらった時から思ってたの。『鈴森さんって、ふだんは猫かぶってるだけで、じつはそうとう腹黒い人なんじゃないの？』って」

「腹黒い？」

「今までに誰かからそういうふうに言われたことない？」

ないよ、そんなの、と、夏帆は言った。「意味がわかんないよ」

「気を悪くしたならごめんなさい。でも、誤解しないで。そんなに悪い意味で言ってるんじゃないのよ」

　言葉を切ると香奈恵は、次の言葉を探すようにしながら、人差し指で譜面台のふちをなぞった。とても効果的な間の取り方だった。

「あたしなんかが偉そうに言うことじゃないけど、小説って、そういうものなんじゃないの？　小論文とかで自分の考えを述べるのとは全然違って、最初から全部が作りごとのはずなのに、なぜか書いてる人の本当の部分が表れちゃうっていうか」

「……表れてた？」

　もちろん、と香奈恵は言った。

「前にあたしが、あなたの書く小説のキャラはみんな寂しがり屋だって言ったの覚えてる？」

「覚えてるよ」もちろん、と夏帆は香奈恵をまねて言ってやった。「だって、私たちがまともに喋ったのって、あれが最初だったじゃない」

「そっか。そうだったわね。でも、もっと言わせてもらうと、あなたの書くキャラって、寂しがり屋なだけじゃなくて意外と根暗なのよ。やることが派手だからみんななかなか気が付かないけど、よく読んでみれば、おなかの中ではいっぱい黒いこと考えてる。めちゃくちゃ嫉妬したり、ひがんだり、逆恨みしてみたり、裏でいろいろ糸引いて人を操ってみたり。あんな暗いことを考えついて、しかもリアルに描写してみせられるってことはつまり……」

「書いてる私自身がそういう人間なんじゃないかって？」

「違うの？」

「………」

「まあ、べつに無理して答えなくていいわよ。こんなのはみんな、あたしの勝手な想像に過ぎないんだし、たとえ今あなたが『違う』って答えたとしても、あたしはやっぱり自分の想像のほうを信じ続けると思うし」

夏帆は、あきれて友人を眺めやった。

「そういう香奈恵はどうなの。香奈恵の書く小説だって、そうとう暗いし、黒いじゃない」

すると香奈恵は、ふん、と鼻で嗤《わら》った。

「あたしは自覚の上でやってるもの」

そして、ため息をついた。

「ほらね、こういう面倒くさいことになる。これだから、誰にも読ませたくなかったのよ。あなたに読ませてからだって、どれだけ後悔したか知れやしない」

「なんでそんなに嫌がるの」

「なんででもよ」

「もったいないなあ。せっかくあんなに面白いもの書けるのに」

はいはい、どうもありがと、と香奈恵が目をそらす。

「ねえ、本気で褒めてるんだよ?」夏帆は、半ばムキになって言った。「どうして人に読まれるのがそんなに嫌いなの?　っていうか、ほんとに読まれるのがいやなんだったら、どうしてあんなに次から次へと凄いストーリーを考えついたり書き続けたりできるの?」

　ありえないよ、と夏帆は言った。

　ほんとうは香奈恵も、多くの人に読まれたいはずだ。自分の文章にコンプレックスを抱いているせいで、見せたくても見せられないでいるだけだ。

　そうとしか、夏帆には考えられなかった。わざわざ波瀾万丈のストーリーをひねり出したり、登場人物の葛藤を詳しく書き込んだりするのは、読み手のことを意識するからこそだろう。ほんとうに誰にも読まれなくていいのなら、そもそも小説である必要がない。それこそ内緒で日記でも付けていれば済む話ではないか。

「あのねえ」香奈恵は、苛立ちを無理やり抑えたような声で言った。「あなたがそうだからって、人のことまで決めつけるのはやめて。あなたと違ってあたしはね、書いたものを通して人から勝手に理解されてしまうのが苦痛でたまんないのよ。理解だろうと誤解だろうと、この場合はおんなじことだけど」

　よりかかっていたグランドピアノから少し体を離すと、香奈恵は続けた。

「あたしのことを知りもしない、あたしのほうも知らない相手が、あたしから見えないところであたしの書いたものを読むだなんて、絶対に我慢できない。そんな気持ち悪いことってないじゃない」

「ねえ、あたしこそ訊きたいわよ。あなたはほんとに、そういう形で頭の中を覗かれても平気なの？　そのことのほうが、あたしにはとても信じられない」

「でも、」と夏帆は食い下がった。「それじゃあどうして香奈恵は小説を書いてるわけ？あれだけの量を書き続けられるエネルギーはいったいどこから来るの？」

すると香奈恵は、口をへの字にして、ひょいと肩をすくめた。外国人さながらの仕草だった。

「自分を愉しませてるだけよ」

「え？」

「あたしは、自分さえ愉しめればそれでいいの。文章はへたくそでも、あたしは自分の考え出すストーリーに自分でわくわくできる。それで充分なの。読者なんか要らない。まあ、読んで褒めてくれたあなたには感謝してるけど」

「…………」

「オナニーみたいだって思ってくれていいわよ」

「そんな……」

思わず狼狽《うろた》えた夏帆を見て、香奈恵は少し意地の悪い顔で笑った。

それを見るなり、夏帆は逆に泣きたくなった。香奈恵に強いことを言われたからではない。ただ、あまりにももったいないと思ってしまったからだ。

もしも自分に、香奈恵くらい豊かなストーリーテリングの才能が備わっていたら。そうしたら、今よりもっと面白くて、はるかに波瀾万丈な、人の胸を打つ物語が書けるだろうに。そう思うと、天から与えられた宝の価値がまるでわかっていない香奈恵に対して、うなじが焦げるような嫉妬を覚えた。


後から思えば、恋に落ちたのは、あの時だったのかもしれない。

それまで夏帆は、香奈恵が〈あなたのお取り巻き〉と呼ぶ少女たちの幾人かと、たとえばキスの真似ごとをしたことならあった。さらにそのうちの一人か二人とは、もっと深い仲になったりもしていた。

女子校にはありがちなこと、と言ってしまえばそれまでだが、身も心も少年のようにふるまいながら少女たちを可愛がるのは、ただ純粋に愉しかった。相手の側もまた興味半分であることが、夏帆の責任感や罪悪感を薄くさせていた。

けれど、香奈恵に対して抱くようになった気持ちは、夏帆がそれまで一度も経験したことのない種類のものだったのだ。意のままにならないものを追いかけ、ねじ伏せたくなる感情を恋と呼ぶのだとすれば、香奈恵に対する夏帆のそれはまぎれもなく恋だった。

同性同士で求め合うことに関しては、どちらも不思議なくらい抵抗が薄かった。それどころかむしろ、きわどい憧れのような気持ちさえあった。

そのころ流行っていた漫画の影響も大きかったかもしれない。西欧の寄宿学校を舞台にしたその連載漫画は、悩める少年たちの友情とも恋ともつかない関係を描いて、全国的に人気を博していた。〈愛〉の名を借りた支配と束縛。描写も相当にきわどく直截的で、月に一度、掲載誌が発売されるたび、主人公たち二人の関係がどこまで進んだかをめぐってクラスの一角が騒然となったほどだ。動物的な繁殖からあらかじめ解き放たれた、同性同士の恋愛や性愛こそ純粋なもの——。プラトンの時代から掲げられてきたテーマは、思春期の少女たちを夢中にさせるに充分だった。

付き合いが長くなってみてわかったことだが、夏帆と香奈恵は、物事に対する感じ方がほんとうによく似ていた。

いつだったか、選択カリキュラムの都合で、同じ内容の現代詩の授業をお互い一時間違いで受けた後のことだ。終わってからクラスへ戻ってきた香奈恵は、夏帆を見つけるなり、ひどいしかめっつらで言った。

「ちょっともう、勘弁してよ。あなたのせいであたし、みんなの笑いものになっちゃったじゃない」

何かと思えば、テキストに載っていた詩のせいだった。たまたま指名され、その詩を一読した感想を述べさせられた香奈恵は、感じたままのことを正直に口にした。

「そしたら先生が、思いっきり変な顔して、『あなたそれ、自分で考えた?』って。もちろんそうだって言ったら、『さっきの休み時間に、鈴森さんと話したりしてない?』

って。いえ話してないですけどって言ったら……」

そこで言葉を切って、香奈恵は夏帆をにらんだ。

「あなたってば、前の時間の授業で、あたしとまるっきりおんなじこと言ったんですって?」

「は?　……うそ、もしかして、」

「そうよ。あたしも、『フランスの片田舎にひろがる田園風景を連想しました』って、そう言ったのよ」

夏帆は思わず笑いだした。

そう、たしかに前の時間に先生に指された時、夏帆もまったく同じことを言ったのだった。フランスだの、田園だの、そんなふうな具体的な記述などあの詩の中にはいっさい書かれていなかったのに。

「笑いごとじゃないわよ」

と、香奈恵が口を尖らせる。

「先生からは、『いやだあ、ほんとに偶然なの?　気持ち悪ぅい』とか言われるし、みんなはここぞとばかりにゲラゲラ笑うし。ほんとに恥ずかしかったんだから」

ごめんごめん、と夏帆は慌てて笑いをひっこめた。

「だけど、しょうがないじゃない。あなたが同じこと答えるなんて、先に答えた私にわかるわけがないんだから」

「それはそうだけど……」

まだ不服そうに口を尖らせる香奈恵を眺めながら、夏帆は、改めて思った。

——見つけた。ようやく、見つけた。

おなかの底から突きあげる喜びは、疼痛《とうつう》にも似ていた。それは、同類であり好敵手でもある相手を初めて見いだした者の、一種特別な安堵であり昂揚だった。

＊

「あなたを手に入れるのと引き替えに、あたしは親友を一人失ったんだわ」

夏帆の腕枕に頭を預けた香奈恵は、天井を見上げながら言った。

潤んだ声は例によっていささか芝居めいていたが、だからといってそれが本心でないということではないのだった。

そこは香奈恵の部屋だった。いつものごとく香奈恵の親は不在で、お手伝いさんもすでに帰ってしまっていた。明日は日曜日。夏帆は母親に、文化祭の芝居の練習をするので今夜は香奈恵のところに泊まると言って出てきた。女同士というのは、こういうとき何も疑われないから便利だ。

ベッドに上がるのにはまだ互いにためらいがあって、二人は服を着たまま絨毯の上に横たわっていた。どちらから抱き寄せたかといえば夏帆からだが、それができたのはもちろん、香奈恵のほうからも同じ信号が発せられているのが感じ取れたからだ。

けれど香奈恵は、なかなか夏帆のほうを見ようとはしなかった。

「夕子とは、小学校の時からずっと友だちだったけど……こうなっちゃったらもう、一生あたしのこと許してくれないだろうなあ。当然よね。親友の恋人を盗っちゃったわけだものね」

「もうとっくに恋人じゃないよ」

「でもあの子は今でもあなたを好きよ」

つぶやきながらも、天井から目を離そうとしない。まるでそこに台本でも貼りつけてあるかのように、ずっと仰向けになっているばかりだ。

夏帆は黙っていた。なんと言うべきか、それとも何も言わずにいるべきなのか、判断がつかなかった。

今は別々のクラスになった関口夕子と香奈恵は、小学校の頃から親しかった。家同士が近く、そのうえ同じ先生に絵を習っていたそうで、たびたび互いの家を行き来していたらしい。何をやらせても、事前の判断と実際の行動の両方に危なっかしいところのある夕子は、幼なじみの香奈恵のことを全面的に頼りにしていた。香奈恵のほうもまた、口では文句を言いながらも、何くれとなく夕子の面倒を見たり尻ぬぐいをしてやったりといったことに自分の存在意義を見いだしている節があった。

「そもそも、去年あなたが夕子にちょっかい出すまでは、あたしたちはずっといいバランスを保ってたのよ。あたしがちょくちょく厳しいこと言っても、夕子はそれなりに耳を傾けてたの。あの子があたしに頼りきるばっかりで駄目になってしまわないように、あたしは突き放すべきところは突き放してたし、自分でできることは自分でやらせてたの。それなのに、あなたが現れて夕子のことあんなふうに甘やかすから、あの子ってばすっかりあなたの言うことしか聞かなくなっちゃって……」

「……ごめん」

と、夏帆は言った。

「簡単に謝らないでよ。そんなに簡単なことじゃないんだから」

ごめん、とまた言いかけて、言葉を呑みこむ。

「あのね、間違えないで欲しいんだけど、あたしが腹を立ててるのは夕子のことについてだけじゃないの。ただ、あなたが女の子たちに対してあんまり無責任だから……」

夏帆は黙っていた。それに対してはほとんど反論できなかった。本当の男がすればとんでもなく顰蹙《ひんしゅく》をかうようなことを、夏帆はまわりの少女たちにしているのだった。

要するに、世間で言うところの〈つまみ食い〉のような行為をだ。

不思議なことに——という言い方もまた無責任なのだろうが、〈少年〉としての夏帆にはどうやら、本来の〈少女〉の時には発揮されることのない一種のカリスマ性が備わってしまうようなのだった。夏帆と同じように放送劇部で男役を演じていても、その誰もが下級生から山ほど手紙をもらうわけではない。誰もが休み時間ごとに〈ハーレム〉

を作りだせるわけでもない。そういう意味では、この環境にあって、夏帆の存在はやはりいささか特殊なものだと言わざるを得なかった。

だが、備わっている能力は駆使したくなる。自分の影響力がどれくらいのものかを試してみたくなってしまう。

「あたし、前に何度も現場を見てるのよね」ため息混じりに、香奈恵が言った。「あなたが女の子たちをくどく現場」

「くどくだなんて、人聞き悪いな」

「しょうがないじゃない、ほんとのことなんだから。あれだけ熱心な目で見つめられて、あんなとびきりの言葉でくどかれたら、誰だっていつかは落ちるわよ」

「だから別にくどいてないって」

「おまけにそうやって手練《てれん》手管《てくだ》で落とすくせに、あなたってば誰とも長続きしないし」

「それは結果論っていうか」

「嘘よ、いつものことじゃない。さんざん手玉にとって相手をめろめろにさせておきながら、完全に自分のほうを向いたらとたんに興味なくして放りだすなんて」

「ねえ、ちょっとあんまりだよ」と夏帆は言った。「ただ単に関係が終わったっていうだけのことで、私としてはべつに放りだしたつもりはないんだけどな」

「つもりはない？　なおさら始末が悪いわね」

そこまできっぱり断言されてしまっては、もう何も言い返せない。

「それでも、夕子だけは大丈夫だろうと思ってたのに」

「どういうこと？」

「あなた、いったいあの子に何したの？」

逆に訊き返される。

何もしていない——とは、さすがに言えなかった。

「ああ見えて夕子は、すごく警戒心が強い子なのよ。これまでは、あたしにしか心をひらかなかったのに……よりによってあなたみたいなのに引っかかるなんて、バカなんだから」

一方的に責められ、気まずいには違いないのだが、同時に夏帆はかすかな晴れがましさを覚えた。敏感に察知した香奈恵が、褒めてるんじゃないんだからね、と釘《くぎ》を刺す。

「わかってるよ」

それでも夏帆は、むしろ自信をもらったような気分だった。香奈恵が自分を今どういう目で見ているかということよりも、どれほど注意深く見つめてきたかのほうに大きな意味がある気がした。

「自分でもわかってはいるんだけど——私は、こういうふうでしかいられないんだよ」

言ってから、これではきっと意味が通じないだろうと思ったのだが、香奈恵は訊き返さなかった。夏帆も、それ以上の説明はやめた。香奈恵に倣って天井を見上げる。床から見る天井はひどく遠く感じられた。

(こういうふうでしかいられない……)

それは、逃げなのだろうか。

おそらく、夏帆が抽《ぬき》んでていたのは、他者に夢を見せる能力だったのだろう。たとえば日々書き綴っている小説のなかでは常に、その場面に最もふさわしいセリフを生みだそうと頭を使う。それとまったく同じ感覚で、夏帆はふだんの学校生活の中でも、目の前にいる相手に対して平気で歯の浮くようなセリフを――しかも心を込めて――言ってみせることができた。

口にする前に、そのセリフがちゃんと気の利いたものかどうか、あるいはどれだけその場をドラマティックに盛りあげられるかを、無意識のうちにも計算してしまう。そういう意味では、夏帆の口から出る言葉のすべては〈虚構〉であり〈演技〉だった。言っている内容に嘘はなくても、意図的に脚色を加えた段階で、言葉は、真実をすこし離れる。それを手練手管と言われてしまうなら、もう仕方がない、と夏帆は思う。

この癖は、おそらく一生抜けない。

母の血だ。骨の髄まで、あの母譲りの演技グセがしみついている。

だが、たとえ一種の擬態でしかなくても、たくさんの少女たちの中にあって〈少年〉としてふるまっている間、夏帆は、生まれて初めての自由を堪能していた。家にいる時には決して味わうことのできなかった自由だった。自分は生まれる性を間違えたのだとさえ思った。もしも最初から男の子に生まれていたら、あの母親に対してだって、もう少しくらいは強気に出ることができていたかもしれない。

「ごめんね」

と、夏帆は言った。

「今度のは何よ」つっけんどんに香奈恵が言う。「どういうつもりの〈ごめん〉よ」

「いろいろ、ぜんぶ含めてだよ。だって、私のせいで、夕子とあなたは決裂しちゃったわけだし」

すると香奈恵は、思いきり首をふった。枕に差しだしている夏帆の腕が痛むくらいだった。

「ねえ、あたしがいつ、あなたのせいだなんて言った？　ひとことも言ってないはずだけど」

「でも、さっき……」

「自惚《うぬぼ》れないでよね」ぴしゃりとさえぎられた。「あたしを、あなたのお取り巻きの女の子たちと一緒くたにしないで」

「そんなつもりじゃ、」

「いい？　これだけははっきり言っとくわよ。いつもはどうだか知らないけど、今回ばかりは、あなたがあたしを選んだわけじゃない。あたしが、あなたを選んだのよ」

「――どうして」

「はあ？」

「それ、真面目に訊いてるの？」

ごめん、と思わずまた不用意に謝りそうになった時だ。香奈恵が言った。

「そんなの、当たり前じゃない。長い付き合いの親友よりも、どうしてもあなたを手に入れたいと思ったからよ」

言葉はまず、心臓に来た。そこから全身にじわじわと染みてゆき、指の先まで行き渡っていった。まるで、毒が回るかのようだった。強いけれども、甘い毒。

夏帆は、腕枕を巻き取るようにして香奈恵を抱き寄せた。

香奈恵は抗わなかった。額を夏帆の胸もとに押しあてて、じっとしている。息づかいだけが少し、疾《はや》い。

今までにも何人かの少女たちと同じようなことをしてきたのだから、手順のすべてはとうにわかっているはずなのに、初めての相手の時はいつも脈が走る。拒まれた場合はどうフォローしよう、というような緊張も無いではないが、それよりも、今から分け合おうとしている秘密のひとときへの期待と昂揚のほうが大きかった。実際、これまでのところ土壇場で拒まれたことは一度もない。相手から発せられる微妙なサインは、かすかな香りのように漂ってくるものだ。

もう一方の腕を、彼女の背中にまわす。初めはそっと、それから徐々に、抱きしめる腕に力をこめてゆく。あご先を香奈恵のつむじにあて、すくうように押しやる。彼女はかすかな喉声をもらし、少しだけ顔をあげた。

いつもは誰より気が強く、口をひらけば憎たらしいことしか言わない香奈恵が、まるで言葉も通じない異国で道に迷ったかのような心細い目をしている。

けれど夏帆は、容赦しなかった。どんなに相手が躊躇《ちゅうちょ》しているように見えても、ここでこちらが引いてしまってはいけないのだ。それでは、せっかくここまで〈流されて〉くれた女の子に恥をかかせることになる。

あご先で、今度は彼女の額を押しやるようにしてもっと仰向かせ、背中にまわしていた手を頰にあてる。そのまま自分が上になり、思いきって唇を重ねた。香奈恵が、泣くような声をもらす。何度も何度も、角度を変えてはキスをする。しがみついてくるのを、さらに強い力で抱きしめ返してやる。

そうして口づけをくり返しながら夏帆は、いつ香奈恵の親が帰ってきてもわかるように耳を澄ませていた。隠れていけないことをしている……そう思えば思うほど、背骨の下のほうが甘く痺れるようだった。

最後に下唇を軽く咬《か》んで引っぱり、顔を離して見おろすと、香奈恵はやがて、閉じていたまぶたをゆっくりひらいた。目が、すっかり潤んでしまっていた。

「いやじゃ、なかった？」

ささやくように訊いてやると、香奈恵は小さくうなずいた。

「い……つも……」

「え？」

「いつも、こんなキスをしてるの？」

夏帆は苦笑した。

「まあそうだね」

「誰にでも？」

「まさか。気に入った子にだけ」

香奈恵の眉根に、かすかに皺が寄る。

「夕子にも？」

うなずこうとして思い直し、夏帆は、香奈恵の額にかかっていた髪を指で梳《す》くようにかき上げた。

「夕子には、もうちょっと違ったかな」

「どんなふうに？」

「――試してみる？」

香奈恵の返事を待たずに、もう一度唇を重ねる。前のよりもずっと深いキスだった。

途中で唇を離し、耳もとでささやく。

「息、止めてなくていいんだよ。普通に息すればいいのに」

「ど……どうやって」

「鼻で」

思わず笑いだしながら言ってやると、背中を強くつねられた。

「いてて」

「腹立つ。一人で余裕かましちゃって」

「それはしょうがないんじゃない？　経験の差ってやつ？」

香奈恵が無言で下から睨みあげてくる。

ごめん、と夏帆は言った。

「ほんとは、ぜんぜん余裕なんかないよ。夕子の時は、なんて比べたりするとまたあなたは怒るかもしれないけど、正直、彼女との時はこんなにドキドキしなかった」

「あたしだと、緊張するの？」

「そうだね」

「どうして？」

どうしてだろうね、と夏帆は言った。

「試されているような気がするからかな」

香奈恵がけげんな顔をする。

「試すって、何を」

「う……ん。よくわかんないけど」

口でうまく説明できるようなことではないのだ。

黙って続きを始めると、香奈恵も再びそちらに夢中になり、瞬く間にさっきの心細げな彼女に戻った。

その様子はまさに、男の多くが望むであろう処女の佇《たたず》まいそのものだった。心細いのは本当だろうが、どこかでそういう自分を演じているように見えた。

——こんなことをするのは、あなたが初めて。

——こんなことを許すのは、あなたにだけ。

〈抱く側〉にとって望ましい、〈抱かれる側〉のいたいけさを、まったくの嘘ではなくとも自身の実際よりいくらか大きく演じてみせることで、相手を気持ちよくさせ、自分も気持ちよくなる。互いの作りあげる虚構で互いに刺激しあい、その場を何倍にも盛りあげてゆく……。

それが見えてしまうのは、香奈恵の演技が稚拙だからではない。同じだからだ、と夏帆は思う。香奈恵は自分と同じ種類の生きものなのだ。だからこそ自分には彼女のしようとしていることが見えるし、彼女が相手だと緊張もするのだ。

これまでにないほどの集中をもって、夏帆は、香奈恵とすることのすべてに没頭していった。

〈長い付き合いの親友よりも、どうしてもあなたを手に入れたいと思った〉

そこまできっぱりと言い切ってくれた香奈恵に、こちらも後悔させないだけの想いで応えられるかどうか。彼女の期待する以上の世界を見せられるかどうか——。

一挙手一投足どころではない。言葉や吐息の一つひとつまでもを、香奈恵から試されている気がした。

桐原香奈恵とこれ以上はないほど親密に過ごしたあの日々こそが、それまで夏帆が生きてきた中で最も心穏やかな時代だったと言えるかもしれない。

同じ物事を前にした時、感じ方がよく似ているぶん、互いに違和感を覚えずに済む。また一方で、考え方はすこし違うから、その違いがまた刺激となって、お互いに飽きるということがない。

そんなふうな知的興奮は、これまで付き合った他の少女たちとの間では経験したことのないものだった。たとえば夕子などは一心に夏帆を慕ってきてくれたし、夏帆のほうも彼女のわがままを愛しいと思った時期があったが、相手との間に切磋琢磨《せっさたくま》はほとんどなかったのだ。

自分は何よりもまず、尊敬という感情が無ければ、ほんとうには人を愛せないのだと夏帆は思った。相手とつきあう中で、この部分はかなわない、と感じる瞬間があるからこそ、尊敬し、信頼することができる。そしてまた、信じているからこそ、その人の前で安らぐこともできる。

格下の相手の前でなければ気を抜くことも安らぐこともできない、というタイプの人もいるかもしれないが、夏帆は違った。尊敬に値しない相手の前では、真に心安らぐことはできないのだった。

香奈恵に対しては、ほとんどのことを打ち明けられた。

厳しすぎる母親への、畏怖と反感。それでもいい子でいようとしてしまう不甲斐《ふがい》なさへの自己嫌悪。性と、自身の性別についての混乱。早く何者かになって、今いるここを飛び出したいという焦燥……。

打ち明けたからといって即座に問題が解決するわけでもなければ、すぐさま心が軽くなるわけでもなかったが、多くの悩みを一人きりで背負わなくて済むだけ、どれほど楽になったかしれない。

とはいえ、中にはどうしても話せないこともあった。そう、夏帆にとっての影の歴史とも言うべき部分だ。

とくに、中学の時の——あの思いだすのも忌まわしい事件に関しては、何がどうあっても香奈恵に知られたくなかった。もう済んだことだとも、苦いけれど貴重な経験だったとも、とうてい思えなかった。夏帆にとって、それはただただ恥部でしかなかった。

ほんとうは、親も、兄も、いまだに知らないことがある。捕まったのは一度きりだが、実際には、それからも何度もやった。

安いものがほとんどだったが、時には大きくて高い写真集も盗った。そのうちに知恵がついてくると、小さいわりに単価の高い、辞書や専門書に手を出すようになった。

欲しくても買えないコミック本を盗ったあの時とは違う。自分が欲しいわけではなく、それらには別の利用法があるのだった。古書店へ持っていって売り払うのだ。専門書をさしだして、怪しむような顔をされた時には、兄から頼まれたのだと周到な嘘までついた。

夏帆が欲しいものは、モノではなくてお金になっていた。友だちと学校帰りに雑貨店に寄って何か買ったり、ハンバーガーやピザを頼んで長々とだべったりする、そのための資金だ。

それならお小遣いを増やして欲しいと親に頼めばよかったではないか。美紀子を知らない人は、きっとそう言うに違いない。実際、ずいぶん前にたった一度だけ、お小遣いをもう少しだけ欲しいと——そうとう思いきって——言ってみたことはあったのだ。だがその時、母親は取り合ってもくれなかった。

〈何べんおんなじことを言わせるねん。正直に、友だちに話したらええやないか。うちはあんたらよりお小遣いが少ないから、そこまではつきあわれへん、て〉

台所に立っていた美紀子は、流しのほうを向いたまま言った。

〈なんでもかんでも、お金のある家の子と一緒のことせんでええの。そういう子らはな、お金の値打ちを知らへんのや。あんたも、そんなとこで見栄《みえ》なんか張るのやめとき。いやらし〉

一度として、ふり返ってもくれなかった。

さほどの落胆はなかった気がする。美紀子がしばしば、私立の高い月謝のことでぼやくのを聞いていたぶん、どうせ無理だろうとあらかじめあきらめる用意はできていた。

それきり、小遣いについて母親に何かを要求したためしはない。成功の見込みがないことにわざわざぶつかっていくのを、勇気とは呼ばない。ただの愚行にすぎない。

子どもの頃からの条件付けとでもいうのだろうか、母親からの否定の言葉は、どんな他愛のないことであっても、夏帆の中では〈叱られる恐怖〉に結びついてしまっていた。反対されることを思い描いただけで、条件反射的に身も心も竦《すく》みあがってしまう。

そういう母親との確執について、香奈恵を相手に断片的に打ち明けることはできた。それによって少し楽にもなれた。けれど、母親の支配が今もってどれほどの威力を持つかを、香奈恵にわかってもらうのは無理というものだった。小遣いのことで母親とぶつかるくらいなら盗みをくり返したほうがまし――そんな異常な判断をもたらしてしまうほど強く、母への恐怖が心臓の深いところに食い込んでいるなんて、いったい誰に理解できるだろう。

人はよく、誰かを評して〈裏表がある〉などと言うことがある。けれど人の心や魂はおそらく、こちらが表でこちらが裏、とすぐに判別がつくほど単純な形にはできていないのだ。心も魂も、一枚の紙のようではなく球形のもので、その球に光のあたる部分と影になる部分があり、境目は常にぼんやりと滲んでいる。そう、まるで月のように。

月は自転しながら地球のまわりを回っている。自転と公転の周期がともにほぼ二十七日だから、いつも同じ顔を地球に向けていることになる。つまり地球からはどうしても、月の半分しか見ることができない。影は未来永劫《えいごう》、影のまま。月の夜は、永遠の夜だ。

夏帆は、自分という月の暗がりを思った。半身とも思えるほど魂の近い香奈恵にすら、ここまでなら見せても大丈夫と思える側を注意深く選んで向けながらじりじりと回っている自分。

正直な姿を包み隠さず見せることで、もしも蔑《さげす》まれ、その果てに香奈恵を失うことになったらどうしよう。そう思うだけで、気力は萎えた。

ちょうど、母親の前で何か言おうとするたびに勇気を振り絞らなくてはならないのと同じだった。誰であれ、相手から否定されることへの怖れが、常に夏帆の口をつぐませるのだ。まだ犯してもいない罪への罰のように。

第十一章　――濁

夜半にコーヒーやお茶を飲むと眠れない、などと可愛いことを言っていた時期もあった。

今ではもう、ちょっとやそっとのカフェインでは眠気ざましにもならない。〆切前の土壇場で凶悪な睡魔と戦って勝つには、薬局へ出かけていって最も効き目の強いドリンク剤を買ってくるしかない。

飲んでしばらくすると、後頭部からうなじにかけての血管が、いきなり弾けて開ききる感覚に襲われる。眼球の奥の視神経が、目覚まし時計のネジでも巻くかのようにきりきりと巻きあげられ、それにつれて睡魔だけは渋々ながら去ってゆく。

ただし、〈うっかり眠ってしまわなくなる〉というだけのことであって、〈眠くなくなる〉わけではない。この二つには大きな違いがある。すでに四十時間ほども眠らずにいた脳と体は必死に休息を欲し、ひっきりなしに危険信号を発しているのに、その信号が薬によって遮断されているのだ。疲れは限界を超えて蓄積されていく。

物書きの仕事を始めて十年以上、雑誌の原稿を落としたことはまだないが、危なかったことなら何度かある。今回も、電話越しの編集者の声が最後にはそうとう殺気立っていたなあ、などとぼんやり思い返しながら、キッチンに立った夏帆はやかんにお湯を沸かし、カモミールティーを淹れた。

物音を聞きつけて部屋から出てきた大介が、夏帆の顔を見るなり言った。

「あ、仕事終わったんだ？」

「なんでわかるの？」

「だってそれ、ハーブティーでしょ」鼻をひくつかせながら大介が言う。「もう無理やり起きてなくてもよくなったのかなと思って」

夏帆は感心してうなずいた。

「さすが」

「まあそりゃあ、大事なひとのコンディションには敏感にもなりますよ」

はいはい、と苦笑で受け流す。

「あなたも飲む？」

「俺はいい。ハーブティーじゃなくて美味しいコーヒーだったら飲みたいけど、わざわざ俺の分だけ淹れてくれなんて言えないし」

くわえ煙草のまま、人を食った目をして夏帆を見る。やれやれとため息をつきながら、夏帆はコーヒー豆の入った缶に手をのばした。べつに無理しなくていいんだよ、と言う大介に向かって、鼻のあたまに思いきり皺を寄せてやる。

「私が淹れたくて淹れさせて頂くんです」

左手に持ったカップからカモミールティーをすすりながら、右手のやかんのお湯を、いま挽いたばかりの粉の上に注ぐ。立ちのぼる芳しい香りのせいばかりでなく、執筆の間じゅうあれほど辛かった眠気はすっかりどこかへ消え去っていた。仕事が終わるなりこれだ。現金すぎる自分にあきれてしまう。

丁寧に落としたコーヒーを、自室でパソコンに向かっている大介のもとへ運んでいくと、夏帆はその椅子の足もとにぺたんと座り、いつものように額を彼の腿に押しあてた。

「ああ、終わったよ……」

深いため息とともに改めてそうつぶやくと、これもまたいつものように、大介の分厚いてのひらが夏帆の後頭部に置かれた。

「お疲れさま。今回はちょっとしんどそうだったね」

「ちょっとじゃなくて、だいぶね」

大介が黙って、夏帆の頭をぽん、ぽんと優しく叩く。

「ねえ」

「うん？」

「ありがとね」

「何が」

「こんなめんどくさい女を甘えさせてくれてさ」

　頭上では煙草を吸う気配しかしないのだが、彼が目だけで笑んでいるのが、夏帆には見なくてもわかる。

「誰かを相手に身も心もゆるゆるにくつろぐのがこんなに気持ちいいなんて、あなたと会うまで知らなかった」

「前の旦那さんは違ったの？」

「う……ん、どうだろう」

「前に言ってた、あの高校時代の女友だちは？」

「香奈恵ね。彼女の前でも、もちろんリラックスはしてたよ。それを言うなら前の旦那との間もそう。お互いうまくいってた頃は、彼の前でも甘えたりくつろいだりしていたとは思う。でも、いつも半分だけだったの」

「半分？」

「そう。私っていう人間の半分。でもあなたには、それこそ香奈恵とのことまで全部話してしまえたでしょう？　私の中に、心も体も女の私と、体だけ女で心は男に近い私の、両方がいるんだってことも」

　大介が、ふむ、と鼻を鳴らす。マウスを弄《いじ》る手は、いつのまにか止まっていた。

「香奈恵といる時の私は、いわば男バージョンの私だったし、前の旦那やその前に付き合った彼氏なんかといる時の私は女バージョンだったの。つまり、いつだって私は、自分の半分でしか相手と向き合うことができなかったわけよ」

夏帆は、大介の太腿から額を離し、顔をあげて、かわりにそっと顎をのせた。目と目を合わせる。大介が、煙に片目をすがめながら見おろしてくる。

「でも、あなたはちゃんと受けとめてくれたじゃない？　私のことを」

「つまり——夏帆が今でも、状況によっては女性とも普通に恋に落ちうる人間だということを、っていう意味？」

「そう」

「だって俺、べつにそう特殊なことだと思ってないし」と、大介は言った。「俺自身は女性にしか興味がないけど、そうじゃない人も普通に友だちにいるしね。何も罪をおかしてるわけじゃないんだし、自由にすればいいことなんじゃないの？」

「じゃあ……私がもし、好みの女の子の前で急に、いつもより男っぽい感じになるのを見たらどう思う？」

さあねえ、と大介が首をかしげる。

「今は俺とつきあってるわけだから、実際に恋に落ちてもらうのはちょっと困るけど、そうじゃなければ、へえおもしろいなあ、と思って観察するんじゃないかな」

夏帆はぷっとふきだした。

「おもしろいのはあなたのほうよ」

「そうかな」

「実際には私、これまでつきあった男の前で、男っぽい自分を見せられたためしなんてないんだけどね。逆に、女の子の前でもそう。香奈恵はそうでもなかったけど、その前につきあってた夕子なんかは、私が男の人の前で少しでも女っぽいところを見せると咎《とが》めるみたいな目をしたし、ほんのちょっとよそいきの声を出しても嫌みを言った。私がスカートをはくことさえ嫌がったくらい」

「それは、けっこうしんどいね」

「もちろん感謝してはいるんだよ、あの頃の女の子たちには。彼女たちがいてくれなかったら、私は自分の中に育ってしまった男性性みたいなものを解き放つことができなくて、それはそれですごく苦しかったと思うもの」

　恋愛が基本的に二人でするものである以上、相手に合わせる部分はあって当然だ。相手の求めていることをしてやりたいという想いがあり、相手の望まないことはしないようにしようという意思があって、初めて互いがうまくいく。

　ただ、それでもやはり、常に男っぽい部分だけを求められたり、女の部分を封印し続けなくてはいけない状況は、大介の言うとおり、なかなかにしんどいものだった。

　太い腿にあごをのせたまま、大介の腹のあたりを見つめる。

「だからね、何度も言うようだけど、男も女も含めてあなたが初めてなのよ。私が、自分の中の両面ともを素直に見せることができたのは」

「まあ、俺はさ。たいていのことでは驚かないよ。これでも、今までに相当いろんなもの見てきたから」

冗談めかしているが、おそらく何の誇張もない事実だろうと夏帆は思う。彼の過去については夏帆ですら全てを知らされているわけではない。

「それはそうと、寝なくていいの？」と大介が言う。「俺にコーヒーなんか淹れてくれたから目が冴《さ》えちゃった？」

「ううん。眠いことは眠いはずなんだけど、寝るのがもったいなくて。やっと仕事が終わって、何をしてもいいんだと思うとね」

「でも、またすぐに別の〆切がめぐってくるわけでしょ」

「それを言わないでよ」と夏帆は呻いた。「束《つか》の間《ま》の自由なんだから、一緒にそんなものないってふりをしてて」

昼の両端を下げて笑った大介が、ふと、思いついたように言った。

「じゃあ、ひとつ訊いてもいいかな」

「なに？」

「夏帆がさ。高校の時に女の子とそういうことしてる現場を、どっちかの親に見られたことはなかったの」

今度は夏帆が同じように苦笑いする番だった。

「あったって言えばあったかな」

「うそ」

「あの頃うちは、向かいのアパートの一室を離れみたいにして借りてたのね。で、休みの前の晩に、夕子が来てその部屋に泊まってたわけ。寝坊して、目が覚めて、二人でその……まあつまりあれやこれやしてる真っ最中に、いきなりうちの父親がドアの鍵開けて入ってきたのよ。何か必要な物があって取りに来たみたいなんだけど」

「どうしたの、それで」

「とっさに彼女に布団かぶせて、寝ぼけて抱きついてるふりしてやり過ごしたわよ。私のほうは、彼女がおっぱいとか見るの嫌がるからシャツ着たままだったし……そうやって一緒に寝てるの見られたからって、べつに疑われもしなかったみたいだし」

けげんそうな大介の顔を見て付け加える。

「女の子同士ってね、泊まりに行っても、けっこう普通に同じベッドでくっついて寝たりするものなの。布団を敷くのが面倒っていうだけでもね。それにほら、親だって、娘が男と同衾《どうきん》してたなら怒り狂って布団を引きはがしたりもするかもしれないけど、何しろ女同士なんだもの、それはないでしょ。そもそも疑いすら頭に浮かばないっていうか。たとえ布団の中で直前までどんなことが行われていたとしても、傍《はた》から見ればただ、あんたたち仲がいいねえ、で済まされるってわけ」

大介が複雑な表情で唸る。

「夏帆は、経験が豊富なんだなあ」

「何それ。皮肉？」

「いや、全然そうじゃなくて。こうして聞いてると、夏帆がふだんインタビューとかで喋ったり小説に書いたりしてる言葉は、ほとんどが体を通って出てきた言葉なんだなってわかるからさ。そこは俺、素直に、たいしたもんだと思ってるよ」

「……そう」

そういうことならありがとう、と、夏帆も素直に言った。

「だけど、お父さんならまだわかるんだけどさ」

大介が煙草をもう一本くわえる。健康に悪いから、と止める気は夏帆にはさらさらない。どんなに体に悪くても、人によっては心にいいと言える類のものが、この世には存外たくさんある。

「ちょっと意外なんだよね。あのお母さんまでが、夏帆のそういう部分にぜんぜん気づかなかったっていうのはさ。そういうことに敏感そうっていうか、むしろものすごく神経質に疑いそうな感じなのに」

言われて初めて、夏帆も考え込んだ。たしかに、奇妙だ。

かつて、リカちゃん人形の裸を見てさえ「いやらし」と言い捨てた母親だ。性的なものに関する拒絶反応は激しく、まだ幼かった夏帆が、その意味もよくわからずにもじもじと股間をさわっていた時など、半狂乱で叱られたものだ。

〈今から先生呼んで、その脚、切ってもらおな〉

一家の主治医の名前をあげながら母親が黒電話の受話器を取った時、夏帆は、恐怖のあまり失禁した。

　姉妹が成長してからも、母親の態度にほとんど変わりはなかった。観ているテレビにほんの少しでもきわどいラヴシーンなど出てくると、消しなさい、と叱られるほどだった。

その母が――しょっちゅう互いの家に泊まりあっていた夕子や香奈恵との仲を、少しも疑ってかからなかったことのほうが、なるほど、今考えればおかしい。

いつだったか、香奈恵以外の誰にも見せないことを前提にこっそり書いていたエロティックな小説を、美紀子が勝手にかばんから出して読んだことがある。そのとき美紀子は、同じ部屋にいた秋実でさえ蒼白になるほどの凄まじい勢いで怒り狂い、夏帆を押し入れのふすまの前に立たせて叱りつけた。目が据わっていた。

〈こんなもん……こんないやらしいもん、どっから写したん！〉

　写す？　まさか、写してなどいない、完全に私のオリジナルだ――とは、もちろん言えなかった。人のものを勝手にひっぱり出して読むのはやめてよ、とも。

〈こんなもん読んだり書いたりして、キワキワとおかしな気分になるのがええのんか？　いやらしい子やな、ほんまに〉

　直立不動のまま、恐怖に身をすくませていると、美紀子は吐き捨てるように言った。

〈キスマークがどないしたのこないしたので、こんなこといったいどこで覚えて来るんや。あんたまさか、おかしな友だちと付きおうてるんやないやろな、ええ？〉

違うよ、たまたま昼休みにそのへんに置いてあった漫画で読んだんだよ、と小さく言い訳をする。例の、寄宿学校を舞台に少年愛を描いた作品だった。

〈そんないやらしもん、読みなさんな！　いくら置いてあったかて、ひらいてみてそういう漫画やったら、あんたが読まなんだらええ話やないの。誰がそんなもん持ってくるんや、ほんまにいやらしい！〉

〈お母ちゃん〉と、隅のソファのところから、たまりかねた秋実が口をはさむ。〈お隣に聞こえちゃうよ〉

夏帆はぎょっとなって開け放った縁側を見やった。女学生の頃お芝居が得意だったというのを自慢するだけあって、母の声はやたらとよく通る。こうして叱られている内容までが筒抜けになってしまったら、明日から恥ずかしくてお隣のおばさんに挨拶もできない。

〈お母ちゃんはなあ〉

さすがに少し声を落として、美紀子は続けた。

〈何もあんたらに、セックスがどれもこれもみんないやらしいことやと言うてるのやないねんで。お父ちゃんとお母ちゃんがセックスをせえへんかったら、あんたらかて生まれてきてないんやから〉

秋実が、げえ、という表情をして顔を背けた。

〈やめてよ、お母ちゃん。そんなこと聞きたくないよ〉

〈聞きとうのうても聞いとき！　ほんまのことやんか！〉

秋実を睨みつけた美紀子は、彼女が黙ると再び、立たせている夏帆のほうを向いた。

〈昔の映画でも小説でも、きれいなきれいなラヴシーンはなんぼでもある。前にテレビの洋画劇場で『ローマの休日』にキスシーンが出てきたけど、お母ちゃん、それ観てるあんたらを怒ったか？　え？　怒らへんなんだやろ？　大人向けのちゃんとした小説にセックスのシーンが出てくるからいうて、夏帆、あんたに読ませへんなんだか？　読ませたげたやろ、なあ〉

母の口から〈セックス〉という言葉が出るのを聞くのは、初めてではなかった。

一度目は、忘れもしない、小学三年生の春休みだ。ポチを連れて散歩に出かけた先で、どこかの牡犬《おすいぬ》が、ポチの腰を後ろからかかえるようにして動かなくなった。そのことを家に帰ってから話した夏帆に、美紀子は言ったのだ。

〈ちょっとそこへすわり〉

そうして、いきなり〈セックス〉について説明を始めた。

〈ポチもしばらくしたらまた子犬産むわ。あんたもおんなじ理屈で生まれてきたんやで。こんなこと親からちゃんと教わってるのは、まだきっと学年であんた一人やろな〉

どこか得意気なあの顔……。

〈夏帆、あんた、聞いてるのん？〉

言われて我に返り、夏帆は小刻みにうなずいた。夕暮れ時から点《とも》されていた蛍光灯が、その時ふっと明度を落とした気がした。

〈せやけどな、あんたがそのノートへ写したか書きつけたかしたもんは、ああいうものとは全然ちゃう。ただ薄汚い、読むもんの下品な劣情を煽《あお》るだけの、程度の低いセックス描写や。そんなもんを読んだり書いたりして、キワキワした気分を楽しむような落つる子に、お母ちゃんはあんたを育てた覚えはないで〉

なあ、お母ちゃんの言うてることがわかるか、と詰問されて、またも激しくうなずきながら、夏帆は懸命に吐き気をこらえていた。

胃の腑の底から、むかむかと酸っぱいものがこみあげてくる。これはまずい。前にも経験がある。貧血の先触れだ。

夏帆は、何度も唾を飲み下した。自分の部屋へ逃げだして横になりたいのに、まだ怒りの収まらない様子の母親が怖くてとても言いだせない。

きぃぃん……と耳の奥で金属音がし始める。額に冷たい脂汗が噴きだす。とめどなく湧いてくる生唾を、飲み下し、また飲み下し、とうとうそれを飲みこみきれなくなった時、夏帆はてのひらで口もとを覆って縁側へ走り、くの字になるなり胃の中身を吐き戻した。

お姉ちゃん！　と秋実が叫ぶ。やだ、大丈夫？

〈何や、あんた〉

背後から見ていた美紀子が、鼻白んだように言った。

〈気分が悪かったんやったら、早よ言うたらええやんか。あほやな〉

夏帆は、生まれて初めて、母がほんとうに死ねばいいと思った。

「今思うと、あの時だった気がするの。何かが決定的に壊れたのは」

大介の椅子の足もとで膝を抱えながら、夏帆は言った。

「壊れた？」

「そう。何ていうのかな……母に対して、まだ残っていた信頼とか、安心とか、そういうもの？　昔から怒らせると怖い人ではあったし、いつ何をきっかけに怒りだすかも私にはよくわからなかったから、家で何をしている時でも、同じ屋根の下に母がいるっていうだけで完全に気をゆるめることはできなかったんだけど、それでも、何だかんだ言ったって親子だもの。大前提として、この人は私を愛しているからこんなに叱るし厳しくもするんだっていう、いちばん根本的なことを疑ったりしたことはなかったのよ。でも……」

「それが、その時壊れた？」

「うん。たぶん」

抱えた膝小僧越しに、ゆっくりとため息を吐きだす。

「ねえ、あなた、『叱る』と『怒る』の違いって何だと思う？」

大介が、くわえ煙草のまま動きを止める。考えている様子だ。やがて言った。

「『叱る』は、理性。『怒る』は、感情」

　夏帆は、彼を見上げた。

「話が早いね。私も、まったくそうだと思う」

「で、お母さんのはたいてい『怒る』のほうだったってこと」

「うん。おまけに時々そこへ、『怒る』よりもさらに感情的な『八つ当たり』が加わった感じ。だって私、何を言われても口答えなんかできなかったんだよ。それでもあのひとは、いつだって、自分の中に荒れ狂う感情がおさまるまでは私を攻撃し続けた。途中でやめてなんかくれなかった。『怒る』っていう感情にだってふつうは理由くらいあるだろうけど、お母ちゃんのあれは違ってたと思う。自分の言葉の激しさに自分で酔ってしまって、どんどん感情が激していくのを全部私にぶつけて解消してるだけだった気がするの」

　膝に顎をのせてうずくまる夏帆の頭を、大介の指が撫でる。あやうく涙ぐみそうになった。ここにいる自分はもういいかげん大人で、いい年をしていまだに母との関係に傷ついていること自体が不甲斐ないとも思うのに、七つも年下の男から優しく頭を撫でられただけで、一瞬にして子どもに返ってしまう。これではいわゆる〈イタイ女〉というやつではないか、と情けなくなる。

　だが──何という安心感だろう。

　年など、何の関係もないのかもしれない。大介の足もとで膝を抱えている今この瞬間の夏帆は、肉体こそ四十も間近の女性でありながら、心は自分を守るすべをろくに持たない〈子ども〉でしかなかった。それに比べれば大介は、実年齢こそ七つ下でも、圧倒的に〈大人〉と言える人間としてそこにいる。無条件に自分の味方になってくれる大人から、こうして黙って頭を撫でてもらうことの幸せ。あのころ夏帆がいちばん欲しかったのは、この、但《ただ》し書《が》きのいらない安心感だったのかもしれない。

「なんか、よくわかんないや」と、夏帆はつぶやいた。「こんなふうにいじけてるのは私だけで、秋実や弘兄から見たら逆に、お前がいちばんお母ちゃんに愛されてたじゃないか、とか言われちゃうのかもしれないし」

「それは、まあ、ありうるね」

「でしょ。母親が私にいろいろ期待をかけてたのは事実だし。だけど私ね、ほんとに心の底から思うんだ。親のいちばんの愛情って、じつは、子どもに期待をしないことなんじゃないかって。子どもなんて産んだことのない私が言ったら、秋実にまた鼻で嗤《わら》われちゃうかもしれないけど」

「それを言ったら、俺ら男なんか一生何にも語れないじゃん」

夏帆は思わず笑った。

「たしかに」

「俺に限らず、男はいっさい教育に口出すなって話になっちゃうでしょ。世の中、みんながみんな親になるわけじゃないけど、これまで一度も子どもだったことのない人間は一人もいないわけでさ。夏帆が、かつては誰かの子どもだった立場から、親ってもののあり方について物を言うことには大きな意味があると思うけどね」

夜更けの部屋に、静かな口調が染みこむようだ。

「子育てってものを親側の理屈や都合で考えるんじゃなくてさ。子どもだった時に苦しんだことのある人の側から、自分はこういうふうにされて辛かった、だからそれだけはやめようよって声をあげることは、じつはすごく大事なことなんじゃないかと俺は思うよ」

慰められつつも、そっとたしなめられている気がした。謙虚なのはいいが、過剰に自分を卑下するのは愚かなことだ、と。卑下も自戒も、行き過ぎればそれこそ美紀子の怒りと似て、ただ激した感情に酔っているだけになってしまう。自分のような女の陥りやすい罠《わな》だ、と思った。

「夏帆の言うこと、間違ってないと思うよ」と、大介が続ける。「うちの両親なんかは、まさに、子どもに期待ってものをまったくしない親でさ。俺は姉貴よりずっと勉強ができたけど、だからってものすごく褒められるわけでもなかったし、学校サボったからってものすごく叱られるわけでもなかった。男なんだから好きにやんなさい、みたいな感じで、基本的にはずっとほっとかれてたな」

夏帆は、何度か顔を合わせたことのある大介の家族を思い浮かべた。

いちばん最初に会ったのは、付き合いだしてまだ間もない頃だった。夏の盛りのある日、どこへ行くとも言わずに連れていかれ、車を降りてみると彼の実家の前だったのだ。膝丈のデニムにトングサンダルという、あまりにもカジュアルな、まるでこれから海へ行くような格好だった夏帆は必死になって辞退したが、結局家に上がってお茶を頂く羽目になった。

帰りの車の中で、こんなことなら前もって言っておいてくれればお洒落もお化粧もちゃんとして行ったのに、と大介をなじると、彼はまっすぐ前を見たまま言った。

〈俺を産んで育てた人を、あなたに見せたかったんだ〉

そんなのちっとも言い訳になってない、と思いながらも、夏帆はなぜか鼻の奥がきなくさいようにつんとして、それ以上何も言えなくなった。

以来、一年に二、三度の割合であの家を訪れている。大介が、木更津の夏帆の両親宅を訪ねることをいとわずにいてくれるからだけではない。彼の母親は、目方は息子の半分にも満たないほど小柄な人だったが、面差しと表情はよく似ていて、会えばいつも夏帆に気さくに話しかけてくれる。うちの息子が本当にお世話になって、などと、きちんと正座して頭まで下げられると、夏帆のほうが恐縮してしまい、お互いお辞儀合戦になって最後には二人して笑いだしてしまうくらいだった。

「私、あなたのお母さん、好きだな」

大介は黙っている。

「この仕事をしてるとね」と、夏帆はかまわず続けた。「日頃、初対面の人から値踏みされているなって感じることがよくあるの。仕事上、私より立場が上の人はものすごく無遠慮にそれをやるし、逆に、立場的に私に対して下手に出なくちゃいけない人であってもそう。どういうことを言うと私に機嫌よくいてもらえるか、計られているのを感じるの」

前者はともかく、後者は気遣いの表れであることが多いから、黙ってありがたく受けとめるうち、すっかりその視線に慣れてしまっていた。そもそも夏帆の家族自体、どちらかといえば上からの目線でさりげなく人を値踏みする傾向が強い人たちだったのだ。

だが、大介の家族からは、その手の視線をいっさい感じたことがない。目の前の人間を、ただあるがままに受け容れる。自分の価値観で推し量ったり批評したり、評価したりしない。この世に〈人を値踏みしない〉という美徳が存在することを、夏帆は、大介の家を訪ねて初めて知った気がするのだ。

「そう思ってくれるのは嬉しいけど」と大介が苦笑いを浮かべる。「うちの家族がそうなった背景には、一つには階級差みたいな部分もあると思うよ」

「え？　どういうこと？」

「単純に言うと、うちの連中は自分たちのことを、人を値踏みできるほど上等だなんて思ってないってこと。たぶんそんなの、頭に浮かんだこともない人たちなんだ。値踏みを、される側ではあっても、する側じゃないんだよ」

眉を寄せて黙りこんだ夏帆を見おろしながら、大介は続けた。

「俺はさ。小さい頃からずっと、長距離ダンプの運転手をしてた親父の背中を見て育って、よく隣に乗せてもらったりもして、親父の持つ強さをすごく尊敬もしてたけど、だからって自分も同じようになりたいとは思わなかった。だからこそ、さっさと家を飛びだしたわけでさ。そのあたりの背景はやっぱり、夏帆とか、夏帆の通ってた学校の友だちなんかとはだいぶ事情が違うよ」

夏帆は、ようやく言った。

咀嚼《そしやく》にいささか時間のかかる話だった。

「ご家族に対するあなたの分析がどれだけ正確かは別として——あくまで一般論としてなら、言わんとする意味はわからないでもないよ。でもやっぱり、もともとの人間性っていう部分は大きいと思うんだけどな。つまり……」

うん、と大介が言った。

「ありがとう。おふくろも、夏帆のこと褒めてたよ」

「え、ほんと？　なんて？」

「きちんとしてるって。あと、優しそうでいい人だって。『それがどうしてあんたみたいな子をねえ……』っていうため息つき」

「あんたみたいな子を、何？」

知らん、と大介は言った。

「まあ、今はほとんど夏帆が一人で稼いでる状態だってことも話してあるから、要するにそういう意味なんじゃない？」

「え、うそ。お母さん、ご存じなの？」

「うん。あんた最近は何してるの、って訊くから、ぷらぷらしてるって答えたら、さすがにあきれてたけどね。だから電話なんかでたまに話すと、開口一番『あんた、まだ夏帆さんに捨てられてないの』だよ」

　夏帆はふきだした。

「私、やっぱりあなたのお母さん好きだわ」

　言いながら――しかしふと、こうも思ってしまった。もしかして先方には、むしろさっさと捨ててくれたならそのほうが、というような思いも少しはあるのではないか。七つも年上で、子どもが望めないからというだけではない。男が働かないのは、女がせっせと貢ぐからだ。二人の関係に永続の保証があるならそれでもかまわないが、これで別れることになった場合、いい年をした息子は一人放りだされていったいどうするのか。親として、そんな心配をしたとしても何らおかしくはない。

　けれど、

「いや、それはないな」大介は、例によって淡々と言った。「そういう種類の心配をしてくれるような親じゃないんだってば。まあ、こんな年になってまで、されても困るしね。うちはお互い、親離れ子離れっていう意味では完璧と言っていいと思うよ」

「……そう」

それならいいんだけど、とつぶやく。

「夏帆の悪い癖はさ、どう考えても気にしなくていいようなことを、わざわざ先まわりして気にするところだよ。前もって最悪の事態を考えて、心の準備をしておかないと不安なのかもしれないけど」

よく見ている、と夏帆は思った。

「だいたい、万一いつか夏帆と駄目になったとしたって、俺、その時は自力でどうとでもするって。就職難だとか失業率がどうとか言うけど、仕事なんてものは選びさえしなければいくらだってあるんだよ。ほんとうに追い詰められたら選んでなんかいられない。選《え》り好みしてられるうちはまだ余裕があるってことだよ」

これまで実際に、人がまず選ばないような仕事もこなしてきた大介が言うと、妙な説得力がある。

「でもあなた、人に使われるの嫌いでしょ」

「好きな奴《やつ》なんかいないでしょ」と、大介が言い返す。「ほんとうに使われるのがいやだと思うなら、人の何倍もアタマ使って、自分で起業でも何でもすればいいんだしさ。これでも夏帆に出会う前はずっとそうやって一人で生きてきたんだから、今さら心配してもらうようなことじゃない。わかった？」

わかった、と夏帆は言った。

「じゃあ、お母さんが褒めてくれたのは素直に受け取って、私もそれについては気にしないことにする」

　それがいいと思うよ、と大介は言った。

「しかし、うちの家族もなんだかな。俺っていう人間に対する評価が、この世でいちばん低いのはあの人たちなんだよ。前にほら、夏帆と行ったアメリカ取材のことを話した時もそうだったでしょ。俺が英語ならふつうにしゃべれるって言っても、親父もおふくろも、『またあんたは……』とか鼻で嗤って信じてくれなかったし」

「そうだったね。あれはおかしかった」

「だから――話はだいぶ戻るけど、親に期待されずに育つっていうのも、楽ではあるかわりに張り合いもないわけでさ。夏帆だって、お母さんの期待に応えて、その結果うんと喜んでもらえた時は嬉しかったでしょ」

　そうだ。嬉しかった。ふだんは厳しい母親だからこそ、褒めてもらえると天にも昇る心地がした。喜ぶ顔を見るためなら何でもしようと思えた。先生よりも誰よりも、母親からの評価こそが、夏帆にとって最も価値あるものだった。

　だが、そういう積み重ねがあった分だけ、逆に、母親に失望されることは死刑宣告にも等しくなってしまったのだ。

　だから、悪いことは全部隠れてした。見つかったが最後どれだけ怖ろしいことになるかは身をもって知っていたから、それはもう細心の注意を払って隠し通した。

　あの母親が、夕子や香奈恵との関係に気づかなかったのは、夏帆がそれだけ慎重に隠した成果だったろう。あるいは、母自身が昔、女学校に通っていたせいもあったかもしれない。男っぽい同性に憧れたり、逆に特定の子に目をかけたりという関係があることは知っていて、どうせ一過性のものだからと高をくくっていたところはある。そういう関係のことを、母親は〈エス〉と呼んでいた。昔は、レズとは言わずにそう呼ぶのがふつうだったらしい。いずれにしても、娘たちの間に、まさか実際のセックスに近い関係があるとは思ってもみなかったのだろう。気づいたなら、とんでもない騒ぎになっていたはずだ。

ほんとうに、どうして気づかなかったのかわからない。どんなにこちらが上手に隠していても、正直、相手の少女たちの醸しだす空気のようなものまではコントロールのしようがなかった。目つきや喋り方などに表れる一種特別なサインを、あの母親が見過ごしたのはたしかに腑に落ちない。

深夜というよりはすでに明け方に近い部屋の中に、パソコンの低い唸りと、壁の時計が時を刻む音だけが響く。

夏帆は、記憶の底をまさぐった。濁った水底の泥の中から、どこに沈んでいるともしれない小石を手さぐりで探すように。

あの頃……高校時代の後半。夕子と離れて、香奈恵と付き合って……休み時間も放課後もさんざん喋ったあと学校から帰ると、母親はどうしていただろう。

「――そっか」と、やがて夏帆はつぶやいた。「いなかったんだわ、あんまり。あの頃はお母ちゃん、私たちが帰っても留守にしてることが多かったんだ。そうだ」

「どこへ行ってたの」

「さあ。デパートの紙袋をわさわさ提げて帰ってくることも多かったけど。なんだか、ヤケになって買い物してるみたいだった。あと、車の免許を取りに行ったりとかね」

免許？　と、大介が意外そうな声を出す。

「そうなの。女で、それも五十代にして初挑戦だなんて、あの時代には珍しかったと思うんだけどね。それまでバスで駅まで通ってた父を、どうでも車で送り迎えするんだって言い張って……お父ちゃんは免許持ってなかったから、わざわざ中古車を一台そのために買ったくらい」

「バス代のほうがむしろ安かったんじゃないの」

「お父ちゃんもそう言ってた。でも、お母ちゃんがどうしてもって」

「なんでそんな、わざわざ」

まったくだ。たとえ中古車ではあっても、数年分の定期券代のほうがはるかに安いはずだし、そもそも交通費なら会社から支給されている。

だが父には、朝はともかくとして特に晩、駅まで迎えに行くと言う母を強く拒むことができなかったに違いない。拒めば……。

――ともあれ、免許は無事に取れた。人が受かる試験に自分は落ちるなどプライドが許さなかったのだろう、仮免も本試験も一発だったと言って美紀子は鼻高々だった。

得意の握手とあけっぴろげな性格で、教習所の仲間や教官ともすぐに仲良くなった。それどころか、仲間も教官もそろって日曜の午後に食事会をしたり、朝早くからみんなで田舎のほうへドライブに出かけたりすることもあった。教習所でそんな付き合いの輪が生まれるなど、あまり聞かない話だった。

〈お母ちゃんのこれはなあ、もう、一種の才能やねん〉

相変わらず得意そうに美紀子は言った。

〈なんでか知らん、いつのまにやら、みんながお母ちゃんを中心にまとまってしまうねんで〉

けれど、夏帆はいやでたまらなかった。自分がみんなにどれだけ人気で、男の教官たちとも仲良しで、向こうからもどういうふうに気安く話しかけてくるかといったようなことを、父のいる夕飯の席でいちいち誇張して話す母親が我慢ならなかった。夏帆だけではない。秋実など、露骨に顔をしかめていたくらいだ。

母が、わざと父に聞かせているのはわかっていた。けれど当時の夏帆には、その程度の話がどうしてそんなにいやらしく聞こえるのか、理由まではわからなかった。教官からくどかれたとか手を握られたとかいうならともかく、せいぜい他愛のない軽口程度なのだ。

おそらく、あのころ夏帆や秋実が嫌悪を抱いたのは、美紀子の話の内容そのものではなかったのだろう。やましいことは何もないとはいえ、よその男と楽しく過ごした話や、相手をことさらに持ちあげて褒めるような言葉を、父の前であえて口にしてみせる美紀子の意図――その中にひそむ男女間の性的な匂いに対して、十代の夏帆たちは過敏に反応したのだ。自分の母親が女をむきだしにして父親の関心を惹こうとする現場など、見たくはなかった。百歩譲って、女であるのは仕方がないとしても、せめて思春期の娘の前では見せない努力をして欲しかった。

ただ、いま自分がこの年になってみると、わかる部分もあるのだった。母もあの頃は必死だったのだ、と。

当時、押し入れの引き出しにしまわれていた色とりどりの派手な下着を思いだす。何の気なしに開け、うっかり触れてしまった手を慌てて引っこめたあと、夏帆は、吐き気のするような嫌悪とともに、途轍《とてつ》もなくうら寂しい気分に襲われた。

派手、どころの騒ぎではなかった。明らかにただひとつの目的のために作られた、特殊な下着ばかりだった。毒々しい原色だったり、ほとんど用をなさないほど透けていたり。フリルやリボンや、果てはファスナーまでついた小さな布地そのものが、或る種の強い意志と意図を秘めていて、一応は洗濯されているにもかかわらず、どれもがむせ返りそうな牝《めす》の匂いをまき散らしていた。男を誘うというよりも、むしろ追い詰めてしまいそうなほどの凶暴な佇まいだった。

「私も、下着に凝るのは好きだけどさ」夏帆はぽつりと言った。「媚態《びたい》にだって、余裕がないとね。自分が愉しむ余裕をなくして目的のためだけに突っ走っちゃうと、色っぽくも何ともなくなるのよね。ただただ、悲愴《ひそう》で憐れに見えちゃうんだなあって」

「お母さん、そうやって自分より若い愛人に対抗しようとしてたのかな」

「そうかもね。いわゆる、大人の女の魅力で？」

冗談めかして言おうとしながら失敗し、自分の言葉に自分で哀しくなってしまった夏帆の頭を、

「ばか」大介がくしゃっとかきまぜる。「夏帆とお母さんは、違うでしょ」

「……うん」

抱えていた膝を放し、夏帆はそっと脚を伸ばした。

大介はそう言ってくれるが、夏帆には、母と自分がそれほど大きく違うようには思えなかった。あの頃の母を憐れと思う気持ちはそのまま、今の自分自身へ向かう両刃《もろは》の剣だ。

母ほど余裕をなくしてはいないかもしれない。だがそれは、夏帆のほうがほんの少しだけ、状況を俯瞰して見る術に長《た》けているからに過ぎない。ひとつ間違えば自分だって、大介の歓心を買おうと透けた下着を買いに走り、夜な夜なそれを身につけて彼の帰りを待っていたかもしれないのだ。それこそ、毎晩、強引に駅まで迎えに行ってでも。

「ねえ、前に話したの、覚えてる？」と、夏帆は言った。「私が小さい頃、母親に自慰をきつく咎められた話」

「もちろん覚えてるよ。脚を切ってやるって言われたんでしょ」

「たぶん、今現在の私がどうしようもなく抱いてる性的な欲求への後ろめたさは、あのへんからつながってる気がしてしょうがないの。あらかじめ、悪いことだって刷り込まれたからね。でもその一方で、私の中にもともとあった書くための力と、小さな発見を大きな感動として受けとめる力を伸ばしてくれたのは、紛れもなくあの母なんだよね。機嫌のいいときのあの人は、一緒にいるだけでわくわくさせてくれる、とっても愉しい人だった。私……私、決してあの人を憎んでるわけじゃないんだよ」

大介が、うっすらと苦笑いする。

「だから苦しいんでしょ」

「え」

「憎めるんだったら、むしろ楽なんだよ。夏帆がそうやって苦しんでるのは、情が邪魔してお母さんを憎めないからこそでしょ」

夏帆は、うつむいた。

「でも……こういうのってほら、いちいち苦しいなんて言ったら笑われちゃうくらい、あまりにもありがちな苦しみじゃない？　この程度の屈託を自分の物書きとしての核のひとつだなんて認めること自体、ほんとはイヤでたまらないんだけど――でも、生い立ちとか経験談としては世間一般にありがちでも、私の中の母への〈赦せなさ〉の度合いはやっぱり尋常じゃないわけだし。そこから合わせ鏡みたいに派生してきた自意識の過剰さみたいなものが、私を創作に向かわせる原動力のひとつであることを思ったら、やっぱり、あの母親には感謝しなくちゃいけないのかもしれないよね」

最後は皮肉な口調で言った夏帆を、大介は黙って見つめている。

なんかさ、と夏帆はため息をついた。

「なんかお母ちゃんてば、このごろ年取って小さくなっちゃって、昨日話したはずのことも今日になったら忘れちゃってて……そういうあの人を見てると、優しくしてあげなくちゃと思う一方で、フェアじゃない、っていう思いが突きあげてくるの」

「フェアじゃない？」

「だって、そうじゃない。言ってみれば、最初に仕掛けてきたのは向こうのくせに、さっさと先に果たし合いの場から降りられちゃったみたいなさ。もちろん実際には、今さら面と向かって恨みつらみを並べる気なんかないんだよ。そんなことしたって何にもならないのはわかってるし。だけど、勝手に先に降りちゃうなんてずるいよ、っていう思いから、どうしても自由になりきれないの。『ああ、これで私は、母親に思いの丈をぶつける機会を永遠になくしたんだなあ』って考えるとよけいにね」

「ちなみに、今でもお母さんのこと、怖いと思う？」

訊かれて、少し考え、夏帆はそれから首を横にふった。

「さすがにこのごろじゃもう、生身の母親を怖くはないかな。なんで昔はあんなに怖がってたのかよくわからないくらい。ただ、いまだに母親がちょっと険しい声を出したりすると、条件反射みたいに心臓がビクッてなることはある。怖ろしくはなくても、当時の記憶が一瞬フラッシュバックしちゃって」

一種のトラウマだよね、と夏帆は情けなく笑った。

「ほら、いつだったかあなたと木更津へ行った時に、兄貴のところの娘の反抗期の話題が出たじゃない？　あの時、何を思ったか母親が私に向かって、『あんたの反抗期もほんまに大変やったわ』みたいなことを言いだして……」

「ああ、あれね。あの時は、隣でぶわっと夏帆の髪が逆立つのがわかったよ」

やっぱり？　と苦笑する。

「それこそ、瞬間最大風速はナンボじゃってくらいの激しさで、胸の内側に吹きすさぶものがあったの。『私のあれを、あなたは反抗期と呼ぶか。反抗なんて微塵《みじん》もさせやしなかったじゃないか』って……」

つい語気が荒くなってしまうのをどうにか自制しながら、夏帆は続けた。

「母親から、言葉で『あんたはダメな子だ』って否定されたことはないの。そのことには、感謝してるよ。子どもにとって、親から否定されるほど辛いことはないものね」

そう、むしろ美紀子は、

〈あんたはやればできる〉

〈あんたの文章はすごい〉

〈絵ぇもお芝居も上手やなあ〉

そんな具合に、夏帆をぐいぐいと褒めてくれた。幼かった夏帆には、母の口から如雨《じょう》露《ろ》の水のように注がれるそれらの言葉がとても誇らしかった。

だが、そういった肯定の言葉はすべて、夏帆が母親を否定し始めた時から意味をなさなくなってしまったのだ。

「だってそうでしょ。『さすがはお母ちゃんの子やなあ、お母ちゃんも昔は今のあんたみたいやってんで』なんて言われて嬉しくなるには、あのひとを大好きで肯定してることが絶対条件なわけじゃない？　笑っちゃうのは、そういう時だけは『お父ちゃんの子』じゃなくて『お母ちゃんの子』にすり替わってるってことなんだけど――とにかく、私自身が母親を心の奥底で見切ってしまってからは、そんなふうに言われれば言われるだけ、いったいこの女から肯定されることにどれほどの意味がある？　なんて思えてきちゃってね。ああ、この人は、私という娘の中でも自分に似てるところだけを肯定するんだなあ、私はこれまでも、いちばんこうはなりたくないって思う女から、自分と似たところを探して肯定されてきただけなんだなあ、って……。そう気づいてしまったとたんに、それまで母親の褒め言葉によって与えられていたはずの自信までがぜんぶ、根っこから揺らいじゃったわけ」

大介がぽつりとつぶやいた。

「カラ手形みたいだな」

「ほんとにね。結局、私はいまだに子どもなんだろうと思う。原因がどこにあるかは、このとおり、もうずいぶん前からちゃんとわかってるの。ただ、対処の仕方がわからないまま……」

　四十時間ほども眠らずにいた上に、重たい話ばかりしていたせいだろう。さすがに、まぶたまで重たくなってきた。

　それこそ子どものように目をこすりながら、夏帆は続けた。

「今まで私、自分の小説の中に、母親のことをさんざん書いてきた気がする。厳密には、母親を赦せずにいる自分を、って言うべきかもしれないけどね」

　そもそも設定からして、娘をいろんな意味で束縛し続ける母親を登場させることが多かった。主人公の母親が病的にヒステリックであったり、高圧的であったり、おかしな宗教に入って娘にもその教義を押しつけようとしたり、という具合に。

「お母さんはそれ、読んでるのかな」

　大介がもっともな疑問を口にする。

「一応、全部読んでるみたいよ。だけど、まさか私の側から、あのくだり読んでどう思った？　なんて訊くわけにもいかないじゃない」

　大介は黙って聞いている。指先でジッポーをもてあそんでいるのは、むしろ集中しているときの彼の癖だ。

「そういう母親像を、できるだけ俯瞰して普遍的な姿で書こうとしながら、なんとか現実の自分の母親を理解しようと努めてきた気がするの。理解できたならいつか赦せるようにもなるかもしれないと思って」

「なるほど。それで、少しは効果あった？」

さあ、と夏帆は首をかしげた。

「デビューから二作目に書いた小説にはもうすでに、その手の母親が登場してるんだけど——あれからずいぶんたってるのに、私自身はまだこんなふうだもんね。効果なんて全然ないのかも」

「ちなみにそれはどういう話だったの」

夏帆は、軽く肩をすくめた。

「主人公の母親が、夫の浮気へのあてつけで狂言自殺をはかって、うっかり本当に死んじゃう話」

「え、まさか……」

大介が息をのみ、夏帆を凝視する。

そうだよ、と、静かに夏帆は言った。

「実際には、〈本当に死んじゃいそうになった〉だけだったけどね」

Interval　——美紀子

お父ちゃんがあの女とできてることくらい、うちはもう何年も前から気ぃついてた。

本人さんは上手にごまかしたつもりか知らんけど、そんなもん、最初からバレバレや。良う言うたら嘘のつかれへん人やけど、要するに脇が甘いというのんか、大事なとこがヌケたはるというたほうがええのんか。

いつやったかな。釣りに行くとか言うて、朝も早うから出かけていかはったのに、夜になったら死んだ目ぇしたイナダを一本さげて帰ってきはって。

あれはほんまに腹立ったわ。何がいちばん腹立ったて、そんな見え透いた嘘でだませると思われた、いうことが何より腹立って、血ぃが沸いたわ。俺が釣ったやなんて、あんな濁った目ぇした魚が海ん中泳いでてたまるかいな、あほらし。

さんざん問い詰めたったら最後には、

〈ボウズやったのが恥ずかしかったから、港で買うてちょっと嘘ついただけや〉

なんて苦しい言い訳したはったけど、それも嘘や。一日船に乗ってた人が日焼けもせんと、あんなツルリペカリと白い顔したはるわけがあらへん。どうせあの女と会うてたにきまってんねん。ほんまにもう、竿《さお》は竿でもどんな竿をふり回したはったんやら、あ、考えただけでまた血ぃ沸いてきた。情けない言うたらないで。

それもな、これが初めてやないねん。お父ちゃん、何でやしらんけど、あれでも昔から女にはもてはった。

いちばん最初は、昔々お父ちゃんが勤めてた診療所の看護婦やった。その人が勤務中に倒れて運ばれて、流産がわかって……誰が父親かは頑として口を割らへんかったそうやけど、何日かして、うちがたまたまお見舞いに行ったら、その人の枕もとにお父ちゃんが正座したはってな。うちを見るなり、盗みを見つかった子どもみたいな顔して、目をそらさはった。それだけでうち、みぃんなわかってしもてん。鋭いやろ？　ほんま、女のことでは苦労させられたし、さんざん泣かされたわ。

上の男の子ら二人もまだ小さかったし、今みたいに、子どもをかかえて離婚した女がさっさと働きに出られるような時代やなかってん。

〈女遊びのひとつやふたつ、男の甲斐性やないか。給料袋をちゃんと毎月持って帰ってくれはるんやったら、それで満足しといたらええねん〉

そんなふうに言う人もいてたけど――うちの弟もそないなこと偉そうに説教してくれたけど、ようまあ、アホなことを真面目に言うわ。

外で働いて、お金稼いでくる男だけがそんなにえらいんか。女かて、男が安心して帰ってこられるように家を守って、調《ととの》えて、子ども育ててさんざん奮闘してるやないか。それだけ働いても、だぁれもお給料なんか出してくれへんし、ほめてもくれへん。やって当たり前やと思われてるさかい、めったと「おおきに」も言うてもらわれへん。そんなアホらしことてあるか？

夫の稼ぎに頼ってるのとちゃう。養われてるだけでもあらへん。妻かてこれだけ必死に働いてんねんから、そのかわり夫の給料で食べていくのは当然の権利やないかいな。分担制や。そうやろ、なあ、ちゃうか？

それを、なんで男というものは、平気でないがしろにするんやろう。

今の女――小泉ていうねんけど、その女とはもう十年以上も続いてるねん。途中でいっぺんバレて、うちが今度こそほんまに離婚する、て言うてお尻まくったったら慌てて別れはったのに、いつのまにやらまたよりが戻って。もしかしたら、ほんまのところは別れてなかったんかな。それやったら、もっとひどい裏切りやんか。

お父ちゃんが、外から帰ってくるなりすぐお風呂に入らはったり歯ぁ磨いたりする時は、たいてい小泉と会うてた時や。匂いなんか別にせぇへんのにな。隠そうとしはるから、かえって怪しまれなならんねん。あほやで。

証拠？　そんなん、あろうがなかろうがうちにはおんなじやったわ。女の勘ていうのんは、ほんまに鋭いねんで。相手の目つきやら態度でな、隠し事したはるかどうか、すぐわかるねん。何か隠したはる時はお父ちゃん、うちと目ぇもよう合わさへんからな。

せやけど、それでも、もしかしたらと思うやんか。もしかしたら、うちの考えすぎちゃうか、て。うちがアホで勘ぐりすぎてて、怪しいと思たあれもこれもみぃんな勘違いなんとちゃうか、て。

あのな。これだけは言うとくけど、あの二人の後をつけたのは決して、浮気の首根っこつかまえようと思たからやないねんで。もしも全部がうちの勘違いやったらどんなにええやろと、ほんまに祈るような思いやった。一縷《いちる》の望みにすがるようにして、会社から出てきたあの女と、ちょっと離れて歩かはるお父ちゃんの後をついてったんや。そのままお父ちゃんが、あの女とは別々の電車に乗ってうちへ着いたら、ひと足違いで買い物から帰ってきたふりして、知らん顔で美味しいおかず作ったげよと思うてた。もしそうなったら、泣きたいくらい嬉しいやろなあと思うてた。

けどな。お父ちゃん、やっぱり、まっすぐうちへは帰らはらへんなんだわ。

寒かったなあ、あの晩。ちっさいアパートの二階の灯りを見上げてる間じゅう、寒うて寒うて、電柱の陰でずっと足踏みしながら、両手に息を吹きかけてた。あほやろ、うち。お父ちゃんがあの女の部屋へ入ってもまだ、それだけではほんまの証拠にはならへんて思うて自分をごまかしてたんや。

せめて、そこでやめて帰ってきたらよかってん。けど、きっともうすぐ出てきはる、じきに出てきはる、あの女から何か相談に乗ってほしいとか何とか言われて部屋に上がりはしたけど、せいぜいお茶でも飲んだはるだけや——そう自分に言い聞かせながら窓を見上げてたらな。

ふっと、灯りが消えてん。目の前も真っ暗になったわ。

お父ちゃんもお父ちゃんやけど、相手の小泉もまた、落つる女やで。無神経で、厚かましいて、色気を売りにして男に媚《こ》びて。ああ、いやらし。名前を口にするだけでサブイボ立つわ。

おんなじ職場やんか。あの女に毎日、甲斐甲斐しぃに世話を焼かれて、お茶なんか淹れてもろてるんやと思たら、辛《つろ》うて辛うて、一分一秒でも耐えられへん。

きっと、周りの人かてもうわかったはるねんで。そういう関係いうのは、どない上手に隠したかて態度に出てしまうもんやんか。

それを考えたら、よけいに情けのうなるねん。あんなつまらん女に引っかかって鼻の下のばしてるていうだけで、自分の値打ちも下げてまうということが、賢いはずのお父ちゃんに何でわからへんねやろ。ほんまに腑抜けになったんか。男いうのんは、女にきんたま握られただけで、そないにアホになってしまうもんなんやろか。

あのな。こんなこと言いとうもないけど、うちより、小泉のほうがだいぶ年が若いねん。残酷なことしはると思わへん？　考えてみぃな。自分よりずっと若い、子ども産んだこともないような愛人と、いちいち比べられてるんやと思わなならん辛さ。

そういうことが、お父ちゃんにはちっともわかってもらわれへんねん。うちがいくら言うても黙ってしまわはるか、途中で、やかましい、ええかげんにせえ、あいつとはもうとっくに別れたて言うてるやろ、とか言うて話を打ち切ってしまわはって、どれだけうちが辛いのか、ちゃんと聞いてもくれはらへん。

そんなに人を馬鹿にした話があるか？　なあ。家のことはみんなうちにまかせきりで、子どもらのことも全部押しつけて、自分は休みのたんびに〈釣り〉という名の乳繰り合いや。

どないしたらわかってもらえるんやろな。

うちがこれだけしんどうて辛い思いをしてるていうことを……自分がどんだけ酷《むご》いことしてるかということを、いったいどないしたらあの人に思い知らせることができるんやろ。

――いっぺん、死んでみせたげよか。

第十二章　——演

「お姉ちゃん」

二段ベッドの上の段から、秋実がささやく。

「ほら、まただよ。ねえ、聞こえる？」

夏帆が返事をしないでいると、ごそごそと布団のめくれる音がして、ベッドの木枠がみしりと鳴った。ささやき声が近くなる。

「お姉ちゃんてば。もう寝ちゃったの？」

夏帆は仕方なく目を開けた。豆電球だけを点した部屋の中、秋実が逆さになってこちらを見おろしている。

「うるさいなあ。寝てても起こす気だったでしょ」

同じく小声で文句を言ってみたのだが、秋実は頓着せず、やっぱり起きてたんじゃん、と言った。

「ねえってば、さっきの聞こえた？」

「何が」

「お母ちゃん、またうなされてたよ」

「だから何」

「何ってさあ……。どうしたんだろうね。ここんとこ、しょっちゅうじゃない。あ、ほらまた」

悪夢におびえてすすり泣く子どものような、細い悲鳴に似た声が、奥の間からかすかにもれ聞こえてくる。それに続いて、美紀子、美紀子、と父が呼ぶ声も。

「あれじゃあさ、お父ちゃんもけっこう大変だよねえ」秋実が再び、ばさりと枕に頭を沈める気配がした。「お姉ちゃんはいっつもさっさと寝ちゃうから知らないだろうけど、お父ちゃん、隣のベッドでお母ちゃんがうなされるたんびに、ああして名前呼んで起こしてあげてるんだよ。あげてるっていうかまあ、あれじゃ自分が寝てられないもんねえ」

夏帆は黙っていた。

暗がりで良かったと思った。あまりの恥ずかしさに耳の穴から湯気を噴きそうだった。二つ年下の秋実には、どうやらまだ想像もつかないらしい。母の声、父の声が、いったい何を意味しているのか。妹のことは言えない。夏帆自身、それに思いが至ったのはほんのひと月ほど前のことなのだ。

喉の渇きにふと目覚め、台所へ立ったあの晩。

〈あああ、いややあああ〉

〈美紀子、美紀子ッ〉

いちばん奥の部屋の、ふすまの向こうからもれてくる声に、夏帆もまた、最初は母が夢にうなされ、父がそれを揺り起こしているのだと思った。

そうではない、という確信が降ってきたのは突然のことだ。一瞬にして夏帆は、事実と寸分の狂いもなく、その部屋で行われていることの意味をさとっていた。隕石《いんせき》が頭にめり込んだかのようだった。あまりの衝撃に視界がぐらぐらして、まっすぐ立っていられないほどだった。

あの父と母が、いまだ現役の男と女であったという事実を、どうしてもうまく呑みこめなかった。彼らはあくまでも「父親」と「母親」という種類の生きものであって、まさか自分らと同じように性別を（ましてや性を）備えた存在であるなどと、想像してみたことすらなかったのだ。

汚い、とまでは思わなかった。そこまで強く性を嫌悪するほどには、夏帆ももう純ではない。男女のことではないにせよ、セックスの真似事ならそれなりに経験している。

だが、むしろ経験があるからこそよけいに、頭の中にひろがる想像のあまりの生々しさにうんざりするのだった。自分が夕子や香奈恵にしてきたようなあれやこれやを、あの父が、あの母に対してしてしているのか。そうして母はあられもなく身もだえて――。そう思うと、翌朝、何食わぬ顔で味噌汁などよそっている母親が厭《いと》わしく思えてならなかった。

（私には、自分であそこを触っただけでも脚を切るなんて言って脅したくせに）

娘の性の目覚めを躍起になって封じ込めようとした母が、父の浮気を責め立てながらもその腕に抱かれ、女の悦《よろこ》びを享受している。その矛盾と欺瞞《ぎまん》が許せなかった。結局は夫に抱かれて悦ぶ躯《からだ》なら、たかが浮気につべこべ言うな、と思った。

清一叔父のセリフではないけれど、毎日たとえ遅くても家には帰ってくるのだし、お給料もきちんと入れてくれているのだから、ここはいっそ見て見ぬふりをして、妻なら妻らしくどっしり構えていればいいのだ。それをいちいち、きぃきぃとヒステリックにわめき立てるから、男はますます家から気持ちが離れていく。ちょっと考えれば当たり前のことなのに、それがあの母親にはどうしてわからないのか。

学校から帰って、美紀子が家にいるとげっそりした。秋実のように自分も塾へ通えばよかったと思った。妹は自ら望んで友だちと同じ塾に通っていたが、夏帆は、勉強は自分のペースでするのがいいと言って通わずにいたのだ。少しでも小説の執筆にさくための時間が欲しかったからだが、いざこんな事態になってしまうと、家にいる時間そのものが苦痛でならなかった。

母の愚痴を聞かされるのがいやで部屋にこもっていても、トイレに立ったほんの少しの隙を狙って呼び止められる。なあ、ちょっと聞いてえな、から始まって延々と聞かされるのは、父の不実さをなじる言葉と、相手の女への罵詈雑言だ。

濡れるとか、濡れないとか。

入れるとか、入れないとか。

（私、まだ十七だよ、お母ちゃん。そんな話は、娘じゃなくて女友だちにでもしてよ）

どれほど抗議したかったかしれない。

だが、言いだせなかった。そうして父や相手の女性を口汚く罵ってみせることで、母がかろうじて気力と面子《メンツ》を保っているのがわかったからだ。

それに、あらためて考えてみれば、そんなことまで正直に話せる女友だちなど母のまわりにはいないのだった。

〈誰とでもすぐ仲良うなってしまうねん〉

いつもそう豪語するわりに、肝腎な時に弱みを見せられる友人は一人もいない。母にとっての〈仲良し〉とはあくまでも、自分がコントロールし支配できる相手に限られていた。

「つらいのはわかるけど、お母ちゃんにも良くないところはあると思うよ」

かろうじて夏帆に言えるのはその程度だった。

「家に帰ったら必ず、おっかない顔したお母ちゃんが頬杖ついて、眉間に皺寄せて待ち構えてるんだもん。それじゃあ男の人はよけいに帰りたくなんかなくなっちゃうよ。おまけに、『お帰り』の次にはきまって、『こんな遅うまでどこ行ってたん？』って責めるみたいに訊くじゃない。お父ちゃんが何て答えたってどうせ信じられないんでしょう？

だったら、最初から訊かなければいいのに」

思いきってそんなふうに意見すると、美紀子は、吐き捨てるかのような激しさで夏帆に言い返した。

「あんたはいったいどっちの味方やねん！」

「そんな、どっちの味方も何もないよ。お父ちゃんとお母ちゃんの間の娘なんだから、どっちも大事にきまってるじゃない」

「いいや。あんたはお母ちゃんの子やない、お父ちゃんの子ォや。女の子やのにお父ちゃんの肩ばっかり持って、あんたの言うことというたらどれもこれも、お父ちゃんがうちに言うこととそっくりや。ほんまに、こんなんやったら何のために頑張っておなかまで切って女の子産んだかわからへんわ」

またそれか、と思いながら、かろうじて言葉を返す。

「それなら秋実に愚痴ればいいじゃない」

「愚痴ればってそれ、何ちゅう言い草やねん、親を馬鹿にして！　あんなおぼこい、まだ男と女のこともようわかってへん子ォに、こんな話が聞かせられるかあ」

夏帆はもはや、何を言う気にもなれなかった。

父が同僚の女性と浮気をしているというのはおそらく事実なのだろう。それを褒められたことだとはもちろん言わない。父の不実を恨めしく思う気持ちは、娘である夏帆の中にもある。

だが、この母から得られないもの――いたわりとか、安らぎとか、微笑みとか、そういった種類の柔らかな何かを、ひととき他で得たいと願ってしまった父を責めることはできない気がした。


「そういうところ、やっぱりちょっと変わってるわよね、夏帆は」

と、香奈恵には言われた。

「あたしだったらぜったい母親に味方する。うちだって両親がうまくいってるとは言えないけど、もしも父親が浮気してるなんてわかったら、あたし、ひとことも口きかなくなると思うもの。誰が稼いでるかなんて知ったことじゃないわよ。妻が知ったら傷つくってわかってることを、知っててやるだなんて男として最低よ。そうは思わないの？」

あまりの剣幕に、夏帆はまるで自分が叱られているような気分になった。

放課後の美術準備室だった。美術部の部活を終えた香奈恵と一緒に帰ろうと迎えに来て、絵の具や何かの片付けを待っている間にそんな話になった。

「香奈恵の言いたいことはわかるよ」

「当たり前よ」

「うん。でも、どうしてもさ。私はあの母親にあんまり同情する気になれないんだ。それはもう、小さい頃からのいろんなことが積み重なっての結果だから、自分でもどうしようもない。ただ、私がもし、お父ちゃんの立場だったらどうだったかなって思うんだ。

お母ちゃんがあれじゃあ、どこかへ逃げたくなって当たり前だよ」

「そうだよね。あなた、お父さん似だもんね」

「母親にもそう言われた」

「わりと浮気性なのも、父親譲りってことなのかしらね」

ずきりとした。あんただってそれは言えないでしょう、夕子から承知の上で私を奪い取ったくせに……。胸の裡《うち》でそう思いながらも、夏帆は情けない微笑をつくってみせた。

「香奈恵のことを好きになったのは、浮気なんかじゃないよ」

「ふうん、どうだか」

ぷりぷりしている。

どうやら香奈恵は、この世の〈男〉という生きもの全般に対して〈女〉を代表して怒っているつもりらしい。彼女の中では、自分も自分の母親も、そしてなぜか夏帆の母親でさえもひとくくりの〈女〉であり感情移入と同情の対象であって、対する〈男〉は男であるというだけですべからく敵なのだった。

「せめてもう少しくらい、娘のあなたが味方をしてあげなくちゃ、お母さんが可哀想すぎるわよ」

と香奈恵は言った。

「そうかな。味方なんかしたら調子に乗るだけだと思うけど」

「なに、その冷たい言い方」

「だってほんとにそういう人なんだってば、あの人は。これで私が、『お父ちゃんてば浮気するなんてひどいよね、最低の男だよね、お母ちゃんが可哀想だよ』とか何とか言ってみなよ。それで気持ちが収まるどころか、反対にどんどん気分出して、悲劇のヒロインを演じることにのめりこんでいっちゃうにきまってるんだから」

香奈恵は眉を寄せ、難しい顔で夏帆を見つめた。

「もしそうだとして、どうしてそうなっちゃいけないの？」

「え？」

「どうして悲劇のヒロインぶっちゃいけないの？　いいじゃない、悲しい時ぐらいヒロイン気分にさせてあげれば。浸りたいだけ浸らせてあげればいいのよ。誰だって、今の自分とはちょっと違う誰かを演じることで救われるような部分ってあるんじゃないの？　辛いことを直接見ないようにするっていうか、現実からほんの少しだけ逃避するっていうか。そういうの、夏帆にだって経験がないわけじゃないでしょう？　なのにどうして、お母さんの気持ちはわかってあげられないのよ」

黙りこんでしまった夏帆に、香奈恵はさらに追い打ちをかけるようなことを言った。

「こんなこと言ったら、あなたはたぶんすごく嫌がるだろうけど、あたしから見ると、お母さんに対するあなたの冷たさには、いわゆる同族嫌悪みたいなものが影響してる部分も相当あるんじゃないかと思う」

「…………」

「お父さんとずっと仲がよくて、たしかに父親似のところのほうが多いかもしれないけど、夏帆の中には、お母さんによく似たところだってやっぱりあるのよ」

「わかってるよ、それは」

「そういう部分をお母さんがむきだしにするたびに、まるで自分のいやなところを見せつけられてるみたいで我慢できないんじゃないの？」

「わかってるってば」

「お母さんを反面教師にしてるぶん、それほど露骨な形じゃ出てこないかもしれないけど、客観的に言わせてもらえば、夏帆にもけっこう演技過剰なとこあるわよ、ふだんから」

「わかってるって言ってるじゃない！」

苛立ちを投げつけるようにしてさえぎると、香奈恵はようやく口をつぐんだ。

二人しかいない美術準備室がしんとなる。かわりに、校庭でボールが弾む音や生徒たちの歓声がくっきりと耳に届くようになる。

「よくよくわかってるんだってば」どうにか声も感情も抑えて、夏帆は言った。「言われなくたって、そのへんのことはほんとにイヤになるほどわかってる。自分でももう何度も何度も考えたもの。全部、香奈恵の言うとおりだよ。でも、それがわかったからって何だっていうの？　優しくなんかできないよ。だって私、あの人のこと好きじゃないんだもの。お父ちゃんを罵る時の醜い顔なんか、見ていたくないんだもの」

「夏帆……」

「あんなふうに文句ばっかり言うくらいなら、いっそのことさっさと離婚してくれないかなって思う。そうしたら私、お父ちゃんの側につけるのに」

「そこまで……」香奈恵が、茫然とした顔でつぶやいた。「夏帆ってば、そこまで思い詰めちゃってるの？」

「やめてよ」夏帆は苦笑して首を振った。「私はなんにも思い詰めてなんかいないよ。ただ、思い切ろうとしてるだけ。母親を見てて、いちいち苛々したり嫌だと思ったりするってことは、まだ何か期待してるからなんだろうし、だったら結局は私がいけないんだなって思って」

「どうして？」

「だって、期待するから失望するんじゃない。だったら最初から期待しなけりゃいいじゃない。見たくないもの見せつけられたり、聞きたくないこと無理に聞かされたりしてうんざりするのがいやなら、いっそのことときれいさっぱり見切りをつけちゃえばいいだけの話なのに、毎度毎度、こりずに傷ついてる私が馬鹿なんだよ」

「夏帆」

「あの人はさ。こう言っちゃ何だけど、もともと母親にはいちばん向かないタイプの人だったんだと思う。なんていうか、つまり、おんな？　どこまでいっても、いくつになっても、おんな、なの。そういう人なの。もともとがそういう人なのに、世間並みに結婚したら子どもがぽこぽこ生まれちゃって、まあ自分大好き人間のナルシストだから理想の母親ごっこは気持ちよかったろうけど、プライドもやたらと高いもんだから子育てに失敗する自分は絶対許せない、みたいな。だけど結局あの人に、ほんとの意味での母親らしい愛情なんて期待するほうが間違いだったんだよ。しょうがないよね。そういうふうに生まれついちゃった人に向かって、『年頃の娘に両親のセックスの話を逐一聞かせるなどというのは、母親としていかがなものか』なんて言ってみたところで、無駄じゃん。っていうか無理じゃん。だって本人、とにかく誰かに聞いてもらいたくてたまらない状態なんだもん。母としてじゃなくて、おんなとしての愚痴をさ。自分が今、おんなとしてどれだけ辛いか、誰かに話して可哀想だって言ってもらいたくて言ってもらいたくて……そしたら都合良く、目の前に自分の産んだ娘がいた、と。普通だったらそこで、いや、それはいくら何でも母親としてどうか、って思いとどまるところだけど、そんな常識的なこと考えてくれるあの人じゃないもんね。でもまあ、お互い様かもしれないよ。向こうにしても、私の反応はずいぶんと期待はずれだったみたいだし。もっと無条件に味方してくれると思ってたみたい。だって、思いきり言われたもん。これじゃ何のために娘を産んだかわからないって。さすがにびっくりだよ。そんなことのために産んでもらったとは知らなかった」

そこまでほとんどひと息に言って、夏帆はふっと口をつぐんだ。

胸の内側が、ざぶんざぶんと波立っていた。途中から自分の声が震えていたことに、今になって気づく。話していてここまで感情が情けなく揺れたのは久しぶりのことだった。自分で思っている以上に、日々の鬱憤《うっぷん》が積もりに積もっていたらしい。

香奈恵が、黙って夏帆を見ている。

やがて、夏帆はぽつんとつぶやいた。

「ごめん」

「……何が」

「八つ当たりした。あなたに当たってもしょうがないのにね」

「……いいよ。わかってるし」

夏帆は、ゆっくりと息を吸い込み、ゆっくりと吐き出した。

「なんかさ。あの母親も、おめでたい人だよねえ。こういう時に娘から無条件に味方してもらえるような育て方を、これまで自分がしてきたとでも思ってるのかなあ。まあ、あの人のことだからたぶん思ってるんだろうなあ。なんの疑いもなく」

香奈恵は、もう、何も言わなかった。視線を落として、自分と夏帆の真ん中へんの床を見つめていた。

あとから思えば夏帆には、あのころの自分がどれだけ背伸びをし、虚勢を張り、その一方で心を固く鎧《よろ》っていたかがわかる。

――これくらいのことで傷ついたり凹《へこ》んだりする私じゃないもの。

——ふつうだったらもっとグレたり反抗したりするところかもしれないけど、あいにくそんなに子どもでも馬鹿でもないし。

斜に構えてポーズを取ってみせながらも、そのじつ、誰よりも傷つくのが怖かった。

怖いからこそ、闇雲に信じこもうとしていたのだ。自分は年に似合わず大人で、醒めた性格で、香奈恵に言われるまでもなく冷たい人間で、だからちょっとやそっとじゃ傷つかないし動じもしないんだ、と。

それこそ、子どもっぽい虚勢ではあった。だが、虚勢には虚勢で、それなりの効果があるものらしい。毎日どんなことが起こっても、何を聞かされても、心が揺れて乱れそうになった次の瞬間には胸の裡で、

（べつに。それが何）

という態度にシフトしてみせる。慣れれば無意識にできるようになる。それが習慣化していくと今度は自分でも、私は根っから冷たい人間なんだ、と信じてしまうくらいの錯覚が起き、実際に、そう簡単には動じなくなっていく。動じないのは肝っ玉が太いからではなく、逆に気が小さいからこそ鉄壁の防御が必要だというだけの話なのだが、当時の夏帆にはさすがにそこまでの自覚はなかった。

日々、念入りに凍らせては幾重にも固く鎧《よろい》を着せかけた心は、結果としてどんどん無感動になっていった。ともすれば、人としての情緒が正常に作動しないほどに。

ある寒い晩だった。夏帆はふいに肩を揺すって起こされた。

「夏帆……おい、夏帆」

押し殺した声にはっとなって目を開けると、父親が間近に覗きこんでいた。豆電球の薄明かりに、その姿は黒々としたかたまりに見えた。

「すまん。ちょっと起きてくれへんか」

と父親は言った。

小声なのは、ベッドの上の段で寝ている秋実を気遣ってのことらしい。妹には知らせたくないことなのだ。眠気がいっぺんに飛んだ。

「なに、どうしたの」

夏帆も声をひそめる。

「お母ちゃんを止めたってくれ」

「は？」

「『もう出ていく』言いよってな。俺が止めても聞かんのや」

身を起こし、ベッドのふちに腰掛ける。ようやく目が慣れてきて、見ると父親はパジャマの肩にかろうじてガウンを引っかけただけで足もとは裸足だった。寒そうなカッコ、と思ったとたん、夏帆もぶるっと震えた。床に下ろした足先が冷たかった。

「どうせ本気じゃないよきっと」と、夏帆はささやいた。「また大げさに騒いで同情ひいてるだけだよ」

「いや、まあ、そう言わんと。俺がなんぼ止めても聞かへんけど、お前が言うたら思いとどまるやろから」

どうも違和感があるのは、父親とこんな話をするのが初めてだからだと思いあたる。夏帆が母親から逐一聞かされているということに、父は気づいていないのだと思っていた。きっと、母親がわざわざ責めるために告げたのだろう。あんたの浮気のことは夏帆かてもうみぃんな知ってんねんで、とか何とか。

「今、どこにいるの？」

「便所へ行ったはる」

「……はっ」

あきれたような夏帆の冷笑を、父親の伊智郎が複雑な顔で見おろした。

廊下の向こうから、カラカラカラとトイレットペーパーの回る音が聞こえてくる。

「俺に起こされたて言うなよ。言うたらお母ちゃん、また怒りよるからな。な、頼むわ、夏帆。すまんな」

言い置いて、伊智郎は足早に寝室へ戻っていった。

今度は水を流す音が聞こえてきた。汲み取りだったのを、つい昨年、水洗に直したばかりだった。

夫の裏切りに逆上して、家を出ていくとまで息巻く女が、まるでふだん買い物に出かける時のようにまずトイレを済ませる——夏帆にはそれが、ひどく間抜けなことに思われた。ドラマとして、女として、美しくない、と思った。

夏帆は、ベッドの足もとに置いてあったカーディガンに手をのばし、思い直して引っこめた。こんな時にぬくぬくとした格好で出ていったら緊迫感が損なわれてしまう。寒さに震えながら追いすがったほうが気分も盛りあがるだろう。

動揺も、焦燥も、まったく感じなかった。胸の中はまるで夜中のスーパーの駐車場のようにがらんとして、頭は醒めきっていた。

明日は一時間目からテストなのに、と夏帆は思った。あんたが出ていくなんて騒ぐから起こされちゃったじゃないか。ああ、眠い。眠いし、寒い。いま風邪ひいたらどうしてくれんの。苛立たしさとともにわいてくるのは、どうしようもない馬鹿ばかしさだった。

いっそ引き止めないでおこうか、と思ってみる。母のあれが、止めてほしいためのパフォーマンスであることはわかりきっている。だったら、無視してみたらどうなるんだろう。

向こうでトイレのドアが開いた。

〈止めたってくれ〉

〈お前が言うたら思いとどまるやろから〉

鼻から息をもらして、夏帆は立ちあがった。もうひとつ深呼吸をし、意識のスイッチを切り替える。裸足で部屋を出た。

「お母ちゃん?」

わざと目をこすりながら、いま気づいたかのように声をかける。

「お母ちゃん、何してんの? どうしたの、そんなかっこして」

「どうしたもこうしたも……」一張羅の黒いコートを着込んだ美紀子は険しい顔で言い捨てた。「出ていくんや。もう、この家にはおられへん」

「え? 何言ってんの、もう夜中だよ?」

靴を履こうと三和土《たたき》に下りる背中に追いすがる。

「ねえ、やめてよお母ちゃん、ねえ。どこ行くのってば! 行くとこなんかどこにもないじゃない」

「馬鹿にしぃないな。そんなもん、どないでもなる。こんな家におるくらいやったら、いっそ野垂れ死にでもしたほうがなんぼかましや」

ブーツを履き終え、がらりと引き戸を開け放って出ていく母親の背中を見て夏帆は一瞬考え、それからやはり裸足のまま前庭へ走り出た。

「お母ちゃんっ。やめてよ、行かないで、ねえってば、お願いだから……」

哀れっぽく語尾をのばし、その場でよろよろとしゃがみこむ。裸足でもっと追いかけてみせるには冬の地べたはあまりに冷た過ぎ、足裏に刺さる砂利が痛かった。

庭の向こう端、門に手を掛けた格好で、美紀子がこちらをふり向いたのが視界の隅に映る。

夏帆は、パジャマの膝小僧に顎を押しつけてうずくまったままでいた。その格好のまま精一杯の上目遣いで様子をうかがっていると、しばらくたってから、美紀子が苛立たしげな靴音をたてて戻ってきた。

しゃがみこむ夏帆のそばを通るとき、美紀子は足をゆるめもせずに、背中を鞭《むち》で打ちすえるかのような激しさで言った。

「ああ、情けない。お母ちゃんには出ていく自由もないのんか！」

「……だって」

「風邪ひくやんか！　早よ入り！」

夏帆は、のろのろと立ちあがった。ふり返ると、三和土のところで母親は荒々しくブーツを脱いでいた。家に上がっていくその後ろ姿を醒めた目で眺めやりながら、夏帆は自分もあとから玄関を入り、後ろ手にそろそろと引き戸を閉めた。足の裏の砂を片方ずつ払う。つま先が小石のように冷たくなっているのを、ぎゅっとてのひらで握りこんで温める。

上がってみると、母親は居間でコートを脱ぎ捨てたところだった。

「夏帆、あんた、どうせお父ちゃんに頼まれたんやろ」

「何をよ。わけわかんないこと言わないでよ」

「お父ちゃんはずるい。ずるいし、きたない。子どもまでダシにつこうてあんなんされたら、出ていきとうても出ていかれへんやんか」

(何言ってんのよ、それだって計算ずくだったんでしょ)

と夏帆は思う。

(出ていく自由が聞いてあきれるよ。夜の夜中にわざわざ出ていこうとすること自体、芝居がかってるんだよ。ほんとうに本気でそうしたかったら、ちゃんと電車やバスの動いてる時間を選んで出ていくはずじゃない。結局、止めてほしいからわざとトイレまで行って、お父ちゃんが私を起こすだけの時間を稼いで——ばっかじゃないの?)

黒々とした気持ちが胸の中で渦を巻く。力を込めて口をつぐんでいないと、言葉になってこぼれ出てしまいそうだ。

「早よ寝ぇ」と、美紀子は言い捨てた。「もう、今晩はどっこも行かへんから」

「絶対? ねえ、絶対?」

「ああ」

夏帆は、泣くのをこらえるような顔を作ってうなずいてみせた。部屋へ戻ろうと背中を向ける。その瞬間、顔から表情が抜け落ちた。

——どこへでも行っちゃえ。

——行くとこがないなら、死んじゃえ。

口には出さなかったはずの言葉が、そっくりそのまま相手に届いてしまうなどということはあるのだろうか。

あとになって夏帆は、この時のことを何度も思い返しては後悔した。

どうしてあんなことを思ってしまったのだろう。母親は母親なりに苦しんでいることがわかっていたのに、なんであんな冷たいことを……。

だが、同じ後悔にも、して意味のあるものとそうでないものがある。〈思っていても口には出すべきじゃなかった〉といった類のものならともかく、〈思うべきでなかった〉などという後悔は、何度反芻《はんすう》してみてもただ不毛でしかない。

美紀子の家出未遂騒動があった翌日は、予定通り、朝から英語の小テストだった。夜遅くまで小説を書いていてろくに勉強していないのはいつものことだが、加えてあまりの眠気に頭の芯がぼうっとしてしまい、出来については考えたくもないといった結果に終わった。

休み時間、解放感に元気いっぱいのクラスメイトたちを席から見渡しながら、夏帆は、この中で両親の不和に心痛めている友人はどれくらいいるのだろうと思った。いたとしても、もちろんおかしくはない。だが、よりによってテストの前夜に母親に家出されそうになり、裸足で外へ駆けだして止める、などという経験をしているのは、おそらく自分くらいではないか。

そう思うと――本来それどころではないはずなのに――夏帆は、そこはかとない優越感に満たされた。

それと同時に、背骨から力が抜けるような疲れも覚えた。まだ幼さの残る少女たちの中で、自分ばかりが早回しのように老いて、しわしわに干からびていく気がした。

＊

夏帆の通う高校では、クリスマスのミサにヘンデルの『メサイア』の一部が演奏され、最後に「ハレルヤ・コーラス」を全校生徒で合唱するのが恒例となっていた。

最終学年のその年、夏帆はピアノ伴奏をすることになった。指揮に合わせ、パイプオルガンとの二重奏をするのだが、オルガンは毎年、音楽の先生が弾くことになっている。生徒で選ばれるのは一人だけだった。

母親の美紀子はことのほか喜んで、日曜ごとに通っている教会の人たちにまで言いふらした。

〈あんたはお母ちゃんの子やない、お父ちゃんの子ォや〉

このところずっとそう言われ続けてきた夏帆は、このことでまたいっぺんに、

〈さすがはお母ちゃんの子ォや〉

へと返り咲いた。

小さい頃はあれほど嬉しかったはずの言葉が、今ではただ煩わしく厭わしいだけだった。父親はどちらかといえば音痴の部類に入る人だったから、生まれついての絶対音感などは確かに母親から受け継いだものに違いないのだが、そんなささいなことでも自分

の中に流れる母の血を意識させられて、夏帆は嫌で嫌でたまらなかった。いっそのこと体じゅうの血を一滴残らず抜いて取り替えてしまいたいほどだった。

　家の居間に置いてあるピアノで伴奏の練習をしていると、美紀子が台所からやってきては、一緒になってメロディを歌い始める。ハーレルッヤ、のところ以外はすべてララで朗々と歌ってのける美紀子の声は、例によって隣の家にまで聞こえそうなほどのボリュームで、弾いている夏帆は苛立ちをこらえるのに必死だった。

（歌詞を知りもしないくせに、そんなに自信満々に歌うのはやめてよ）

（違うんだって、どうしてそこの音を長々と引っぱるの？　聴かせどころはそこじゃないんだってば）

（ああもう、耳にへんな癖がつくからやめてったら！　頼むからもう歌わないで！）

　口には出さないかわりに、夏帆は、母親が気分を出して盛りあがったところで、わざとふいに伴奏を弾きやめてやった。歌声だけが間の抜けた感じで何音かあとに残るのを聴いて、

（ざまみろ）

　と思う。

　ところが美紀子は、まったくめげる様子もなく、今度は勝手に好きなところを歌い出すのだった。耳をふさぎたいが手は二本しかない。懸命に無視して、運指《うんし》の確認をしているふりで同じ小節ばかりくり返し弾いていると、美紀子が話しかけてきた。

「お母ちゃんもそないして、よう伴奏頼まれたもんやわ」

(知ってるよ)

「そうか思たら、合唱のソロも歌わされたりな。アルトでもメゾでもソプラノでも、どんなパートでも歌えるねんで」

(知ってるったら。もう百回は聞いた)

「やっかんだ友だちから、『美紀ちゃんは先生にえこひいきされてる』やなんて陰口叩かれたりしてな。けど、しゃあないやんか、なあ。歌かてお芝居かて、うちは普通にしてるつもりでも勝手に目立ってしまうねんもん」

一度は家出まで企てたくせに、どうしてこんなに上機嫌でいられるのだろう。わけがわからない。そう思ってからふと、ゆうべ遅く、奥の寝室からまたもれ聞こえてきたあの声を思いだした。

夏帆は、黙って楽譜をとじ、ピアノの蓋を閉めた。

「あれ、なんや、もう弾かへんのん?」

「いい。明日早く行って、学校のピアノで練習する」

ふうん、とつまらなさそうに言うと、母親はハミングしながら台所へ戻っていった。

ああ、苛々する。夏帆はようやく空いた手で耳をふさいだ。そうしながら、なんだか怖くなった。実の母親のことをここまで生理的に嫌悪するようになった自分は、人としてどこか大事なところが壊れてしまっている気がした。

クリスマスのミサが終わるなり、学校は冬休みに入った。

両親の関係は小康状態を保っていた。それなりに穏やかな日々が続いているのは、どうやら、美紀子が通う教会でのミサのあと、父親がわざわざ夜道を迎えに行ったのが功を奏したらしい。

大掃除や障子の張り替えがようやく済んで、ほっと息をついたとたんに年が明け、あれよあれよという間に正月三が日も過ぎていった。毎年思うことだが、冬の休みはほんとうにあっけないほど短いのだ。

そうして、一月の五日——夏帆が目覚めたのは、もうずいぶんと遅い時間だった。

時計を見るまでもなく、窓からさしこむ薄い冬の日射しは、時刻が昼に近いことを教えていた。何時間か前に秋実がベッドの上の段から下りていったのを覚えている。そこから二度寝を決めこみ、いつにも増して深く眠っていたのに、いま目が覚めたのは何がきっかけだったのか。

気がつくと、家の中はしんと静まりかえっていた。みんな出かけてしまったのだろうか。ならば仕方がない、一人でインスタントラーメンでも、と起きあがりかけた時、コツン、と隣の部屋から音がした。それきりまた、しんとなる。

なぜだかひどく嫌な予感がして、夏帆はベッドが寄せられている間仕切りのふすまの隙間に目を近づけ、そっと隣の居間をうかがった。

見えたのは、母親の背中だった。六畳間の真ん中、卓袱台《ちゃぶだい》の脇に正座をしてこちらに背中を向けている。着ているのは昨日と同じ臙脂《えんじ》色のセーターだった。いや、昨日どころではない、考えてみれば年が明けてから母親は一度も服を替えていないのではないか。息を殺して様子をうかがっていると、また、コツン、と音が聞こえた。卓袱台にのせた右手の指輪があたって硬い音がするのだった。

その背中から漂う気配の険しさに、起きていく気にもなれないまま、どれだけ時間が過ぎただろう。

いきなり、母親が立ちあがった。荒々しい足音が、居間から廊下へ出てこちらへ向かってくる。

とっさに夏帆は横になり、鼻まで布団をかぶった。秋実と一緒に使っているこの部屋には、廊下との間を隔てるドアなどない。もともとあったはずの建具は取り払われて、敷居だけが残っている。いつだったか夏帆たちが一度、せめてふすまくらい入れて欲しいと言いだした時、母親はじろりと二人を睨んで言ったものだ。

〈なんで？　何か、親には見せられへんものでもあるん？〉

かわりに買ってもらえたのは、透きとおったプラスチックの玉を連ねた半端な丈のビーズ暖簾だった。

そのビーズが、今、じゃら、とかすかな音をたてた。てっきり、

〈いつまで寝てるのん、だらしない！〉

そう言って起こされると思ったのに、それきりまた静まり返る。足音も、しない。部屋の入口から、母親がこちらをじっと覗いているのだ。

　どうして何も言わないのだろう。どうしていつまでも見ているのだろう。布団越しに、視線がじわじわと体にしみこんでくるのを感じる。一秒一秒が永遠のように思える。それとも、見られていると思うのは気のせいなのだろうか。ふり返って確かめたいのに、なぜだか怖ろしくて寝返りも打てない。

　いつしか呼吸を止めてしまっていたことに気づいて、夏帆は慌てて息を吸いこんだ。わざと気持ちよさそうな寝息を立て、ぐっすり眠りこんでいるふりをする。

と――やがてまた、暖簾が小さな音を立てた。揺れるビーズがぶつかる乾いた音をあとに、足音が玄関へ向かう。靴を履いている。下駄箱の上にいつも置いてある鍵を手に取る。ガラスの引き戸がそろりと開き、また閉まる。がらがらぴしゃん、というその音を聞いたとたんに、夏帆は目を開けた。

　心臓が早鐘を打っていた。

　鍵の束を持って出ていったのだから、美紀子が向かいのアパートの二階に行くことはわかっていた。以前から離れがわりに借りている二間続きの部屋だ。

　夏帆はふと、ベッドの中で眉を寄せた。冬休みに入ってすぐ、香奈恵が泊まりに来て一緒に寝た時の布団がまだ、アパートの部屋の隅にたたんだままになっている。大晦日《おおみそか》までに干して片付ける予定だったのが、ふだんは使わない部屋だけに延び延びになっていたのだ。

外はきれいに晴れている。枕カバーとシーツを洗い、布団をベランダに干すには絶好の日和《ひより》だ。

だが夏帆は、どうしてもアパートの二階へ行く気にはなれなかった。片付けなければ後でまた小言を食らうかもしれないが、それよりも母親が一人でいる部屋へわざわざ足を踏み入れるほうがよほど億劫だった。賭けたっていい。いま二人きりになったりしたら絶対に、聞きたくもない話を延々と聞かされる。

マットレスの下に手を差し入れ、香奈恵が貸してくれた漫画本を取りだした。母親に見つかったら咎められるどころか取りあげられてしまいそうな内容の漫画だが、だからこそ刺激的で面白いのだ。学生鞄や机の引き出しは勝手に覗かれてしまうので、最近ではここがいちばん安全な隠し場所だった。

美紀子の言う〈きれいなセックス〉とそうでないセックスの違いが、夏帆にはさっぱりわからなかった。行為を描写してあるものはみんな〈汚い〉のか。逆に愛情さえあれば〈きれい〉なのだとすれば、前に美紀子に見つかって叱られたあのオリジナル小説にだって、愛情についてはちゃんと書いてあったはずだ。そもそも、夫の浮気にあれだけ大騒ぎしながら、夜にはおかしな声をあげているあの人はいったい、自分が〈きれいなセックス〉とやらをしているとでも思っているのだろうか。ああ気持ち悪い。

腹ばいになり、胸の下に枕をかかえこんで漫画本を広げる。アパートの二階へ母親が何を探しに行ったかは知らないが、できるだけ長く、戻ってこなければいいと思った。

静かだった。誰にも気持ちを乱されずに済むというのは、なんと素晴らしいことなのだろう。

早く一人暮らしがしたい、という思いから、夏帆は先月、思いきって〈北海道の大学を受けたい〉と言ってみたのだが、これまた母親から即座に却下されてしまった。〈あほか。何のために高い学費を払ろてまで、推薦で大学へ行ける私立へ入れたったと思てんねん。だいたい、せっかく東京におるのにわざわざ地方の大学へ行くやなんてナンセンスもええとこやろが。あかんあかん、あきらめ〉

そう言われてしまえば、あきらめるより仕方がなかった。いくら親もとにいたくないからといって、家を飛びだして自活していけるほどの力は夏帆にはまだない。

それだけになおさら、今日のような日が貴重に思える。ひとつ屋根の下に母親の気配がしないというだけで、いつもよりずっと深く呼吸できる気がする。母親だけではない、父も、兄も、妹の秋実も、友人さえも周りにいない一日。自分以外の誰の気配もなく、誰のたてる物音もしないという、たったそれだけのことでこんなにも安らげるなら、いつか本当に一人暮らしをするようになったらどれほど……と思う。

それきり、午後は穏やかに過ぎていった。晴れていた空は薄曇りになり、日の射さなくなった部屋が急に寒くなったので、石油ストーブをつけた。

全十巻の漫画を、途中で一、二度トイレに立ったのとインスタントラーメンを作って食べた以外はひといきに読みきった夏帆は、そのまま再び布団にくるまってまた眠ってしまい、次に目を覚ますと部屋は暗くなっていた。

玄関で電話が鳴っている。驚いて起きあがり、電気をつけると、時計はなんと七時過ぎを指していた。どれだけ深く眠っていたのだろう。

電話は秋実からだった。

〈あ、お姉ちゃんだ、ラッキー〉

と、電話の向こうの秋実は言った。

〈ねえ、あたし今晩タカコんちに泊まるからさ。お母ちゃんにうまいこと言っといて〉

「やだよ、自分で言いなよ」夏帆は慌てて言った。「お母ちゃん、いま向こうの二階にいるみたいだから、もうちょっと後でもう一回かけてきなよ」

〈いいじゃん、お姉ちゃんが適当に言っといてくれれば〉

「それじゃ駄目なこと、あんたも知ってるでしょ。外泊を勝手にオーケーなんてしたら、あんたのかわりに私がまたぶつぶつ言われるんだからね」

〈わかってるけど、お願い、今回だけは助けると思ってぶつぶつ言われといてよ。この借りは何かで絶対返すからさ〉

「ちょっと、秋実」夏帆は低い声で言った。「タカコんちだなんて、嘘でしょ」

〈ええ？　……うーん、そこんとこは聞かないほうがいいんじゃないかな。聞いちゃうとお姉ちゃんも共犯になっちゃうよ〉

「秋実！」

〈とにかくそういうことだから。ね、お願い、頼んだからね〉

電話は向こうから切れた。

なんて勝手なことを。舌打ちも出ない。

茫然と受話器を戻したところへ、玄関の引き戸が開いた。飛びあがってふり返ると、父親の伊智郎だった。

「あ、お帰りなさい」

「ただいま。どうした、変な顔して」

「ううん。いま秋実から電話があって、今日は友だちのとこに泊まるって。そういうことはお母ちゃんに直接言わないと私が叱られる、って言ったんだけど……」

「そうか」コートを脱ぎながら伊智郎は言った。「ほんならまあ、俺が電話を取ったことにしとけ」

「え、いいの？」

「ああ。それでお母ちゃんはどこ行った。また買い物か」

そうではなくて、昼からアパートの二階へ上がったきり下りてこないのだと言ってみると、伊智郎の顔が険しくなった。

「ほんまに、ただのいっぺんも下りてきてないのんか」

「たぶん」

「何をしに行くか言うてたか?」

「ううん、なんにも。っていうか、私が昼間、まだうとうとしてる間に、鍵だけ持って出て行っちゃったから……」

寝ているふりをしている間に、とはさすがに言いだせなかった。父親の表情は、それくらい硬いものだった。コートもかばんも上がりがまちに放りだしたまま、

「ちょっと見てくるわ」

伊智郎が出ていく。夏帆も靴を履いて追いかけた。

小さな空き地を横切り、向かいのアパートの外階段を上がる。二人ぶんの足音が入り乱れて響く頭上で、青白い蛍光灯が点《つ》いたり消えたりしている。

手前から三つめの部屋にたどりついた伊智郎が、ドアノブをつかんだ。開かない。内鍵がかかっている。苛立って呼び鈴を鳴らす。ノブをがちゃがちゃいわせながらノックする。

「美紀子! 美紀子!」

返事がない。切羽詰まった目が夏帆をふり返った。

「合鍵!」

夏帆はうなずき、廊下を駆けだした。

父親が何を懸念しているかは訊くまでもなかった。

本当は夏帆も、その可能性をまったく考えていなかったと言えば嘘になる。午後いっ

ぱい漫画を読んだりまどろんだりしながら、頭のどこか片隅で最悪の事態をぼんやり想像してはいた。ただしそれは、あくまでも空想であり妄想であったのだ。本気で望んでいたわけでは……。

鉄階段を騒がしく駆け下りながら、夏帆にはこれが現実だとは思えなかった。足もとがふわふわとして、雲を踏んでいるようだった。自分はまだベッドの中で惰眠を貪《むさぼ》っている最中で、伊智郎が帰ってきたのも母親の返事がないのも、すべて夢の中の出来事のような気がした。

キッチンの壁に並べてかけてある幾つかの鍵の中から、一本を選んで握りしめ、再びとって返す。外階段を一段抜きで駆けあがって渡すと、父親は鍵穴にそれを突き刺し、むしり取るかのようにドアを引き開けて叫んだ。

「美紀子！」その背中が一瞬、びくりと跳ねてこわばる。「あの、阿呆《あほ》！」

靴を脱ぐのももどかしげに走り込んだ父親の肩越しに、夏帆は、見た。こうこうと明るい奥の部屋の鴨居《かもい》から、灰色の電気コードが輪になってぶら下がっていた。真下には踏み台がわりの椅子。母親の姿は見えない。

「美紀子！　おい、美紀子！」

怒ったような伊智郎の声が響く。

キッチンを横切り、のろのろと奥へ行ってみると、母親はこたつに腰まで入ったまま仰向けになっていた。父親が揺り起こそうとしても、頭がぐらぐらと左右に揺れるだけだ。

夏帆は、入口の柱につかまって、おそるおそる訊いた。

「……死んでるの？」

「いや。生きとぉる」

こたつ板の上に、錠剤やカプセル薬の抜け殻が散乱している。どれも父親が会社から持ち帰る試供品で、ふだん頭痛の時などに飲んでいるものだ。

「お母ちゃんを見といてくれ。電話してくる」

「でんわ？」

「救急車を呼ばな」

父親が開け放していったドアから吹き込む風に、ぶるっと震える。ようやく頭がはっきりしてきた。そうだ、これは現実なのだ。父親以上に自分がしっかりしなくてはならない。

と、ふいに母親が身じろぎした。苦しそうに眉を寄せ、酸欠の金魚のように口をぱくぱくさせたかと思うと、今度は大きないびきまでかき始める。唇の端から頰のほうへと流れたよだれが、乾いて黄色い粉をふいているのを見おろしながら、夏帆はほっとするよりも何よりもただ、醜い、と思った。

口を半開きにしていびきをかき続ける母親は、驚くほど老けこんで見えた。頰はそげ落ち、顔のあちこちにしみが浮き出て、皺やたるみも目立つ。

夏帆が小学生だった頃、日曜日ごとのミサに六年間ほぼ欠かさず参加していた母親は、いつもジーンズ姿で颯爽《さっそう》としていた。年齢こそクラスの父母の中でいちばん上だったが、誰よりも気が若く、生徒たちの人気者だった。

同じ学年だけではない、全校生徒が〈あれは鈴森さんのお母さん〉と知っていて、〈なっちゃんはいいいな、あんなにきれいで面白いお母さんがいて〉

友だちや先輩からそんなふうに言われるたび、照れくさい半面、とても誇らしかったのに……。

いつのまにこうも年を取ってしまったのだろう。それより何より、自分の母親への思いは、どうしてあの頃からこんなにも変わってしまったのだろう。

夏帆は、怖ろしいものを見るように、半ば横目で美紀子の顔を観察した。じっと見れば見るほど、その顔が知らない老女のように思えてくる。

夏帆自身が十八にもなるということを差し引いて考えても、この衰えぶりには正直、納得がいかなかった。もしかすると、若い愛人に対抗し、自分の中の〈おんな〉に必死でしがみつこうとしてきたことが、むしろ母の中の若々しさと女性性をともに損なってしまったのではないか。そう考えると、夏帆は、同情よりもむしろ哀れみを覚え、こんないたたまれなさを娘に抱かせる母をなおさら憎く、疎ましく思った。

こたつ板の上に散らばったカプセル薬や錠剤は、飲んだあとの銀色の屑《くず》よりも、手つかずのまま残っているもののほうが多い。

（どうせ本気で死ぬつもりなんかなかったくせに）

ほんとうに完全に死んでみせるつもりなら、一粒余さず、何箱でもここにあるだけ全部飲めばよかったのだ。絶対に失敗したくないならそうするはずではないか。

こんな中途半端な分量だけ飲んで、死にきれずに家族に厄介だけかけて、いったい母は何をどうしたかったのだろう。〈そんなにも辛かったんだね〉と同情してほしかったのか。〈死のうとするほど思い詰めていたなんて知らなかった〉と詫《わ》びてもらいたかったのか。それとも、こうでもすれば再び父の愛情を取り戻せるとでも……？

（まったく、何をするにもいちいち大げさすぎるんだよ）

鴨居からぶらさがる輪を見あげる。延長コードを丸めて縛っただけのものだが、下に踏み台がわりの椅子が置きっぱなしになっているせいで、いっぱしの絞首台のように見える。ふだん生活の中で目にする物の寄せ集めだからこそ、よけいに禍々《まがまが》しさが際だっていた。

こんな細いコードでも、おそらく死ぬには充分だったろう。少なくとも薬よりは確実だったはずだ。

こういう場合、一度は本気で首を吊ろうと思ったものの土壇場で怖くなった、と考えるのが普通なのかもしれないが、夏帆にはそうは思えなかった。椅子に乗って電気コードをそれらしく結んでいる間も、母親が頭の中で何を最優先に考えていたかが手に取るようにわかる。すなわち、どうすればこの〈自殺未遂の現場〉を最もドラマティックに印象づけられるか、だ。

電気コードの輪は、わざわざ玄関を開けたとたんに目に飛びこんでくる位置にぶらさげられていたし、灯りにしても、本人のいる部屋だけがスポットライトに照らされたように明るくて他は真っ暗だった。父親がドアを開けてから倒れている母親を発見するまでのすべてが、ドラマのカット割りのようにできすぎていた。そう、まるで誰かが最大の効果を狙って周到にととのえておいたかのように。

吹き込んでくる風がどれほど冷たくても、母親と同じこたつに入る気にはなれなかった。どうせすぐに父親が戻ってきて、救急車も駆けつけることだろう。

灰色の輪から目をそむけ、夏帆はひとり、ぶるっと震えた。

第十三章——忘

「そろそろカーテン閉めよか」

と美紀子が言う。

「どうして？」

びっくりして、夏帆は訊き返した。

「まだいいでしょう。外、明るいじゃない」

「せやかて、家のなか、灯りついてるもん。向こうの道を誰か通ったら丸見えやんか」

「あんなとこ誰も通らないって。誰か歩いてるの見たことある？」

「あるがな、何言うてんねん。毎日何べんも誰か通ったはるよ」

そんなことはなかった。この木更津の家には何度も来ているが、庭先から続く畑の向こう側を誰かが通るのを夏帆が見たのは、ここ十年でただの一度か二度だ。

「たとえ誰かに見られたとしたって、なにも裸で暮らしてるわけじゃなし、気にすることないじゃない」

するといパイプをコンコンと打ち付けて灰を捨てながら、父親が言った。

「このごろお母ちゃんはな。ちょっとでも日が落ちると、すぐカーテンを閉めたがって困るのデス」

「あんたが困ることあらへんやんか」

と、むきになって母親が言い返す。

「まあいいじゃない、もう少しこのままでいようよ。せっかく夕焼け空があんなにきれいなんだし」

不服そうに黙った美紀子が、伊智郎の淹れたお茶をすする。最近では、こうした仕事も父の役割になっている。

「ところで夏帆、あんた晩ごはんは食べていけるのん？」

「うん。今日は泊まっていけるから」

「にいちゃんを一人にして家あけても大丈夫なんか？　あとで怒られへんか？」

「大丈夫。にいちゃんじゃなくて大介だけど、彼はそういうことじゃ怒らないよ」

「あれ？　にいちゃんはどないしてん」

「ずっと前に別れたじゃない」

「はあ？　いつ？」

「もう何年も前に」

「嘘や。そんなん、知らなんだで。お母ちゃんだけ知らされてなかったんか？」

夏帆が首を振ると、美紀子は伊智郎のほうを向いて言った。

「なあ、お父ちゃん、あんた知ってたか？　夏帆、にいちゃんと別れたんやて」

「はい、知ってますヨ」

パイプに新しい煙草を詰めながら、淡々と父親が言う。

「うちも知ってたか、その話」

「はい、知ったはりましたヨ」

「そうかぁ？　そうやったかなあ。なんやもう、あかんようになったなあ、そんな大事なことまで忘れるようになってしもて」

しょうがないよ、と夏帆は言った。

「なんたって年が年なんだもの。どうでもいいこととか、覚えてててもべつに嬉しくないことは、これからはどんどん忘れていっちゃえばいいんだよ」

「そうやろかなあ。なんやこのごろ、頭に綿でもつまったみたいにぼうっとして、自分で自分が情けのうなるねん。あんたもこの年になったらわかるわ。年取るいうのんは、せつないもんやで」

夏帆は黙っていた。年を取るのはせつないだろうが、それを見ているほうもせつない、と思った。

「それはそうと、晩ごはんはどないしょう」

と美紀子が言う。

「だから、私がまたお寿司買ってきたってば」

「お寿司？　うわあ、どないしょ、嬉しわあ。お母ちゃんはこのとおり少食やけどな、お寿司やったらなんぼでも食べられるねん」

「こないだのよりは美味しいと思うよ」

「こないだの、とは？」

「大介と一緒に来た時の」

「ああ、大介くんか。そやそや、あの子は昔から優しい子やったなあ」

学生時代の別の彼氏と混同しているか、でなければ適当に話を合わせているだけだとわかっていたが、夏帆は何も言わなかった。

「あの時のはスーパーのパックだったけど、今日のはちゃんとお寿司屋さんで握ってもらったやつだから」

「すまんなあ、えらい散財させて。こんなに親孝行してもろたらバチ当たりそうやわ」

老夫婦ともに一日じゅう家にいるので、ふだんは三度の食事を考えるのが大変なのだと美紀子は言った。

「なんし、お父ちゃんは年のわりにほんまによう食べはる人やろ。野菜や魚ばっかり続いたら、欠食児童みたいに肉肉肉言わはるしな。ハンバーグでもステーキでもぺろりやんか。ほんま、かなわんわ、毎日の買い物だけでも重とうて」

「そやからこのごろはもう、買い物へは行かへんのデス」

と、伊智郎が口をはさむ。

「何言うてんの、あんたは行かへんでも、うちが行ってるやんか」

「もっぱら、生協の配達に頼っておるのデス」と伊智郎が続ける。「野菜は畑でほとんどとれるしな。ほかに必要なもん言うたら、米と生ものと牛乳くらいやろ。年寄りには便利やぞ、生協」

「よう言うわ。あんたは何にも知らへんねん」

美紀子が不服そうに言い、ふと窓の外へ目をやった。

「ああ、もうカーテン閉めなあかんな。お父ちゃん、そこ閉めて」

「まだええ。開けとけ」

「いやや。ほんなら自分で閉めるわ」

椅子から立っていくと、美紀子はカーテンを閉め、そればかりか合わせ目を洗濯ばさみできっちりと留めた。

「隙間があいてると怖いねんもん」ようやくほっとしたように向き直る。「それはそうと、晩ごはんはどないしょう」

「お寿司があるそうデス」

「えっ、ほんま？　どこに？」

「夏帆が買うてきてくれたんやと」

「ほんまかいな」

「お寿司だったら、お母ちゃんもたくさん食べられるんだもんね」

「そやねん。あんた、よう知っててんなあ。さすがはお母ちゃんの子やわ。ああ嬉し、幸福の突きあたりやで」

そう言うと、美紀子は笑いながら両手を挙げて万歳をした。


衰えるとなったらひと息だった。

最初の頃は、おや、と思う程度のことがちらほらと起こるだけだったが、「何やしらん、薬を処方してもろてからのほうが、かえって日に日に症状が進んでいくような気がする」

伊智郎はそう言って、疲れた苦笑いをもらした。

「気のせいやいうことはわかっとるんや。薬はちゃんと効いとるんやろうし、調子のええ日はこっちがびっくりするほど頭ハッキリしたはるしな。おそらく、毎日毎日、薬飲ませなならんということで意識するようになったせいで、よけいにちょっとのことでも引っかかるようになったんやろう」

「そういう状態で、二人きりでいるのはつらいね」

「まあなあ。それはしゃあないわなあ」

古い柱時計が、ボーン、ボーンとふやけたような音で時を知らせる。その音が十を数える間、伊智郎も夏帆も、じっと黙って耳を傾けていた。

美紀子はもうとっくの昔に寝室に引き取り、居間には父と娘しかいない。伊智郎がくゆらせるパイプから、チョコレートを焦がしたような香りの煙がゆったりと立ちのぼり、しばしば二人の間に訪れる沈黙の隙間を埋めていた。

「お母ちゃん、私が来たせいで疲れちゃったのかな」

「うん？　なんでや」

「いつもお父ちゃんと二人でいる時は、さすがにあんなに喋らないでしょう？　興奮して疲れて早寝したんじゃないの？」

「いや、そうやない。このごろは毎日、えらい早う寝はるんや。今日寝に行ったんは八時過ぎやから、まだ上出来のほうでな、早いときは七時にはもうベッドに入ったはる。そのわりに、起きてくるのは俺より遅うてな。俺が朝六時頃起きて、新聞を半分くらい読んだところで、ぶつぶつ文句言いながら起きてきはる」

「文句って？」

「『会社も行かんでええねんからゆっくり寝たはったらええのに、あんたがごそごそ起きていくさかい目が覚めてもた！』とか言わはってな。ええからもういっぺん寝とけ、と言うと、『そんなん、朝ごはんもしたげなならんし、気になって寝てられるかあ』ってエラそうに言わはるんやけども……実際のところ、三度三度の食事は俺が作ってるのデス」

「えっ？」夏帆は息をのんだ。「うそ、食事も？　てっきり、お客さんが来た時のお茶の用意とか、そういう気働きの部分だけかと思ってた」

「そうやないんや。もちろん、お母ちゃんは今でも自分が買い物して、自分が作ってる気でおるわな。朝飯がすんで、俺が洗い物をして、小一時間もたつと『お昼どないしょう』言わはる。昼飯を適当に食べて三時か四時になると『晩ごはんどないしょう』や。ちゃんと用意したぁるから大丈夫やで、と言うたっても、なかなか納得はしはらへんな」

「どうするの、そんな時」

「ええから任せとけ、俺が作ったる、と言うと『ほんまかいな、ああ嬉し』たら、『珍しこともあるもんや、雨降るのんちゃうか』たら言うて喜ばはってな。そいで、しばらくの間は黙らはりマス」

夏帆は思わず笑ってしまった。父親の語り口はユーモラスで、悲しい出来事を話しているようにはとても思えないほどだった。

父も、いくらかは落ち着いたようだと夏帆は思った。母親の症状について初めて打ち明けられたときは、当人の様子よりむしろ父のことが気にかかったものだ。娘の自分以上に事実を受け容れがたかったのだろう、あの頃の父は、平静を装うべく努力はしていたが、目もとはどうしようもなく荒《すさ》んでいた。五十年も連れ添ってきた妻が、日に日にボケて衰えていく――それを、すぐそばでひたすら見つめるだけの毎日が、この父にどれほどの痛みをもたらしているかについては、たとえ娘であっても計り知れないものがある。

「お茶かコーヒーでも淹れようか」

と夏帆が訊くと、伊智郎は相好《そうごう》を崩した。

「おお、ええなあコーヒー。お前が淹れてくれるのんか」

「もちろん。たまにはいいでしょ、ひとに淹れてもらうのも。あ、でも今飲んだら眠れなくなっちゃう？」

「いや、俺はそういうことはまったくない。けど、お前は弱かったやろ、カフェイン」

前はね、と夏帆は言った。

「今じゃもう、ちょっとやそっとじゃ効かない体になっちゃった。それに、まだ全然、眠れるような時間じゃないもの」

「いつも何時ぐらいに寝るんや」

「うーん……朝？」

「朝方か」

「時々は、六時七時を過ぎることもあるよ。そのまま昼になっちゃうことも」

くはっ、と変な声で笑った伊智郎は、じきに苦笑いになった。

「そうか、それでお前、午前中は電話してくれるなと言うてたんやな」

夏帆は台所に立った。対面式のカウンター越しに、父親の姿は見えている。

「お母ちゃんには、どうして午前中はかけてこないで欲しいのかっていう理由も、何度となく説明してあったんだけどね。朝十時過ぎくらいにかかってきた電話にうっかり眠い声で出たりすると、『だらしない』っていまだに叱られちゃう」

「まあ、あのひとは自分の価値観が絶対の人やからなあ。そこんとこは我慢したってくれや」

わかってるって、と夏帆は言った。

「今さらあの人の性格を変えられるなんて思ってないし」

「ははは。まあそういうこっちゃ」

「だけど、考えてみたらここ最近、お母ちゃんから電話かかってこないな。どうしてだろ。もしかして、私の電話番号がわかんなくなっちゃった……はずはないか、あそこにちゃんと書いてあるもんね」

目をやった電話機のすぐ上の壁には、夏帆の連絡先を油性マーカーで大書した紙が貼ってある。たとえ番号を忘れたとしても、これを見れば電話くらいかけられるだろう。

と、伊智郎がふっと肩を落とした。

「怖い、言わはるのデス」

「え？　うそ、私のことが？」

「いや。電話が」

空っぽのやかんを手にしたまま思わず眉を寄せた夏帆の顔を見て、伊智郎はうなずいた。

「自分からかけるのも尻込みしはるようになったけど、よそからかかってくる電話のほうはもっとイヤやそうでな。ベルの音がじゃんじゃか鳴ってようが、どんなにそばにおろうが、絶対に出はらへん。情けない声で、『お父ちゃん出てぇ』言わはる」

夏帆は、やかんに水を満たし、そっとコンロにのせた。

「電話が怖い……って、いったい何が怖いんだろ」

「さあなあ。受話器を取って出てみるまで相手が誰やらわからへんからかなあ」

「そうかもしれないね」

答えながら、けれど夏帆は少し違うことを思っていた。

あの母が本当に怖がっているのは、〈誰だかわからない電話の相手〉ではなく、いざその電話に出た時に、名乗られてもなお〈相手が誰だかわからないかもしれない自分〉のほうなのではないか。あれだけプライドの高い母親にとって、自分の今の状態を他人に覚《さと》られてしまうのは、もしかすると死ぬこと以上に耐え難いのではないだろうか。

「お母ちゃんはさ……」夏帆はぽつりと言った。「どれくらい、今の自分のことがわかってるのかな」

意味するところは正確に通じたらしい。

「そうやなあ。しょっちゅう俺に、『うちまだそんなにボケてぇへんな』と確かめなおれんくらいには、自分でも気にしたはるみたいやな」

青いガスの火を見つめる。こんなにも熱いものが、こんなにも冷たい色をしているということが今さらのように不思議だった。

丸い王冠のかたちに燃える炎は夏帆に、もう二十年ほども前のあの寒い夜のことを思い出させた。父の呼んだ救急車で病院へ運ばれた母親が、胃洗浄を受けたあの夜──意識が戻るまで付き添っていると言う父親を病室に残し、一人で家に戻った夏帆が最初にしたのは、冷えきった台所の石油ストーブに火をつけることだった。

秋実がいなくてよかったと思った。あの妹ならきっと、鴨居《かもい》からぶら下がる灰色の輪を見た瞬間に半狂乱になって泣くだろうし、事情を知れば父のことを責めるだろう。それを横からいちいちなだめたり慰めたりたしなめたりしなければならないとなると、考えるだけで気がふさいだ。

静まり返った家の中、灯油の燃える匂いが漂いだす。ストーブの小さな覗き窓越しに、青い炎が揺れるのを見つめながら夏帆は、これほどのことが起こってもなお心の動かない自分が信じられなかった。つい何時間か前に母親に自殺されそうになった娘として、これではいくらなんでも落ち着き過ぎだろうと思った。

救急車に乗る時も、さすがにうろたえてみえる父の代わりに、お金の心配までしてしまった。お財布持った？　と訊くのもはばかられたので、自分の部屋へ走り、数日前にもらったばかりのお年玉の袋をポケットにねじこみ、それから救急車に飛び乗ったのだ。

だんだんと温かくなってくるストーブのそばで、夏帆は、香奈恵に電話をかけて事のいきさつを話した。受話器の向こうで、途中から香奈恵がすすり泣き始め、それが妙に新鮮に思えたのを覚えている。

「何もあなたが泣くことはないでしょうよ」

と言ってみると、香奈恵は憤慨したように、誰のせいよ、と言った。

〈夏帆がちゃんと泣いてあげないから、あたしが泣くしかないんじゃない。こんな時にまで誰も同情してあげないんじゃ、いくらなんでもお母さんがかわいそうだよ〉

香奈恵が泣き声で言うのを聞いても、心はやはり動かなかった。今ごろ病院のベッドでぽかんと口を開けて寝ているであろう母親を思い浮かべるたび、舌打ちしたいような気分になるのも変わらなかった。

結局、母親が意識を取り戻したのは翌日の昼前だった。付き添っていた父親からの電話で、夏帆はそれを知った。

〈午後には、もう帰ってええそうや〉

「うそ、そんな早いの？　てっきり何日間か入院するもんだと思ってた」

〈検査もしてくれはったけど、とくに異常はなかったらしい〉

「そうなんだ。ねえ、大丈夫？」

〈大丈夫やろう、大きい病院やし〉

「そうじゃなくて……お母ちゃんのことじゃなくて、お父ちゃんは大丈夫なの？　ゆうべ、ろくに寝られてないんでしょ？」

ああ、俺か、と伊智郎は言った。ようやく自分のことに気が回ったらしく、急に疲れた声になった。

〈俺は大丈夫や。けど、なんや気ぃ抜けたわ〉

さんざん心配したのでほっとしたとたんに気が抜けた、という意味なのか。それとも、救急車まで呼んで大騒ぎしたわりに全然たいしたことがなくて気が抜けた、という意味なのか。いったい父はどちらの意味で言ったのだろうと夏帆は思った。お前はどうなのだと訊かれるなら、疑いもなく後者だった。

「秋実にはこのこと、どうしよう。知らせる？　それとも、黙っとく？」

伊智郎が、受話器の向こうで低く唸った。

〈どっちのほうがええと思う？〉

「私は、言わないほうがいいと思うけどね。救急車で運ばれたことそのものは近所の人にもわかっちゃってるだろうから、秋実にだけ隠すわけにはいかないけど……そのへんはまあ、急に胸が苦しいって言うから慌てて救急車呼んじゃったとか、その程度にしておいてさ。ゆうべお母ちゃんがしでかしたことについては、ここだけの話にしておいたほうがいいんじゃないかと思うんだけど」

どう？　と訊くと、伊智郎は再び唸り、しばらく口をつぐんだあとで言った。

〈お前は、それでええのんか〉

「え、何が」

〈こういうこと全部をお前一人で抱えなならんのはしんどいやろ。秋実にも話して、二

人で相談できたほうがええのと違うか〉

「それは、でも……」

〈ゆうべのことは、お母ちゃんは何ひとつ悪うない。悪いのはみんな俺なんや。秋実に知られてどんだけ責められても仕方がないと、覚悟は決めとる。夏帆お前、このところずっと、お母ちゃんから一方的に愚痴こぼされてしんどかったやろう。これを機会に、と言うのもおかしなもんやけど、秋実にも打ち明けられたら、お前はだいぶ楽になるのんと違うか？〉

今度は夏帆が唸る番だった。

ゆうべひと晩、友だち――おそらくは男の――のところに泊まると言って留守にしていた秋実。今日はいったいどんな顔で帰ってくるのだろう。ふわふわと地面から浮いているかのように頰を上気させているか、それとも、何かに傷ついて暗い顔をして帰ってくるのだろうか。

いずれにしても、姉である自分もまだ知らないことを経験したのであろう秋実に対して、夏帆はどこか面白くないものを感じていた。あの能天気で子どもっぽい妹に、負けた、などとは思いたくなかった。いったいどちらが気持ちの上で優位を保てるだろう。ゆうべのいきさつを含め、父と母を取り巻く事情を全部ぶちまけて泣かせてやるのと、たとえどんなにしんどくても、自分だけが本当のことを知っているのだという思いを胸にしまって妹にはずっと隠し続けるのと。

〈夏帆？〉

　父の声に我に返る。

「うん。やっぱいいよ。私は大丈夫」と、夏帆は言った。「秋実はあのとおり、まだ子どもだからさ。こういうこと聞かせても理解できないと思うし。正直、お母ちゃんのヒステリーだけでも手一杯なのに、これで秋実にまで騒がれたらかえってしんどいしね」

〈そうか〉

　父が、複雑そうな声を出した。

　その日の午後遅く、母親は家に戻ってきた。ずっと付き添っていた父が、腹は減っていないかと訊くと、小さい声で、

「……すいた」

　と言った。

「雑炊か蕎麦《そば》やったら食べられるか」

「なんでもええわ」

　秋実はまだ帰っていなかったので、伊智郎の作った蕎麦を三人で食べた。

　ゆうべはあんなにドラマティックに死のうとしてみせた人が、翌日の夕方には熱い蕎麦をふうふうと冷ましている。それが不思議でもあり、ひどく腹立たしくもあり、けれど胸の底にはやはりまぎれもない安堵があって、夏帆はそんな自分にこそ苛立った。母親が蕎麦をすする音がいちいち耳に障り、改めて、ああそうか、自分は怒っているのだ

とさとった。

生きていてくれてよかった、には違いない。だがそれは、本人のためというより、父親のためだった。もし母親がうっかり本当に死んでしまっていたら、父はどれほど自身を責めただろう。

二十年たった今でも、あの夜のことは隅々までくっきりと思いだせる。

薬を飲んで意識を失った母親が、腰まで入っていたこたつ布団の柄や。一一九番に電話をかけにいった父親を待つ間、隣の部屋の換気扇から美味しそうなカレーの匂いが漂っていたことや。

あるいはまた、駆けつけた救急隊員の一人に訊かれるままに、その朝から現在に至るまでの状況を説明したところ、

〈きみ高校生？　こんな時なのにしっかりしてるね、偉いね〉

そう言われたことも覚えている。〈こんな時なのに〉という言葉にハッとなり、かえって責められているような心地がして、そのあとはほとんど口をきけなかった。

ドリップしたてのコーヒーを、父親の前に置く。おおきに、と目尻を下げた伊智郎は、ひと口すすって、旨い、と言った。

「粉からだけどね。豆からガリガリ挽いたりしたら、お母ちゃん、音で目が覚めちゃうかと思って」

「いや、充分や。まあ、このごろはお母ちゃん、いっぺん寝たらめったなことでは起きて来はらへんのやけどな」

「そうなの？　前は、ちょっとの物音でも目が覚めちゃう人だったのに」

そうやねん、と父親がうなずく。テーブルに落とした視線は、ひとつ大きなことをあきらめたように乾いていた。

夏帆も、再び向かい側に腰をおろす。

「それにしてもさ。うちって、ちょっと色々あり過ぎだよね」

「うん？」

「一つだけでもそれこそ私の小説のネタになりそうな出来事が、しょっちゅう次々に起こり過ぎっていうかさ」

言いながら、夏帆は苦笑いをもらした。

「いつだったか大介にも話してたことなんだけど……うちみたいに色々起こる家族って、どうなんだろ、やっぱり特殊なのかなあ。この家なりのあり方を当たり前だとばかり思って育った私には、正直、よくわからないんだけど」

伊智郎が、肯定とも否定ともつかない様子で、ゆっくりと何度かうなずいている。そうしながら、テーブルの端にあったパイプ煙草の平たい箱を、ぱたりぱたりと浮かせてはまた戻す。何かまとまったことを話そうとする時の伊智郎の癖だった。

「しかしそれは、あれやろ。お前が昔、初めて新人賞をもろた時に、選考してくれたセンセの誰やらから言われたという……何やったかな、特殊が何やらいう言葉」

「『特殊を描いて普遍に至るのが文学』?」

「ああ、それや。要するに、そういうことなんやないのかな。ふつうのことをふつうに書くのは誰にでもできる。けど、ふつうでないことを書いてなお、読んでる人に共感してもらおうと思たら、そのほうがずっと難しいのんと違うか。お前が書きたいのんは、そういうものやろ」

夏帆は、テーブルに頬杖をついた。父の顔をまじまじと眺めやる。

「すごいねえ、お父ちゃん。さすが、無駄に年は重ねてないよね」

「ふん、生意気言いよる」

まんざらでもなさそうな顔で、伊智郎は少し笑った。

「まあたしかに、うちの家はいささか特殊やったかもしれんわな。お前も、おかげで屈折せざるを得なかったとこはあるんやろう」ぱたりぱたりと煙草の箱を鳴らす。「そやけども、お前自身は、べつに特殊やないと俺は思うぞ。書いてるもんがどんだけぶっ飛んどる場合でも、お前自身のモラルみたいな部分の感覚はむしろ、相当オーソドックスで禁欲的なほうやろ」

「……うん。それはほんとにそうなんだ」

夏帆はため息をついた。

「どれだけ振り切ろうと思っても、体に染みついちゃったモラルの感覚って、どうしても切り捨てられないんだよね」

「いや、なにも捨てんでもええのと違うか。それがあるおかげで、あるいはお前の書くもんがグダグダの汚らしいものにならんで済んでる部分もあるのかもしれん。そう思たら、お母ちゃんのああいう教育の仕方にも、ちょっとくらいは感謝したらなあかんのかもしれんわな」

「感謝……」

「——まではできんか、やっぱり」

夏帆は、黙って唇をゆがめた。

背後の廊下の奥、ベッドを二つ置いた寝室で、母親はひっそりと寝息をたてている。いや、ひっそりかどうかは知らない。寒かったあの晩のように、平和ないびきをかいているかもしれない。

世の娘たちの多くは、母親の安らいだ寝顔を思い浮かべる時、自然とあたたかな気持ちになったり、唇に笑みが浮かんだりするものなのだろうか。そうだとしたら、自分は何と冷たい娘なのだろうと夏帆は思う。それこそ「娘を産んだ甲斐がない」と言われても仕方がないし、反論のしようもない。

人は、必ず誰かの子どもとして生まれてくる。どんなに親を拒絶しようと、自分がその人の子どもだという事実をまるごと否定することはできない。そう、わかっている。だからこそ苦しい。

「だいぶ冷えてきたな」

はっと我に返ると、父親がパイプの中身を灰皿に掻《か》き出しているところだった。黙りこくっている娘から、無理に答えを引き出すことはあきらめたらしい。

「風呂、沸いとるぞ」

「……うん」

「だいぶ前から熱いままになっとんぞ」

「お父ちゃん、先に入って。私はふだんから宵っ張りだからいいけど、ご老人にとってはもういい時間でしょ」

「ふむ。ほな、そうさしてもらいまひょか」

おどけた口調で言い、テーブルに手をついてぎくしゃくと立ちあがる父を、夏帆は見守った。母親の衰えにばかり気を取られていたけれど、いつのまにか父のほうも年相応にガタが来ているのだと思い知らされる。

「そういえばお母ちゃん、お風呂入らないまま寝ちゃったね」

「ま、今日に限ったことやないけどな。このごろお母ちゃん、頑としてお風呂に入りはらへんのデス」

「このごろって？」

「もう、ひと月近くになるかな」

夏帆は声を失った。

「風呂は、俺が入りたいから毎日沸かしとるし、お母ちゃんにも入れと言うんやけども
な。どうしてもいややとゴネはるのデス」
すでに匙《さじ》を投げたかのような口調であり、表情だった。
「でも、ひと月だなんていくら何でも異常じゃない？　どうしてだろ。まさか、電話に
続いてお風呂まで怖くなっちゃったとか？」
「いや、怖いとは言うたことないな。ただ、いややねんと。こっちがちょっとキツう言
うと、『もうずっと風邪ひいたまんまやのに、お風呂なんか入れるかぁ』言うてな」
「え、風邪ひいてるの？」
「ひいとらん」
「…………」
「けど、『お前は風邪なんかひいとらへん』て言うたったら、烈火のごとく怒らはる。
『うちの体はうちが一番よう知ってる、あんたに何がわかるねん、あんたは昔から病気
したことがないから人の痛みがわからへんねん、こんなにしんどいのに風呂入れやなん
て人のこと殺す気かぁ！』……とまあ、そんな具合やな」
茫然としている夏帆に、立ったままの伊智郎がふっと苦笑して、どや、目に浮かぶや
ろ、と言った。夏帆はうなずき、ぐったりと椅子の背もたれに沈みこんだ。重たい息が
もれる。
いったい、どこまで壊れていってしまうのだろう。いつか、どこかで歯止めはかかる

のだろうか。

たった今話していたことを、母親が片端から忘れるようになった時は悲しかった。あれほど社交的だったのに、いっさい電話を取らなくなったことにも驚いた。けれど、入浴を拒否するようになったという話は、これまででいちばんの衝撃を夏帆にもたらした。

幼い頃、妹の秋実と三人で風呂に入るたび、さんざん言われたことを思いだす。

〈ええか、ちゃんと首や耳の後ろまで洗いや。そういうとこがズズ黒《ぐろ》いと、何から何まででだらしない人間やと思われるねんで〉

その母が、もう、ひと月も……。

急に、怖くなった。母親はついに、人として在ることまで放棄し始めたのだろうか。

Interval　――美紀子

　ひと月もお風呂入ってないて？　誰が？　うちが？

　あほなこと言いないな、そんなはずあるかぁ。冗談にしたってつまらん冗談やわ。

お風呂入らへんかったんは、ここんとこずっと風邪気味やったからやないの。それも、ほんの数日やんか。ほんまにひと月もお風呂に入らへんままやったら、体が臭《くそ》ぉなるにきまってるやろが。

　なあ、うち、臭いことないやろ？　な、ほれ見てみい。

　お父ちゃんいうたらな、うちがそこまで言うたげても、まだしつこぅに、「なんでお前は臭ぉならへんのやろ」て首かしげはんねん。「ふつうはひと月も風呂入らなんだら垢《あか》がたまって体も頭も臭ぉなってくるもんやろうに、不思議やなあ」たら、「年取るとよっぽど新陳代謝が悪うなるもんやねんなあ」たら言わはってな。

　そやから、お風呂はついこないだ入ったばっかりや、て言うてるやんか。お父ちゃんが知らへんだけや。風邪気味の時に無理して入って、肺炎にでもなったらどないしてくれんねん。

あのな、お父ちゃんはな、昔っから体が丈夫やったやろ。戦争のあとソ連の捕虜んなって、シベリアの強制労働で体も鍛えはって、最後のほうは食事もまあましになってたんやろかなあ、日本へ帰ってきはった当時は腕も肩も胸も、そらもう隆々と盛りあがったはった。惣介さんよりも背ぇは低かったけど体格は良うて、なんやまるで小っさい仁王さんみたいやった。

そういう人やから、病気ひとつしはれへん。頑丈なのはええことやろけど、そのぶん、体の弱いもんのことをちっともわかってぇへんねん。わかろうともしはらへん。

うちがしんどそうにしてたら、

「そないして一日じゅう家ん中でぼうっとしてるから、よけいにだるいんや。外へ出て庭いじりでもせぇ」

と、こうやで。

ようまあ、あほなこと言うてくれるわ。ずっと微熱が続いてるんや、てあれほど言うてたのに、何が庭いじりじゃ。人殺す気かぁ。

けど、なんやろなあ。しばらく前から、たしかに物忘れは増えてきてたけど、そんなんは年が年やもん、しゃあないやんか？　けど、このごろ時々、一日が丸ごとぼうっと霧に包まれて、気ぃついたらいつのまにやら夜になってたみたいな時があんねん。時間がごっそり消えて無くなってしもて、ほんま気色悪いで。

そうかと思たらな、その霧がぱあっと晴れたように頭ん中がくっきりして、人が言うたことも自分が話したことも全部覚えてる時かてあるしな。まわりはうちのこと、何を聞いてもどうせまたすぐ忘れると思うてるさかい、あれこれ平気で言うてんねんけど、それくらい覚えてる、ちゅうねん。ほんまに、ひと馬鹿にして。腹立つわ。

どれくらいちゃんと覚えてるか言うたらな、もう何か月も前になるけど、珍しことに夏帆がうちへ来てな。たしか、にいちゃんと一緒やった。いや、ちゃうちゃう、一人で来て泊まってったんやわ。旦那はんを放っといてもええんやろか、怒りはらへんねやろかと思たけど、知らん、怒られてもうちのせいやないわ。

そいでな、ええと何の話やったか。

そうや、そん時、うちは先に寝に行ったんやけど、お父ちゃんと夏帆は夜遅うまでずっと、こそこそ、もしょもしょ、内緒話をしたはってな。そういう声て、何もとくべつ耳澄まさんでも聞こえてくるもんやんか。

「このごろお母ちゃん、電話替わってもほとんど話さなくなっちゃったよね」

夏帆の声はな、ひそめたかて良う通んねん。お芝居が得意やったうちの子ォやさかいな。

「何年か前までは、向こうからも電話かけてきて、最近あったことから庭に今咲いてる花の話まで逐一話さないと気の済まない人だったのに、このごろじゃ『夏帆あんた元気なんか』『たまには顔ぐらい見せてぇな』って言うだけで、すぐまたお父ちゃんにかわっちゃう。長話をしなくなったのは要するに、最近あったことを話そうにもその記憶がないからなんだなって思ったら、せつなくなっちゃって」

何言うてんねん、と思いかけたけど、最近あったことて何やろう。何かあったやろか。あかん。ほんまや、思い出されへん。頭ん中がからっぽや。

そう思たら、薄暗い寝室が急に怖なった。お父ちゃんに頼んでいっつも豆電球だけはつけたままにしてもろてるねんけどな。これがほんまに真っ暗やったら、夜中に目が覚めたとき、自分が誰やらわからんようになって、怖いやんか。

そしたら、また夏帆の声が言うたんや。

「お母ちゃんさ、お父ちゃんにもしょっちゅう、『ボケてきたらちゃんと言うてや』って言うわけでしょ」

「ああ、言わはるな」

「そういう時は何て答えてるの」

「そうやな。まだボケてぇへん、て言うたらなしゃあないわな。ああほんまにボケたな、と言うたからというて、何がどう変わるわけでもないし。無駄に悲しそうな顔させるのも可哀想やもんなあ」

……無駄に、て言わはったか今。

夏帆の返事は、しばらく聞こえへんかった。ようやく聞こえてきたとき、夏帆はこない言うたわ。

「おばあちゃんの時とまるっきり同じボケ方だなあって思うと、怖くなるんだよね」

びっくりしたで。

おばあちゃんと、やて？　あの、うちのお母ちゃんとか？

ほんまかいな。ちょっと物忘れがひどなってきただけやと思うてたのに、うち、もうあんなにひどいことボケてるのんか。今日食べたもんも、さっき話してたことも、何べん言うたげても忘れてしもて、〈はーさよか、そうでしたかいなあ、このごろもう何にもわからへんようになって、年取ったらあきまへんなあ〉て言うたはったあのおばあちゃんとうちが、おんなじやて言うのんか。

「まぎれもなく遺伝なんだなって……私にもいつかその時がくるのかと思ったら、ずっと怖かったんだけどね」

「うん？　ということは、今は怖いことないのんか」

お父ちゃんの声がする。

「じつはこの間、何年ぶりかでちゃんとした健康診断を受けたの。今どきは血液検査でいろいろわかるんだね。なんでも、私の遺伝子の中には、癌《がん》になりやすい遺伝子と肥満になりやすい遺伝子はちょっとずつ含まれてるけど、アルツハイマーの遺伝子は無いんだって。だからって絶対に将来ボケないと決まったわけではないそうだけど、それを聞いたとたんに私、ものすごくほっとしちゃってさ。あまりにもほっとした自分に驚いたくらい」

なるほど、とお父ちゃんの声が言う。

「担当の先生に、母はすっかりボケちゃいましたけど、って言ったら、お父さんの側の遺伝子が強く出たんでしょうって。言われてみれば、鈴森家のほうの親戚って、ボケた人いないもんね」

「ほんまやな。お前、俺に感謝せないかんぞ」

「してますってば」

お父ちゃんと夏帆の口調に苦笑いみたいなもんが混ざるのを、うちはこっちの部屋でベッドに仰向けになって、黙って聞いとった。豆電球ひとつ点した天井を見あげながら、泣けて泣けてしょうがなかった。

こっちが寝てるのをええことに、あんたら二人はそんな話をするのんか。よっぽど、泣きながら居間へ出ていったろかと思た。ようせえへんなんだけどな。


あ、電話が鳴っとぉる。

台所で、珍しことに洗い物をしてくれたはるお父ちゃんが、「おーい出てくれ」言わはったけど、いやや、怖い、て言うたら、手ぇ拭きながら出てきて取らはった。

誰からやろ。

なんや、夏帆からかいな。ふうん。ほんならまあ、替わったろか。

〈お母ちゃん、昨日はありがとう、お邪魔しました。風邪はどう?〉

いの一番に訊かれて思わず、「はあ？」言うてしもた。

「風邪？　風邪なんかひいてぇへんで。お父ちゃん、うち、風邪ひいてたか？」

「まったくひいてませんヨ」

お父ちゃんの声が聞こえたらしい。電話の向こうの夏帆が、えらいおかしそうに笑いだしよった。

……なんでそこで笑わなならんねん。やらし子。

第十四章——放

夏帆の大学入学を機に、庭先のプレハブ小屋を使わせてやったらどうかと母に進言してくれたのは父の伊智郎だった。以前は弘也の部屋だったが、兄が離れて暮らすようになってからは納戸のようにしか使われていなかったのだ。

「そしたら秋実もこっちの部屋を一人で使えるようになるやろう」

秋実は大はしゃぎで変な雄叫《おたけ》びをあげ、夏帆も嬉しさを隠せずにいたが、母親は苦い顔で、すぐにはうんと言わなかった。

「一人一部屋やなんて贅沢やわ。女の子同士なんやし、隠さなならんようなことが無いのやったら、部屋かて一緒でかまへんやんか」

そういうことではないのだ、と言いたいのをぐっと呑みこんだ夏帆の横で、秋実があっけらかんと言った。

「何言ってんの、お母ちゃん。隠しときたいことくらいいっぱいあるよ。この年にもなったら誰だってそうだよ、きまってんじゃん。っていうか、無かったら異常だよ」

「秋実?」

みるみる険しい顔になりかけた母親を、伊智郎が制した。

「いや、秋実の言うのがほんまのことや思うぞ。二人とももう幾つや。十八と十六やろ。どうせろくに使てない部屋なんやし、ええやないか、何がいかんのや」

「そやかてあの部屋、内側から鍵が閉まるねんで」

「閉めないから!」我慢しきれずに夏帆は割り込んだ。「鍵は閉めないって約束するから。それだったらいいでしょう?」

母親が、渋い顔のまままため息をつく。

「しゃあないな。そのかわり、寝る時だけはこっちで寝ぇや」

ええーっ、と文句をたれたのは秋実だったが、美紀子は「絶対あかん」と、そこだけは頑として譲らなかった。

「いいなあ、お姉ちゃんてば」と、秋実が口を尖らせて言った。「ドアのある部屋なんかもらえてさあ」

母屋の玄関を出て、ほんの二歩のところに建つプレハブ小屋。薄い壁と、開け閉めに苦労するサッシ窓、そして建てつけの悪いドアに囲まれた六畳間。

その部屋が、春から夏帆の城に――いや、王国になった。

夢のよう、とはこのことだった。これまでは、二段ベッドのおさまった四畳半と廊下の間の境といったらプラスチック玉のビーズが連なる暖簾だけで、落ち着かないことこの上なかった。

具体的な隠し事があるとか無いとかいった問題ではないのだ。机に向かって真面目に勉強をしていようが、隠れて小説を書いていようが、どちらにしても周囲の気配は気にかかる。母親に限ったことではない。妹の秋実が同じ部屋にいるだけでも、とうてい自分だけの何かに没頭することなどできない。視線や物音がわずらわしい。

それが、なんといきなり一人部屋を与えられたのだ。それも、母屋とは別棟の部屋を。妹の言うとおり、たった一枚のドアがきっちり閉まるということが、これほどの安堵をもたらすとは思いもよらなかった。誰からも干渉されることのない、自分だけの空間。前より閉ざされているのに、はるかに解放された感じがした。

しばらく納戸がわりに使っていただけに、当初は客用布団やシーズンオフの家電などが押し込められていたが、それらは兄が残していった物とともに、父親が日曜日を費やして片付けてくれた。

美紀子が救急車で運ばれた晩から幾月かがたち、日常に紛れてふだんは思い出すことも少なくなっていたが、あれほどの焦燥と虚《むな》しさを共有した父と娘にとっては、忘れ去るにはあまりに大きな事件だ。以来、互いの間に、前よりもさらに強い理解や共感が生まれたのかもしれない。こうして一緒に片付けたりゴミを出したりしながらも、だんだん広くなってゆく部屋には、どこか同志の友情にも似た居心地の良い空気が流れていた。

弘也が残していった家具やがらくたの幾つかを、夏帆は父に頼んでそのまま使わせてもらうことにした。

米軍放出品の、大きな木製のロッカーと机。白く塗ったドラム缶の上に、どこからか拾ってきた道路標識をのせただけのテーブル。背もたれにコカ・コーラのロゴマークが入った赤い公園ベンチや、壁の支柱に掛けられたレーシングタイプの自転車。

それらの間に小さいガラステーブルを置き、兄のものだったマットレスを床に直置きにして、上から青い縞模様のカバーをかけると、夏帆の部屋は完成した。カーテンがわりにしたのは切りっぱなしの麻の布だった。

「女の子の部屋やないわ、これ。誰が見たかて、むくつけき男の部屋やないの」

美紀子はそう言ってあきれていたが、夏帆にとっては花柄のカーテンやぬいぐるみなどよりも、こういった無骨で荒々しいものたちが醸しだす雰囲気のほうがずっとしっくりくるのだった。男っぽいものを好むのは、もともとは母親の育て方のせいだったはずなのに、今ではもう夏帆自身の動かしがたいパーソナリティになってしまっていた。

「ドアの鍵は閉めんときや」

と、母親は念を押した。

「わかってるよ」

「『わかってるよ』やあらへん、『はい』やろ」

「――はい」

「よその家の話なんか聞くと、部屋にこもるなり中から鍵閉める子ォもいてるらしいけど、信じられへんわ。そういうことを許すような親やから、さきざき子どもが不良になっても気ぃつかへんねん」

「私は別に、」

「あんたが不良になるとは言うてえへんがな。ただ、親も入られへんように鍵かけるていう根性が、お母ちゃんは好かん。ほんま好かん。よその親がなんぼ許しても、うちではあかんことがある、いうことは、あんたももう良う知ってるやろ」

夏帆は、黙っていた。ドアを開ける前にせめてノックだけはしてよね、と言いたくて胃が痛痒《いたがゆ》くなるほどだったが、とうとう言えなかった。以前、キスをしていた兄たちが飛んで離れたというのだって、母親がノックさえしていれば避けられた話だったはずだ。礼儀知らずはどちらだと思った。

決して鍵をかけてはいけないというのなら、親に知られたくないことは、親のいない時を狙って実行に移すしかない。

夏帆はやがて、その部屋で初体験を済ませた。大学一年の夏休み、両親が何年ぶりかで夫婦旅行に出かけている間のことだった。

三泊四日の鬼怒川《きぬがわ》温泉の旅を、父と母のどちらが言いだしたのかは知らない。秋実はといえば、ちょうど同じ時、部活の夏合宿のために千葉の民宿に泊まり込んでいた。

「つまりうちの親は、旅行の予定をわざわざ妹の合宿に合わせたってわけ。こういう時、

「そうね。『一人でほんまに大丈夫なんか』とか『戸締まりとガスに気ぃつけや』ってさんざん言われたけど、それだけだったもの。秋実と違って、昔から親の言うことはおとなしくきくイイ子だったおかげで、こんな時は信頼が篤《あつ》いの」

「ふうん。なっちゃんのことは信用してるんだ？」

「秋実はまるで信用されてないから」

再び「ふうん」と言った相手の顔には、まだニキビの跡が残っていた。同じ部の先輩で相原《あいはら》といい、学年は二つ上だが年は三つ違いだった。

付き合いだしたのは五月の連休が明けた頃からだ。降りる駅が一緒で家も比較的近かったので、部活が終わったあと、毎日のように大きな公園を抜ける夜道を送ってもらううちに、自然と手をつなぐようになり、口づけを交わし、こういうことになった。

その間三か月――というのはおそらく母親などの基準からすれば言語道断の短さだろうが、当人たちにしてみれば、我慢に我慢を重ねた結果だった。好き、という言葉では追いつかない感情をやりとりするためにはもう、抱き合う以外に方法がなかったのだ。

相原にとっても、夏帆が初めての相手だった。どう見ても女にもてるというタイプではなかったが、優しくてひょうきんで、男女の別なく上からも下からも慕われていた。

大学入学と同時に夏帆が弓道部に入ったのも、もとはといえば、新入生勧誘中の相原に呼び止められたせいだ。

〈きみ、新入生だよね。どこか興味のある部とかあるの？　よかったら案内するよ、そ

の前にうちの部の説明もちょっとだけ聞いてくれると嬉しいけど〉

出身はどこ、高校は、などといろいろ訊かれた夏帆が、これまでは何となく文系一辺倒だったから大学では少し体を動かしてみたい、それも結果のすべてが自分自身に返ってくる個人競技だとなおいいと思っている、と言ってみると、相原の勧誘にはますます熱がこもった。

〈これ冗談じゃなくてさ、きみ、性格的にすごく弓道に向いてると思うよ。弓には大きく分けて二種類あって、一つは洋弓、いわゆるアーチェリーね。で、もう一つが和弓、これが弓道。この二つのいちばん大きな違いって知ってる？〉

知っているわけがない。夏帆は首を横にふった。

すると相原は嬉しそうに言った。

〈本来当たるようにできている弓を引いて、一点一点の精度を競うのがアーチェリー。本来当たらないようにできている弓を引いて、精神力で的に当てるのが弓道〉

なぜだろう。そう話してくれた時の相原の誇らしげな顔が印象的だったせいかもしれない。結局、夏帆はほかの部をろくに訪ねもせずに、弓道部への入部を決めたのだった。

部屋のドアに初めて内側から鍵をかけ、どちらにとっても未知の行為をとりあえず無事に終えたあと、相原は夏帆をそっと抱き寄せて訊いた。

「体、つらくない？」

思っていたほどの痛みはなかった。他と比較したことがないからはっきりとは言えないが、相原のものが人より極端に粗末であるとは思えない。痛みがそれほど強くなかったのはおそらく、彼と結ばれたい、と夏帆自身が心から望むことで、体が自然に受け容れる態勢を整えていたせいだろう。

正直なところ、いささかのものが入ってきて出ていったくらいで自分の何がどう変わったとも――つまり世間でよく言われるように、その程度のことで大人になったとも女になったとも思いはしなかったが、抱かれたあと、恋人から優しく気遣われるのは理屈抜きで気分がよかった。むしろ、そうして特別な意味合いを込めて大切に扱われることで初めて、〈おんな〉であるのだという実感が湧いたとも言える。

だから夏帆は、嘘を少しだけ混ぜて答えた。

「ん……ちょっとだけ。でも、大丈夫」

それを聞いた相原がまんざらでもない表情を浮かべたのを見て、夏帆は自分の答えが間違っていなかったことを知った。男は、女に、ほんの少しつらい思いを味わわせるのを嬉しく思う生きものなのだ。そして自分は、そういう思いを味わわされるのが好きなのだ。

「じゃあ……ごめん、その、あとでもう一回いいかな？」

ごめんどころか、夏帆のほうこそまだまだ知りたいことばかりで、今すぐだってかまわないくらいだったが、さすがにそうも言えない。おずおずとうなずいてみせると、相原は感極まったように抱きしめてくれた。

不思議なことに、高校時代に夕子や香奈恵たちに対して抱いたような支配欲や征服欲は、すっかり影を潜めていた。あれもこれも、どちらも恋愛には違いないと思うのに、今は夏帆自身があの時の彼女たちのような目をして相原の前に佇んでいるのだった。

どうやら自分の中には二つの性別と人格があるようだ、と夏帆は思った。好みの女の子を前にすれば、わがまま勝手な〈男〉になり、好きな男を前にすれば、古風なほど従順な〈女〉になる。

前者はともかく、後者についてはまだ馴染みがなかったので、相原によって引き出される自分の一挙一動がつくづく新鮮だった。まるで珍種の生きものを観察するような気分だった。

初めての異性との恋愛に、夏帆は夢中になった。相原のことはもちろん好きだったが、それ以上に、男によって自分がどんどん変わっていくことに昂揚を覚えた。

同じ大学に進んだ高校からの友人と構内ですれ違って、露骨に驚かれたこともある。

「うっそ、鈴森が女装してる！」

苦笑いで「うるさい」と言い返したものの、内心、うまいことを言うと思った。これまでの定番だったジーンズに比べると、ふんわりとした薄地のスカートなどは股間をすうすうと涼しい風が通り抜けて、心許ないことこの上ないのだ。それこそ、初めて女装をした男というのはこんな気持ちになるのではないかと思うほどだった。

「ばかねえ。その心許なさこそが、女の仕草を色っぽくさせるんじゃないの」

推薦で系列の短大に進んだ香奈恵は、休みの日などに夏帆に会うたび、まるで慈母のような笑みを浮かべた。

「いいことだわよ。少年っぽいあなたも魅力的だったけど、私は今のあなたも好きよ。なんかこう、一生懸命でいじらしい感じ」

そういう彼女にも、恋人ができたのだった。夏はテニスで冬はスキー、というありがちなサークルで一緒になった慶應《けいおう》の学生で、二つ年上だという。

「言っちゃ悪いけど、なんかそういうサークルって遊び人の集まりだったりするんじゃないの？　大丈夫？」

夏帆が心配すると、香奈恵はふきだした。笑い声が以前より華やいで聞こえた。

「よっく言う。あれだけ女の子たちを泣かせまくった元祖遊び人が何言ってんの。だいたい、手の早さであなたの右に出る人なんて、男でもそうはいないんじゃないの？」

「何それ、ひどいな」

「ひどくない。事実だもの。大体、私よりあなたのほうがよっぽど心配よ。今みたいな気持ちで誰かを好きになったことなんて、初めてでしょ」

免疫ないんだから気をつけてよね、と香奈恵は言った。

娘が最初に付き合った相手というのは、どんな母親にも必ず強い印象を残すものなのだろうか。夏帆がいま現在一緒に暮らしている大介のことを電話で話すとき、美紀子が誰かと混同して突飛な返事をするのは初めてではない。

だが、これまでは、〈にいちゃんは元気なんか〉という具合に前夫と間違えることが多かったのに対して、近頃では、相原の出演率がぐんと高くなっていた。時には〈相原くんは〉と名前まで飛びだしてぎょっとさせられることもある。

そんな時、母親の頭の中には誰の顔が浮かんでいるのだろう。当時の彼の顔を覚えているのだろうか。それとも、ぼんやりと白っぽいだけの、作りかけの能面のようなのだろうか。

そうだとしたら、相当怖い、と夏帆は思う。鳴っている電話を怖がって取りたがらないのも無理はないかもしれない。

「それはそうとお母ちゃん、今日はもうお風呂入ったん？」

一週間ぶりにかけた電話で、夏帆はできるだけさりげなく訊いてみた。

〈まだや〉

と美紀子が言う。

「ちゃんと入ったほうがいいよ。あったまらないと、腰が痛いのも治らないよ」

〈今日は省略〉

と母。

「省略って……」

〈いややねんもん、お風呂。めんどくさい。そんな毎日入らんでも、お母ちゃん、べつ

に臭ぅないねんで。もう目の前、九十の年寄りやさかいな。垢《あか》も脂もそないに出ぇへんねん。カサカサのパサパサやー〉

思わずふきだしてしまった。

「あのね、お言葉ですけど、お母ちゃんはまだ八十にもなってません」

〈はあ？　嘘やぁ、うちまだ八十前か？　ほんまか、お父ちゃん〉

ほんまデスー、と父の声がする。漫才のようなやりとりに夏帆が笑っていると、〈何やお父ちゃんが電話かわりたいねんて。手ぇ出したはるわ、ちょっと待ってや〉

電話の向こうで父が、〈もうそろそろ寝といで〉と言い、母が〈ほなそうするわ、おやすみ〉と答えるのが聞こえる。

もしかすると母親にとっては、父と一緒になって以来いまがいちばん幸せな時なのかもしれない。もう、夫の浮気を心配することも、疑念や嫉妬に苛立つこともない。文句や憎まれ口などたたきながらも、日々は穏やかに過ぎていく。不意に鳴る電話や、外の闇は怖いかもしれないが、怖いという事実さえもいつのまにか忘れてしまえる。記憶などというものは、溜め込まずに手放せるに越したことはないのかもしれない。

母親の声と、扉を開け閉めする音が遠ざかるのを待ってから、

〈ほい、こんばんは〉

父が言った。

〈このごろ、よう電話してくれるやないか。どういう風の吹き回しや〉

「この前、お母ちゃんに脅迫されたからね」

〈脅迫?〉

「『親がいつまでも生きてると思いなや!』って。あれがけっこう効いたかな」

伊智郎は面白そうに、ほうお、と言った。

〈あのな。じつはな、お母ちゃん、今日はお風呂に入らはったのデス〉

「えっ。マジで? マジで?」

〈はいマジで〉伊智郎は飄々《ひょうひょう》と笑った。〈昼から風呂沸かしたら、入らはりマシタ。きれいにならはったで。鎖骨のとこやら、ごしごしあろたったら痛い痛い言わはるので今日はそのへんにしといたけど、まあ、また二、三日したらもっぺん入れてあろたるわ〉

「どれくらいぶりのお風呂?」

〈どうやったやろ。ヘタしたら、二か月ぶりくらいになるのとちゃうか。しかしほんまに、加齢臭も何にもないのが不思議やな。俺なんか二日も入らへんかったら、頭が痒《かゆ》うてたまらんようになるけどなあ〉

「私は一日で痒くなるけどね」

〈そらしゃあない、いくつ違うと思うとるか〉

そう言って父親はまた笑った。上機嫌だった。

いったいどうやって説得したのかと訊くと、奥の手を使うたった、と言う。

「奥の手?」

〈お前、納棺師《のうかんし》て知ってるか〉

知ってるよ、と夏帆は言った。

〈今日の昼間、お母ちゃんに言うたったんや〉

続く父の話はこうだった。

——ええか、俺らが死んだらな、納棺師、いう人たちが来はる。いわゆる「おくりびと」やな。その人らが、遺体にユカンというやつをして、ゼンシンセイシキをしてくれはるわけや。濡らした手ぬぐいで、体じゅうを拭き清めてくれはんねん。その時におまえ、垢がいっぱいの汚い体やったらどないや。あっちもこっちも垢が溜まって、拭いた手ぬぐいがズズ黒うなったらどないや思う。充分に健康で、一人で寝たきりというわけでもないのにそんなふうやったら、どうや。人として、人の尊厳という意味において、恥ずかしいことやと思わへんか。イヤやと思うやろう。そんならちゃんと風呂入れ。

〈そしたら入らはった〉

と、父親は言った。

「……すごい」

〈すごいか〉

「すごいよ、お父ちゃん。そんな説得、聞いたこともないよ」

〈そうか〉

げらげらと笑いだした伊智郎が、嬉しそうに言った。

〈いつか、小説に使てもええぞ。著作権は放棄しといたる〉

三つ子の魂、とはこんな場合には言わないのかもしれないが、〈女〉として恋愛をしても、夏帆の移り気なところはどうやらあまり変わらなかったらしい。

＊

そのことを夏帆が自覚したのは、相原とつきあい始めて二年が過ぎた頃のことだった。

パソコンやプリンタの製造会社に就職をした相原は、長野にある本社工場で一年間の研修を受けていた。新入社員用の寮があるのだった。

「俺がいない間、一人で夜の公園を歩いたりしちゃ駄目だぞ」

長野に行く前の日、相原は言った。

「公園？　え、どういう意味？」

「いや、だからさ。部活のあと二人で歩いた道とかをさ。寂しいからって俺のこと思い出しながら歩いたりして、それで危ない目にあったら取り返しがつかないから」

そんなことはかけらさえ思いつかなかっただけに、内心あっけにとられてしまったのだが、男とはこうもロマンチストな生きものかと思えばあきれると同時に微笑ましくもあって、夏帆はおとなしくうなずいておいた。

「研修が終わったら、赴任先が決まる。東京に配属になるとは限らないけど、とにかく落ち着いたら、結婚しようよ。な。俺のために、ぬか味噌くさい奥さんになってよ」

以来、相原と会えるのは、せいぜい月に一度くらいになった。毎日のように会うことに慣れきっていたぶん、この急激な変化はつらかった。

東京までの交通費もばかにならないし、日々の研修や勉強で疲れているのだから仕方がない。それくらい、夏帆も重々承知している。わがままなど言えるわけがなかった。恋人に仕事を頑張ってもらうために黙って耐えるけなげな女、を演じきるのも悪くはないじゃないか、と自分に言い聞かせる。それでもやはり、寂しかった。いくら一日置きに電話をもらおうが、声を聞けばなおさら、切る時がつらい。寂しくて、寂しくて、一人でいると泣きだしそうになることもあった。

いったい自分はどうしてしまったのだろう。こんな腑抜けだとは知らなかった。ひと月に一度は会えるのだし、向こうがちゃんと好きでいてくれることもわかっているというのに、寂しくて、寒くて、人肌が恋しくてたまらないのだ。

これはきっと、男の抱く寂しさとは本質的に別物に違いない、と夏帆は思った。女は、体の中に相手が入ってくることを許し受け容れる性だからこそ、その相手と離ればなれになった時にこんな気持ちを味わわなければならないのではないだろうか。まるで下腹部の奥のほうに暗い穴ぼこがあいたかのように、自分の一部をごっそり持っていかれてしまった心地がするのだ。

だからといって、毎日腑抜けのままでいるわけにはいかなかった。三年生ともなれば、部活においては〈幹部〉として下を率いる立場だし、将来を見据えて就職のことも考えなくてはならない。単位はもうそうそう落とすわけにいかず、ゼミの欠席は許されない。しっかりしろ、と夏帆は自分に言い聞かせた。彼のことはしばらく頭から追い出すんだ。電話の時と、会っている間だけ考えればいい。

そんな矢先だった。夏帆は、家から駅へと向かう途中で、小さな雑種の子犬を一匹拾った。道路を渡りきれずにうろうろしていたのだが、あのまま放っておいたら三分後には車に轢《ひ》かれていただろう。

間の悪いことにちょうど試験の最終日だったので、夏帆は仕方なく、上着のふところに子犬をすっぽりと抱いたまま答案用紙に向かった。紙とペンの音が大教室にさらさらと響く中、子犬は緊張がゆるんだのか、ぴくりともせずに眠りこけていた。冷房のきいた室内、おなかに湯たんぽをかかえているようで、夏帆まで眠くなりそうだった。

終わって弓道部の部室を覗いてみたところ、一人だけいたのが杉山《すぎやま》だった。同期の男子で、口は悪いが、夏帆としては男子の中でいちばん気安く物の言い合える相手だった。

「うっわ、なんだそれ、鈴森の子どもかよ!」

夏帆がふところから出した子犬を抱き上げると、杉山はむちゃくちゃに撫でまわした。顔を舐め回されても平気なようだ。

「なあ、どうすんの、こいつ。鈴森んとこで飼うの?」

「まず無理だね」と夏帆は言った。「うち、もう犬も猫もいるもん。母親が絶対、うんとは言わないと思う」

「じゃあさ、俺にちょうだい」

「え？」

「俺んちのアパートの大家さん、すっげえ犬好きなんだけど、可愛がってた犬が半年くらい前に死んじゃってさ」杉山は持ち前のかすれ声で続けた。「こいつ、よく似てるし、だからってわけじゃないけど喜んで飼ってくれると思うんだよ。それに俺んちだったらこっから近いしさ、鈴森も会いたくなったらいつだって会いに来られるじゃん。そうすりゃこいつも嬉しいだろうし」

ってていうか、そうなったら俺が嬉しいんだけどね。ついでのように言われて、心臓がばくんと脈打つ。

落ち着け、こんなのはどさくさ紛れですらない、ただの冗談じゃないか。わかっているのに動悸《どうき》は勝手に速くなり、広くもない部室に二人きりでいることが急に意識されて困った。まったく空気を読むことなく、尻尾《しっぽ》をびちびち振り回している子犬の存在がありがたかった。


「言っちゃ何だけどさ。杉山くんは、夏帆の寂しさにつけ込んでるんだよ」

夏合宿に向かうバスの中で隣に座ると、圭子《けいこ》は仏頂面でささやいた。

「そりゃ、悪いやつじゃないのは知ってるよ。いいとこもいっぱいあるし、けっこう男っぽいし、こうやって話を聞けば、夏帆のことが前から好きでたまんなかったんだっていう告白もたぶんほんとなんだろうと思う。でもさ、なんかこう、とりあえず下心のほうがぎらぎらしてる感じがするの。牡《おす》の本能のほうが前に出てるっていうか。やな言い方すると、要するに夏帆とやってみたいだけだよ、あれ。いわゆる体が目当てってやつだよ」

「それは、ないない」

と夏帆は笑った。

「なんで」

「目当てにされるほどの体じゃないもん」

「ねえ、冗談じゃなくてさ」

弓道部でいちばん、いや大学に入ってからいちばん仲良くなった同い年の友だちの言うことだけに、もちろん冗談などではなく神妙に耳を傾けているつもりだった。けれど圭子は、夏帆の視線の先をたどってため息をついた。

「駄目だってば、夏帆。あんたがしっかりしなくてどうすんの」バスの他の席を気にしながらも、ぴしりと叱るように言う。「相原先輩となかなか会えないからって、そんなに簡単に別の男に引きずられちゃっていいわけ？　この二年間をぜんぶ無駄にする気？」

わかってるよ、と夏帆もまた声をひそめて言った。

「それは、私だってちゃんと考えてるつもり。先輩のことは大事に思ってるし、そんな簡単に引きずられてるわけでもないよ」

「ならいいけど……」

　圭子はようやく、座席の背もたれによりかかった。それまでは夏帆のほうへ、長身の体を乗り出すようにして話していたのだった。

「まあ、そうは言ってもさ。最終的には夏帆が選んで決めることだし。この先、もしも夏帆がほんとに……のほうを好きになっちゃったとしたら、」

　前方の座席のほうへ顎をしゃくって、圭子は続けた。

「そしたら、その時はちゃんと応援するつもりだけどね」

「圭ちゃん」

「相原先輩のことは、あたしだって好きだよ。この二年間ずっといろいろ話を聞いてきたから情みたいなものもあるし、できることならほんとにこのまま結婚までいってほしいなって思うけど。だからって、あたしは別に先輩に義理があるわけじゃないから。夏帆が幸せなら、そっちのほうがいいにきまってるよ」

　ありがとう、と夏帆は心から言った。圭子という友人を得ることができただけでも、あのとき弓道部に誘ってくれた相原に感謝しなくてはいけないと思った。

　けれど結局、その夏合宿の間じゅう、夏帆はどうしても視線が杉山へと向かってしまうのを止められなかった。見ようと思っているわけではないのだ。ただ、気がつけば見てしまっている。

遠い的に向かって立つ時の、あたりをはらうような気魄《きはく》。弓を引き絞る両腕の、まっすぐな力強さ。矢を放ったあとの、残心の静けさ。

自分が〈気がつけば見てしまっている〉ことに気づいてからは、周りを意識してあまり露骨に見とれないよう努力してはみたものの、すぐに無理だと悟った。

あの広い背中と肩幅、腱の浮きあがった太い腕、汗の粒にぬめりと光る首筋。そういった何もかもが強力な磁石のように作用して、勝手に夏帆の視線をたぐり寄せてしまうのだ。

そうして杉山はふり返る。残心ののち、まるで自分に注がれる夏帆のまなざしを堪能しつくすかのようにたっぷり間をおいてからこちらをふり返り、視線が合うと、目だけでわずかに笑んでみせる。

(ずるい)

あんなのは、フェアじゃない、反則だ。

抗いながらも、理性とは裏腹の陶酔に、夏帆は頭がぼうっとなるのをどうしようもなかった。男の体つきやパーツのそれぞれが、こんなにも雄弁に語りかけてくるものだとは初めて知った。相原との間ではついぞなかったことだった。

自分を好きだと宣言してはばからない男の体を、こっそり見つめるスリル。その体つきが好みに合致するものであればあるほど、盗み見の快楽は増す。杉山の体は、昔、高校の美術室にあったアポロンに似ていた。顔だちは陽気な猿のようなのに、そのバランスのとれた体つきは、生理的な好悪の部分であまりにも強く夏帆に働きかけ、惹きつけて放さなかった。

夏合宿のあと、一週間ほどして相原と会った。研修がずっと忙しかったので、前の逢《おう》瀬《せ》から数えると五週間ぶりだった。

自分の心が前とはすっかり変わってしまっていることに気づいて、夏帆は茫然となった。相原を見ても、嬉しくならないのだ。気持ちが動かない。認めたくはないが、それが現実だった。

それでも、相原との間に積みあげた思い出の山を崩してしまうのはつらすぎる。まだ何か、この恋愛を存続させる方法があるのではないか。

どうにかして以前の気持ちを取り戻せたらと、夏帆はいつもの自分を忠実にトレースしようとした。落ち込んでいるときに無理やり元気そうなふりをしていると、本当に気分が上向きになることがある。そんなふうに、相原のことを大好きな自分をなぞっていれば、そのうち本当に好きな気持ちが蘇《よみがえ》るのではないかと思ったのだ。

無駄だった。その日、相原が異変に気づくまで、長くはかからなかった。

「当ててみせようか」と、彼は言った。「杉山だろ」

違う、と否定することさえ忘れて凝視する夏帆に、相原は、すさんで疲れきった顔を向けた。

向かい合っているのは、駅構内の喫茶店だった。昼過ぎに待ち合わせてから一緒に恋愛映画を観たものの、終わっても会話は弾まず、ホテルへ入る雰囲気にもならなかった。そのまま今夜のうちにまた長野まで帰らなくてはならない相原を駅まで見送りに来て、なぜか怒濤《どとう》のようにこんな話になだれ込んだのだ。互いの間のコーヒーはすでに冷めきっていたが、かわりを注文するような空気ではなかった。ウェイトレスも何かを感じ取っているのか、水を注ぎに来ようともしない。

「前から、うすうす感じてはいたんだよ」と相原は続けた。「夏帆がもし、俺以外の誰かを好きになるとしたら、杉山しかいないだろうなって。お前たち、最初から仲良かったもんな」

顔色は悪かったが、声と話し方は思ったより落ち着いていた。

「こんなこと、訊くべきじゃないのはわかってるけど……その……杉山とは、」

相原が言い終わらないうちから、夏帆は激しく首を横にふっていた。

「――そっか」

一瞬だけほっとした様子で相原はつぶやき、けれどすぐにまた眉根に苦しげな皺を刻んだ。

「やつのこと、そんなに好きなの？」

「……わからない」

と、夏帆は言った。

「ただ、気持ちが引っぱられるのはどうしようもないの。考えないでおこうとしても、どうしても考えちゃうの」

「俺のことを考える回数とどっちが多い？」

答えられずにいると、相原は額に片手をあて、地を這うようなため息をついた。

「なあ。思い出してくれよ。俺たち、あんなにいっぱい一緒に過ごしたじゃん。二年間、ずっと楽しかったろ？　たまには喧嘩《けんか》もしたけど、それだって必要なことだったと思うし、そうやってぶつかり合ったおかげで、お互い本当の自分を見せられるようにもなっていったしさ。今じゃもう、何の遠慮もいらないじゃん。俺は、なっちゃんの前にいる時がいちばん素の自分でいられるよ。いちばん楽だし、いちばんくつろげる。なっちゃんはそうじゃないの？」

「そんなこと……ないけど……」

言いながら、夏帆はもどかしさに焦れた。彼に対してではない。事ここに至ってまで相手にいい顔をしてみせて、その場を無難に取り繕ってしまう自分がもどかしいのだった。

実際には、相原の前で「本当の自分」を見せられたためしなどめったになかった。「何の遠慮もいらない」どころか、むしろ日々遠慮だらけだった。

好きな相手だからこそ、この人に嫌われたくないと思うあまり、心に不満がある時でも笑顔を作ってしまう。相手が気分を害するのではないかと思うと、意見が違う時でも本当の気持ちを言えない。付き合っていた二年間、そのくり返しだった。

そういう夏帆の側の葛藤に、当の相原がまったく気づいていなかったということが、今となってはかえってショックだ。前々からうっすら感じてはいたことだが、相原には、善良な人間特有の鈍感さがあった。物事の表層を理解するとそこで満足して立ち止まり、それ以上奥までは踏みこんで考えることをしない。いい意味でも悪い意味でも欲の少ない人間だった。

自分はそうではないのだ、と夏帆は思う。人前ではつい優等生を演じ、過剰なくらい慎み深くふるまってみせるくせに、そのじつ欲の深さでは誰にも負けない。足るを知り、多くを欲しがらないふりをしながら、一度欲しいと思ったものはどんな手段を使ってでも必ず手に入れる。

そんな夏帆がいま欲しいのが、杉山だった。

正直に言えば、すでにそうとう好きになってしまっていると思う。相原には言えなかったが、キスだけは一度交わしてしまっていた。部活が終わった後、雨の公園を横切って帰る傘の中だった。

夏帆の側の事情をわかっていながら、それがどうしたと言わんばかりの強引さで気持ちをぶつけてくる杉山も杉山だが、自分だってせめてもう少しくらいはきっぱり抗うことができたはずだ。後悔なら、今も苦しいくらいしている。

だが、夏帆はついぞ知らなかったのだ。強い牡から、身も心もよこせと求められることがあんなにも甘美なものだとは。

　夏帆の傘の中にもぐりこむようにして唇を重ねてきたあの時。杉山は、自分のビニール傘を放りだし、驚きのあまり立ちすくんでいる夏帆を傘の柄ごと抱きすくめた。そうして、背中がずぶ濡れになるのもかまわずに言った。

〈わかってるんだけど……先輩のものだってことはわかってるんだけど……駄目だ、俺、それでも鈴森が欲しい〉

　何度もあきらめようと思ったんだ、だけどどうしても駄目だったんだ、と杉山はほとばしるように言った。

〈お願い、ちょうだい。ぜったい大事にするから。相原先輩よかずっと大事にしてみせるから、だからお願い。鈴森をぜんぶ俺にちょうだい〉

　抱きしめる腕が、機械仕掛けの枷《かせ》のようにどこまでも締めつけてくる。その力の強さも、杉山の軀《からだ》から発散される匂いも、確かに牡のそれなのに、口から飛びだす言葉は駄々っ子のようで、夏帆は〈女として求められる快感〉と〈母性本能〉とを同時に刺激されてあやうく流されそうになり、けれど必死に踏みとどまった。

　あまりの混乱に脳がショートしそうだった。杉山はあくまでもいちばん気の合う男友達であって、自分が恋をしている相手は相原先輩一人であるはずだ、と懸命に唱える。ちょっと告白されたくらいですぐにのぼせてぐらつくなんて、尻が軽いにも程がある。

　だが、心の底の底――義理も約束も、世間体も建前も剝ぎ取った先の、最も正直で、最も無垢《むく》な部分は、杉山からまっすぐにぶつけられる言葉の一つひとつを嬉しいと感じてしまっているのだった。

小さい頃はよく、男の子に間違えられた。母親が従兄のお古を似合う似合うと褒めるものだから、自分からも一生懸命男の子っぽくふるまうようになった。十代になって同性に恋をした時も、女なんかに生まれてくるんじゃなかった、ほんとうに男だったらよかったのにと思っていた。自分の軀にあれさえ生えていたらと、本気で思い詰めたこともある。

だが、どうしてだろう。雨の日の杉山との出来事、あの抱擁とキスは、それら夏帆の過去のすべてを一瞬で押し流す力を持っていたのだ。まるで、渚《なぎさ》の砂に書きつけられた文字が、満ちてきた波に洗われてまっさらに消え去るかのように。

いったい人は、一生のうちに何度、こんなにも激しい求愛を受けることができるのだろう、と夏帆は思った。

相原のことを思えば、申し訳なさで胸がしめつけられる。だがその一方で、杉山からまっすぐにぶつけられた言葉を思い浮かべるたび、後ろめたさすら忘れるほどの喜びに、ぶるっと身の震える自分がいる。女に生まれてよかった、とあれほど強く思ったのは生まれて初めてのことだった。

「俺とじゃ、もう、ほんとに駄目なの？」と、相原が重ねて訊く。「杉山のことが好きかどうかわかんないって言うなら、今だったらまだ思い切れるんじゃないの？　ほら、なっちゃんは女子校育ちでさ、男に慣れてないじゃん。ちょっかい出されて、ちょっと気持ちが揺れちゃっただけだよ。な？」

　夏帆は黙っていた。

　そんな小さな揺れではない。友情が恋に変質するきっかけが突然の抱擁とキスだったことを思えば確かに情けないが、どんなに反省し、どれだけ自己嫌悪に陥ってみたところで、時間や気持ちが元に戻るわけではない。

　いっそのこと、入れ替わりのように相原を嫌いになれたらどんなにか楽だろうにと思う。だが、何しろ初めての男であり、この二年間、数え切れないほど睦《むつ》み合ってきた相手だ。そういう相手への情を、そんなに簡単に断ち切れるわけがないのだった。本心ではどれほど杉山に惹かれていても、勝手な都合でさっさと新しいほうを選んで古いほうを捨て去るなんてひどすぎる。少なくとも自分にはできない。

「……わかった」

　夏帆は目を上げた。脳裏に浮かぶ杉山の顔と母・美紀子の顔をともにふりきって、言った。

「今から私、先輩と一緒に行くよ」

　えっ、と相原の声が裏返る。

「ちょ、ちょっと待った。どういうこと？」

「バイトがあるから二日しかいられないけど、それまで長野に泊まるってこと。一人でこっちにいて、毎日杉山くんと顔合わせて、そういう中で冷静に考えるのは無理だもの。先輩が仕事の間は適当に散歩でもしてる。迷惑はかけないから。いいでしょう？」

背もたれが直角の夜行を途中で乗り継ぎ、相原が研修中の諏訪《すわ》までたどりついた頃にはもう夜中だった。

駅前の公衆電話から、相原が夏帆の家にかけた。静まり返ったボックスの中、一緒に入った夏帆の耳にも呼び出し音がはっきりと聞こえる。二人して緊張に身を硬くしていると、三度目のコールで母親が出た。

「夜分遅くにすみません、相原です」

ああ、あんたやったか、と母の声がはっきりもれ聞こえた。あのな、夏帆、まだ帰ってけえへんねん。何か知らへん？

指が白くなるほど受話器を握りしめながら、相原は言った。

「すみません。夏帆さんは今、僕と一緒にいます。どう言えばいいのか、その、うまく説明できないんですけど、どうしても急いで話し合わなくちゃいけないことがあって……それで僕が無理を言って、長野まで連れてきてしまいました。本当に申し訳ありません」

夏帆は、相原のシャツの裾をぎゅっと握りしめた。無理を言ってついてきたのは自分のほうなのにと思い、相原のことを少し見直す気持ちになる。

なおも二、三度、はい、はい、と神妙に返事をしていた相原が、え、と夏帆を見る。

「……わかりました。ちょっと待って下さい」

送話口をふさいで言った。

「おばさんが、『夏帆に替わって』って」

覚悟はしていたのに、差しだす手が震えた。受話器を受け取り、耳に当てる。もしもし、と夏帆は言った。

「ごめんなさい。心配かけて」

〈ほんまやがな、もっと早よ電話し！　お父ちゃんなんかもう、心配で心配で、さっきから外へ何べんも出てはあんたのこと待ってはったんやで〉

ごめんなさい、とくり返す。

〈まあ、いま言うたかてしゃあない。相原くんが『どうしても』て言うのやから、ほんまに『どうしても』のことやったんやろ。そのかわり、帰ってきたらちゃんと説明しぃや〉

はい、と返事をしながら、信じられなかった。物わかりが良すぎて、かえって怖くなる。

〈それからな〉と、母親は言葉を継いだ。〈相原くんに、ぜんぶ任せといたらええんやからな〉

「え？」

何のこと？　と訊き返した夏帆に、美紀子は抑えた声でくり返した。

〈お父ちゃんが外へ出たはるから言えるこっちゃけどな。どうせあんたら、そっちで一緒に泊まることになるのやろ〉

「そ……れは、まだ決めてないけど。彼のほうは社員寮へ帰るかもしれないし」

〈そうか。まあとにかく、もしもそういうことになったら、あんたは何にも心配せんと、男の相原くんを信頼して何もかも任せといたらええんやからな。大丈夫やから。女というもんは、好きな人とは初めてでもちゃんとそうなれるようにできてんねんから〉

ええな、と念を押される。

答えられなかった。開いた口がふさがらない、というのがもののたとえではなく現実に起こる現象なのだということを、夏帆は初めて知った。

相原と最初に結ばれて以来、いったいどれだけ睦み合ってきたことだろう。時には、母屋に両親がいるとわかっていながら我慢できなかったこともあった。離れのドアの内鍵はかけない約束だったから、ひたすら耳をすませながらの交わりだった。一度など、母屋の引き戸が開く音を聞くなりふっとんで離れ、ノックもなくドアが開けられた時には別々の本を読んでいるふりをしたこともある。二人とも、こたつ布団の中の下半身は裸だった。

少なくとも母親にだけは、とっくにばれているものと思っていた。二人の関係など全部わかっていながら、見て見ぬふりをしているのだと。それが――本当にまったく疑っていなかったというのか。

二年も一人の男と付き合ってきた娘が、まだ純潔を守っていると思える、ということはつまり、それほどまでに自分の監視の目が行き届いているものと信じきっていることの表れに違いない。

夏帆はふいに、お腹の底から、これまで一度も経験したことのない感情が湧きあがってくるのを感じた。シャンパンの泡のようにつぶつぶと弾けながら迫《せ》りあがってくるそれは、安堵にも、揶揄にも嘲笑にも、あるいは歓喜にも似て、しかしそのどれとも違っていた。あえて言うなら、こぶしを突きあげて勝利の雄叫びをあげたいような気持ちだった。この瞬間、夏帆は初めて――ほんとうに生まれて初めて、自分のほうが高いところに立って母親を見おろすことができた気がしたのだ。

受話器を耳に押しあてる。深く、息を吸いこむ。

「お母ちゃん」

〈なんやねんな〉

なおもわずかに迷ったあと、夏帆は言った。

「ありがとね」

〈はん。知らんわ、あほ〉

電話を切ると、体じゅうから力が抜けた。そばで聞いていた相原を見上げる。

「おばさん、何だって？」緊張の名残でまだ青白い顔をした彼が、電話ボックスの折れ戸を押し開けながら訊く。「やっぱ、怒ってた？」

「そうでもなかった。拍子抜けするくらい」

「じゃあ、何をあんなにいろいろ言われてたの？」

「それが……女としての、初夜の心得とか」

「は？」

「なんかね、ぜんっぜん疑いもなく、私のことをまだ処女だと思ってるみたいで」

「うそ」

相原までが、ぽかんと口を開ける。

「ね、そう思うでしょ。でも、真面目に信じこんでるみたいなの。前から思ってはいたけど、ほんっとにとことん、自分の見たいことしか見ない人だよねえ」

ようやく、苦笑いを浮かべるだけの余裕が戻ってくる。

駅前から寂しい夜道を歩き、その晩は内緒で社員寮の部屋に泊めてもらった。研修中の新入社員寮に女が泊まりこむなど褒められたことではない。おまけに怪しげな声が隣にもれたりすれば、あとから何を言われるかわからない。それでも、相原は躊躇しなかったし、夏帆も拒まなかった。むしろ、これまでになく情熱的な一夜だったと言っていい。

ありがちなことだが、くすぶりかけた恋愛の炎を再び燃えあがらせるためには、障害という名の薪《たきぎ》をくべてやるのがいちばん効く。とくに、夏帆のことを、いつでも必ず自分についてくるものと思いこんで安心しきっていた相原にとって、自分以外の男の出現は薪どころか火薬並みの威力を持っていたらしい。

薄い壁を気にして懸命に声を押し殺す夏帆を、相原は何度も組み敷いた。物音や振動を考えればあまり激しいことはできなかったが、そのぶん、長々と時間をかけ、夏帆の軀のありとあらゆる部分を執拗に責めた。

くり返し襲ってくる波に、完全にさらわれてしまえば声が出る。堪《こら》えすぎて朦朧《もうろう》と濁っていく意識の中で、夏帆は、愛されているというより、まるで復讐されているように感じた。相原自身が意識してのことかどうかはわからない。だがこれは明らかに、他の男に心を移しかけた自分への〈お仕置き〉だと思った。だからこそ彼は、必要以上に時間をかけ、技巧を駆使して責め苛《さいな》もうとするのだ。

相手が純粋な愛情や慈しみから自分を抱いているのか、それとも少し違った思惑をもってそうしているのか。言葉で何を言われようと、肌と肌とをじかに合わせれば女にはすぐにわかる。これまで、互いを愛おしむためにしか抱き合ったことのなかった相手から、今このとき大切にされていないと感じるのはつらかった。自業自得だ、ということは嫌というほどわかっているのに、一方では、だからといってどうしようもなかったではないか、誰かを好きになる気持ちは理性では止められないのだ、と言い訳してみたいようなもどかしさも募ってゆく。

以前のようには、相原だけをまっすぐに想うことのできない心のまま身をゆだねていると、胸も胃もしくしくと刺すように痛んだ。にもかかわらず、躯に与えられる刺激そのものは理屈抜きに気持ちいいのだ。後悔に傷つく心とはまた別のところで、夏帆は、自分の肉体が男の加える仕打ちの一つひとつを悦んで受けとめているのを認めないわけにいかなかった。

ショックだった。感じてしまうのは、あくまでも根底に相原への情があるからだ、と思ってみる。相手への信頼と、積み重ねてきた時間や習慣のせいで、条件反射のように反応してしまうだけだ、と。

だが、かすかな疑念は消えなかった。

もしかして、自分のこの躯は――。

翌日は、人目につかないように朝早く寮を抜け出し、相原の研修が終わるまでの時間を一人きりで過ごした。その夜は諏訪湖の近くのビジネスホテルに部屋を取ってあった。

知らない街で大丈夫かと相原は心配したが、夏帆は首をふって笑った。

「子どもじゃないんだから」

「だってなっちゃん、一人だと外食するのも苦手じゃん」

「このごろはそんなことないよ。ちゃんと食べるから大丈夫」

「ごめんな、一人にして」と相原は言った。「そのかわり、夜は一緒に何か美味しいものの食べような」

真夏でも、信州の空気はすがすがしかった。お濠《ほり》の中に建つ城を見に行ったり、湾のように広い諏訪湖のまわりを散歩したり、一定の時間ごとに噴きあがる間欠泉《かんけつせん》を何度もくり返し眺めたりしているうちに、時間はゆっくりと過ぎていった。

相原は、午後六時過ぎに研修が終わったあとで、夏帆の待つホテルの部屋に電話をすると言っていた。ということはつまり、それまでの間は彼の側でもこちらに連絡をとる術がないわけだ。

そのことに、心細さや寂しさよりも、自由と解放感のほうを強く感じている自分に気づいたとき、夏帆は、何かがどうしようもなく終わりかけているのを知った。こんなふうにわざわざ駆け落ちまがいのことまでしてみても、期待したほどのカンフル剤にはならなかったようだ。

湖に面したベンチに腰掛け、コンビニで買ってきたサンドイッチをかじりながら、夏帆は、さっき電話越しに聞いた圭子の言葉を思い起こした。

〈無理だけはしないほうがいいと思うよ〉

無理って？　と夏帆が訊くと、圭子は言葉を選ぶように少し考えてから言った。

〈夏帆がさ。ほんとうに相原先輩を好きで、うんと大事に想っててさ。先輩の代わりなんか考えられなくて、今はたまたま危機だけど何とかして乗り越えたいって思ってるんだったら、もちろんそれでいいんだよ。あたしだって、喜んで協力する。ただ、もしね、もし夏帆が、先輩のことを傷つけたくないとか、今さら事を荒立てたくないとかいう理由で、自分のほんとの気持ちに嘘ついて無理をしてるんだとしたら、それはかえってあとあと先輩の傷を広げるだけなんじゃないかって気がするの。ごめんね、迷わせるようなこと言って。せっかく一度は心を決めて長野までついてったのに〉

ううん、と答えたまま、夏帆が黙っていると、圭子は慌てたように言葉を継いだ。

〈べつに、先輩と別れたほうがいいなんて言ってるんじゃないんだからね。あたしはただ、自分のほんとの気持ちに正直にならないとあとで無理がくるよ、ってことが言いたかっただけ〉

うん、それはわかってるつもり、と夏帆は言った。

〈自分の気持ちに嘘をつくってことはさ、相手に嘘をついてるのと同じことだと思うんだ。だから、ちゃんとよく考えてから答えを出したほうがいいよ〉

すごく難しいことだろうとは思うけど、と圭子は言った。

親友の目には最初から見えていたことが、どうして自分には見えなかったのだろうと夏帆は思った。相原を傷つけたくない、というのは確かにそのとおりだった。それにはまず、杉山と距離を置かなくてはならない。その考えだけで頭がいっぱいだった。杉山へと心が動いたのは、寂しいときに彼のほうが近くにいたからだ。それなら、相原のテリトリーに身を置いて、以前のように二人きりで密度の濃い時間を過ごし、彼のことだけ考えながらたっぷり抱かれれば、気持ちも元に戻るのではないかと思った。

それなのに、なんということだろう。こうして一人で蟬《せみ》の声にじりじり灼かれながら考えるのは、遠く離れた東京にいる杉山のことばかりなのだ。

いけない。明日にはもう帰らなくてはならないというのに、こんなに揺れていてどうするのだ。圭子は無理をするなと言うけれど、いま無理をしなければ、ここまで積み重ねた全部が無駄になってしまう。母親のくびきを引きちぎるような思いで夜行に飛び乗ったことも、貯金の足りない相原が同僚にお金まで借りてホテルに泊まらせてくれていることも、そして、相原を選ぶと心に決めて以来、杉山のことを忘れるためにひたすら自分に言い聞かせ続けた山ほどの言葉も、狂おしい想いも、何もかも。

食べかけのサンドイッチは、もう喉を通らなかった。ゴミ屑と一緒に袋にまとめ、肩にかけたバッグの奥のほうへと押しこむと、夏帆はベンチから立ちあがった。

湖のほとりを一歩一歩踏みしめるように歩きながら、今夜もし相原に訊かれたら、お昼は街なかのレストランでカレーを食べたと言おう、と思った。

第十五章――蕩

「何だったんだろうな、ああいうの全部」

「ああいうのって？」

「あの時は、あんなに必死になって思いつめてさ。鈴森にふられた後なんか、メシも喉を通らなくなるくらいしんどかったはずなのに……結局今になってみれば、杉山はもう長いこと住所もわかんないっていうしさ。鈴森はまた、全然ちがう相手といてさ」

また、って何？　何が言いたいの？

そう訊き返したいのをぐっと呑みこんで黙っていると、

「……ごめん。俺、少し酔ってるかもしれない」

そう言って、相原はおしぼりで口もとを拭った。

「まあ、でもほら、そういうのは夏帆に限ったことじゃないでしょ」

隣から取りなすように口をはさんだのは圭子だ。

「あの頃つき合ってた相手とそのまま結婚して、いまだに夫婦やってるカップルなんて何組います？　藤原先輩のとこと、安田先輩のとこ、あと須田くんたちでしょ、江川さんとこと……あれ、けっこういるなあ」

「ちょっと、全然フォローになってないんだけど」

夏帆が言うと圭子は舌を出して首をすくめ、相原も仕方なさそうに笑った。

弓道部のOBとOGが久しぶりに集まった会の、二次会だった。久しぶりと言っても会そのものは三年ごとに行われていたのだが、夏帆はこれまで一度も参加したことがなかった。案内状は毎回届いていたけれど、いつからか欠席の返事さえ出すのが億劫になっていた。懐かしい人々と会ってみたいと思う一方で、いったいどんな顔をして会えばいいかわからない相手も二人ばかりいて、ずっと踏ん切りがつかなかったのだ。

それが今回はなぜ出席する気になったかと言えば、圭子から熱心に誘われたからだった。

〈十年ぶりに富山の実家に帰ってみたら、ちょうど案内の葉書が届いててさ〉と、電話で圭子は言った。〈久々にみんなの顔が見たい気はするけど、もしもあたしらの頃のメンバーが他にいなかったりしたら、せっかく行っても居心地悪いじゃない。誰が出席するのか訊いてみようかとも思ったけど、今回の幹事ってずっと下の代の知らない子で、わざわざ訊きにくいんだよね。だから、ね、いいじゃん夏帆。つき合ってよ〉

この十年間、圭子は夫の赴任先であるロンドンで暮らしていたのだった。

夏帆とは互いにクリスマスカードを送り合い、ごくたまにだがメールのやりとりもあった。ロンドンでインド人の上司の奥さんからヨガとアーユルヴェーダをみっちり教わったという圭子は、いずれ日本に帰ったら自分も教室をひらきたい——たとえばそんなことをメールに書き送ってきた。

〈あんたのことだから、どうせ卒業以来、一度も顔出してないんでしょ〉

夏帆がうーんと生返事をすると、電話の向こうの送話口に圭子のため息がかかるのが聞こえた。

〈いくら何でも、さすがに時効でしょうよ。あの二人だってもう大人なんだし、っていうかいいかげんオッサンなんだし、昔のことなんかいつまでもグズグズ引きずってるわけないって。引きずってるのなんか夏帆ぐらいだよ。大丈夫だってば。たとえ両方ともが来てたとしたって、あたしが隣でちゃんとフォローしてあげるから〉

ね、だからいいじゃん、行こうよ、と圭子は言った。海外生活が長かったせいか、言葉遣いが若い頃のままちっとも変わっていないのがおかしかった。

夏帆が、気は進まないながらも彼女の誘いに乗ることにしたのは、ひとことで言えば、楽になりたかったからだ。この世に、会うに会えない人間がいるというのは窮屈なものだった。決して積極的に会いたいわけではなく、会えなくて困るわけでもない。ただ、たとえばそう、何か用事があって学生の頃よく歩いた街に降り立つ時、ついふっと想像してしまうのだ。今ここであの人にばったり会ったら、自分はどうするだろう、向こうはどんな態度を取るだろう、と。

その答えを、これを機会にはっきりさせてしまいたかった。過去への罪悪感や気まずさからあれこれ無駄な想像をめぐらせているよりも、たとえ嫌な顔をされようと無視されようと、ありのままの現実がわかったほうがいい。

ところが、そうしていざ出席してみた結果は、予想とはずいぶんと違っていた。二学年上の相原は来ていたが、圭子が言ったほど大人にはなっていないようだったし、同期の杉山に至っては居所がわからなくなっていたのだ。

「わからないったって、調べる方法は何かあったはずだろう」

幹事の男子を相手にそう言ったのは相原だった。どこか、むきになっているような口調だった。

「それが、もう何年も前から、案内状を送っても宛先不明で戻ってくるようになったんだそうです。先輩方が現役だった頃の名簿を調べて、ご実家宛に送らせて頂いても、そちらも引っ越してしまったらしくて結果は同じだったと聞いています。でも、本気で調べようと思えばもっと何かできたのかもしれません。至らなくてすみません」

幹事の彼はそう言って相原に謝った。卒業してまだ三年というだけあって、頭の下げ方からして体育会系の匂いがぷんぷんしていた。

実際には、消息のわからないOBやOGなどいくらもいるのだった。転居先を、かつての大学同窓会にまでわざわざ知らせる卒業生などむしろ少数派だ。そのまま転居をくり返せばくり返すほど、なまじなことでは居場所はつかめなくなってゆく。

「それって結局はさ、本人が知らせたいとは思ってないってことだもんね」と、圭子は言った。「ショーセツカのセンセイの前でこんなこと言うのも何だけど、お話に出てくる人物は、やっぱりどこかご都合主義だもんね。現実とは違うよ」

「どういうこと？」

夏帆が訊くと、圭子はマティーニをひとくち飲み、グラスをテーブルに戻した。

「けんか売ってるわけじゃないんだよ。そこは間違えないでね」

「わかってるけど」

「あたしはほら、ふだんからわかりやすい本しか読まないからあれだけどさ。小説の登場人物って、まったく何の意味もなく出てくることってまずないじゃない。人殺しでも、主人公の恋人でも友だちでも親でも、たいていはこう、何かその人なりの役割を背負わされて出てきて、その役をちゃんと果たし終えるまでは急に消えちゃったりしないでしょ？　だけど、現実はそうじゃないから。いくらだっているわけよ、たとえばあたしの人生から、何の断りもなくいきなり退場してっちゃう奴とかがさ」

「なんだよ、そういうオチかよ」と相原が苦笑する。「誰かそういう奴がいたんだ？」

ノーコメント、と圭子は言った。

「まあ、あたしだってね。そこそこ長く生きてれば、いろんなことがあるわけですよ」

醒めた口調で言いながら、圭子はマティーニを半分ほど一気に飲み、ピックの刺さったオリーブを口に入れた。口の中で転がしながら、ちらりと夏帆のほうを見る。

夏帆は、テーブルに目を落とした。暗に、杉山くんのことはもうこれでおしまい、と言われている気がした。小説と違って、起・承・転、のまま終わってしまう人間関係など現実にはいくらでもある。それが人生なのだから、と。

オリーブの種をナプキンにくるんで出す、その圭子の仕草が妙に様になっていて、そんなところにも夏帆は過ぎ去った年月を感じた。あの頃は、マティーニなど誰も飲まなかった。酒といえばビールか焼酎だった。

「杉山くんだってさ」と、まるで念を押すように圭子が言う。「こっちから情報を受け取りたいと思ったら、自分の居所くらいはっきりさせとくはずでさ。単に転居通知を出すのが面倒くさかったからなのか、それとも他に理由があるのかはわかんないけど、どっちにしても本人は、これから先もあたしたちと仲良くしたいとは思わなかったってことでしょ。っていうかむしろ、関係を絶ちたかったのかもしれないじゃん。たとえ居所を調べる方法があったとしたって、本人がほっといて欲しいと思ってるなら、つきとめたって意味ないもんねえ」

「けど……なんだかそれって、ちょっと寂しいですよ」

口をはさんだのは、幹事の男子だった。最初に名前を聞いたはずなのだが、このテーブルにいる誰も覚えていないようだった。

「すいません、途中からしかお話をうかがってないもんで、的外れなこと言ってるかもしれないですけど……でも、どんな事情があるにしても、やっぱり先輩方にはできるだけたくさん出席して頂きたいし。次の幹事とも協力して、頑張ってご住所とか調べて、名簿の空欄をもっとなくすようにします」

えらく張りきった口調に、隣のテーブルの先輩ＯＢから、おう頑張れよー、頼んだぞー、と声がかかる。無責任な拍手が響いた。

だけどさ、と相原が言った。

「水を差すようで悪いけど、今はそんなふうに思ってるきみも、あと何年かたったらそれこそ自分の事情で精一杯で、ＯＢ会どころじゃなくなってくるんだよ」

そういうもんだよ、と独り言のようにくり返す口調に皮肉の色はなかった。ほっとしながら、夏帆は、そうですよね、と相づちを打った。

「みんな、そうなっちゃいますよね。だんだん責任の重い仕事を任されていって、後ろをふり返って懐かしむよりは、どうしても目の前のことでいっぱいいっぱいになっちゃう。誰だって、過去よりは今のほうが大事だし」

隣で圭子がしきりにうなずいている。

「でも、それでいいんだと思う。何だかんだ言ってても、今回の私や圭子みたいに急に思い立ってみんなの顔が見たくなったりすることもあるし。そういう時は自分から連絡を取ろうとするだろうし。だから、あんまり無理して調べることもないんじゃないかな。頑張ってくれようとする気持ちは嬉しいけど」

はい、と幹事はうなずいたものの、まだどこか消化しきれていない様子だった。

無理もない、と夏帆は思う。年を重ねてゆく先を、正確に想像するのは難しい。それはたぶん、父や母の年齢になった時の衰えを、娘の自分がまだ想像しきれずにいるのと同じことなのだろう。

「それで鈴森は、今度の旦那さんとはうまくいってるの」

と相原が言った。もう酔った様子はなく、声も話し方もふつうの温度だった。気を遣ったのか、幹事の男子が会釈して席を立っていく。

「そうですね、うまくいってるほうだと思いますよ」

相原が〈鈴森〉と呼び、こちらも敬語で話す。そういうのが自然な間柄になったのだ、と思う。

「とは言っても、旦那じゃないんですけどね。籍は入れてないんです、一緒に暮らしてるだけで」

そうなの？　と相原は目を見ひらいた。

「へえ、変われば変わるものだなあ。そんなこと、昔だったら絶対あのおばさんが許さなかったろうし、鈴森も怖くて言い出せなかったんじゃないの」

「まあ、反対されたって、こちらももうとっくに家を出てますしね。それでもいまだに、同棲なんかふしだらだ、そんな娘に育てた覚えはない、って言われますけど」

うわあ、目に浮かぶなあ、と相原が笑った。

「おばさん、お元気なんだ」

「体はね。ただ、最近はもうだいぶボケちゃってて」

え、と相原が息をのむのがわかった。

「しょうがないって思うしかないんでしょうね。あの母も、もうあと何年かで八十になりますもん。そういえば、たまにですけど、唐突に先輩の名前が飛びだしたりするんですよ」

「えっ、俺？　なんで？」

「昔のことはよく覚えてるみたいで、いきなり思いついたみたいに言うんです。『それはそうと相原くんは元気にしてんの？』って」

うっそぉ、シュール、と圭子が言う。マティーニがまわってきたらしい。

「そっか、あのおばさんがねえ」けっこうショックだな、と相原は言った。「じゃあ、鈴森も大変なんだ」

「私は何も。今は父がよくやってくれてますから」

周囲のざわめきの中で、ふと、三人のいるテーブルだけが無風の湖のように静かになる。

きっと今、相原も同じことを思いだしているのだろうと夏帆は思った。

二人で入った深夜の電話ボックス。

受話器からもれてくる、母の声。

＊

女としての心得まで伝授してやったというのに、娘がその相原と結局別れてしまったのが気にくわなかったのだろうか。美紀子は、夏帆が次につき合うようになった杉山のことを、なかなか受け容れようとしなかった。

例によって、家に連れてくれば歓待してはくれるのだ。大阪弁をわざと丸出しにしておどけてみせ、笑いを取り、料理の皿も次々に並べては、もっと沢山食べなあかん、遠慮してたら大きぃなられへんで、などと言う。

だが、彼が帰っていくと、しょっちゅう夏帆に言うのだった。

「あの子は、何やしらん、暗いなあ。笑ろててもどっか暗い。相原くんのほうがずっと根っこが明るかったわ。なんで別れたんや」

なんでと言われても、と思いながら、答えられなかった。理由が言葉で説明できるなら、相原との関係だって話し合いによって継続することができたはずだと思う。

「杉山くんとつき合うなとまでは言わへんけどな。あんたは、相手を好きになったら他のことが全部ぐずぐずになるから心配やねん。まあ、前のことであれだけ痛い目に遭《お》うたおかげで、ちょっとは勉強にもなったやろけど」

たしかに勉強にはなったかもしれない。だが、痛い目に遭ったなどとは、夏帆は一度も思ったことがなかった。むしろ、相手に消えない痛みを与えてしまったのは自分のほうだ。

後になって杉山から聞かされたところによると、相原は、真夜中に彼のところに電話をかけてきて、こう言ったそうだ。

〈お前、先輩の女を寝取ったからには覚悟はできてるんだろうな〉

そういうことを口にするような人ではなかったはずだ。自分のとった行動がどれだけ深く相原の心を損なったかを、夏帆はそのとき改めて思い知らされたのだった。

「とにかく、もう二度と、あんなふうに羽目ははずしなや」と母親は言った。「門限過ぎたら家には入られへんと思とき。ええな？」

門限は十時、と決められていた。正当な理由、たとえば顧問の先生も出席するような部やゼミのコンパなどがあって、どうしても帰りが十時を回るとわかっている日は、必ず家を出る前に申告しなければならなかった。外から急に、今日は遅くなるなどと電話をすれば、〈あかん、今すぐ帰っといで〉と怖ろしい声で言われた。それを無視する勇気は、いまだになかった。

大学三年にもなって門限が十時だなんて他に誰もいないよ、とは何度か言ってみた。もちろん無駄だった。

「そやから何やねん。友だちんとこがどうやから、みたいな理屈がうちで通用せえへんのは、あんたが一番よう知ってるやろ」

長野での相原との外泊について、どうして母親があんなにも物分かりの良いところを示してくれたものか、今となっては不思議なくらいだった。おそらく、あの晩はたまたま、〈心配する父親に内緒で、娘の恋愛を応援する母親〉を演じたい気分だったのだろう。

いずれにせよ、美紀子がいつも自分で言うように、その演技力にはますます磨きがかかっていた。父親の客人に対しては〈仕事に理解のある良くできた妻〉を、夏帆や秋実の友人に対しては〈破天荒で冗談好きな母親〉を、いつでも全力で演じてみせるから、家に招かれた誰一人として、自分はもしや本当は歓迎されていないのでは？　などとは思いもしない。

杉山も、もちろんそうだった。そういう彼を責めることなどできないとわかっていながら、夏帆はうっすらと焦れた。娘から見るとあんなにクサい母親の演技に、ころりとだまされてしまう。そういう男の単純さが可愛く思える半面、どこかで鼻白んでしまう部分もあるのだった。

杉山の下宿へは、時々、いつか拾ったあの子犬に会いに行った。恩人のことは忘れないものらしく、夏帆の顔を見るといつもちぎれるほど尾を振る犬は、面倒見のいい大家のおばさんが可愛がってくれるおかげで今ではすっかり大きくなっていた。

しかし如何《いかん》せん、面倒見の良さというものはお節介にも通じている。おばさんが何かと世話を焼きに来てくれるおかげで、夏帆も杉山も、下宿の部屋にいる限り、安心して恋人らしい時間を持つことはできなかった。

二人きりの時間を持つために、それも門限の時間から逆算して、日が暮れるやいなやネオンの点る入口をそそくさとくぐるとき、夏帆はいつも、誰に対するともわからない罪悪感に顔をあげられなかった。好きなひとと大切な時間を分け合うためにすることのはずなのに、どうしてこんなふうにいちいち、うら寂しさや後ろめたさを撫でつけなくてはならないのだろう。

「女の子ならではの刷り込みみたいなもんかもしれないな」

と、杉山は言った。

「ラブホに入るのに、男だってそりゃ照れくさい気持ちはあるけど、後ろめたさはほとんどないもん。あっけらかんとしたもんだよ」

「いいなあ。羨ましい」

「そのかわり、女の快感の深さって、男なんかとは比べものにならないっていうじゃない。俺はそのほうが羨ましいよ」

正直な杉山の感想に苦笑しながら、しかしその快楽の感覚の深さこそが、女である自分、あの母に育てられた自分にとっては罪悪感の源なのだ、と夏帆は思う。

杉山に誘われて、夏帆が断ったためしは、月のものでよほど体調が悪いとき以外ほとんどない。門限を考えるとあまり時間がない時でさえ、彼と一時間でも抱き合えると思えば躊躇はなかった。

杉山のことが好きだった。恥ずかしくて人には聞かせられないような睦言《むつごと》を、真顔でささやきあう時間が好きだった。裸の胸と胸をぴったりと重ね合わせる瞬間の、やけどしそうな肌の熱さ。灯りを暗くした部屋の中で交わす吐息の、あの限りない親密さ。それらの一つひとつが好きだった。

けれど、どこまでも自分に正直になったなら、と夏帆は思う。植えつけられた厄介な罪悪感をとりあえず横へ押しのけ、建前や、言い訳や、自尊心のベールまでも一枚ずつ剝いでいって、とことんまで心と体の本音に正直になったなら――もしかして自分がほんとうに好きなのは、男の人とするあの行為そのものなのではないか。長野まで相原についていき、激しく愛し合った夜、初めての高みへ押し上げられながらふっと芽生えたあの疑念はいつしか、まるでどうしても証明を試みなくてはならない命題のように夏帆の中で大きくなっていた。

たとえば、そう、相原は何をするにも丁寧な男だった。時間をかけて夏帆の軀を観察し、探求し、新しい兆しを見つけてはそれを開発することに興味を示した。そのどれもが、たまらなく気持ちのいいことばかりだった。

一方、杉山には彼ほどの探求心はないかわりに、がむしゃらな勢いがあった。いささか子どもっぽいほどの性急さで求められるとき、夏帆は、自分がまるで甘い蜜の滴る果実にでもなった気がして、指の先まで、かけらも余さずに食べて欲しいと思った。

こんなに気持ちのいいことなのに、どうして母親はあれほど躍起になって自分たち娘から遠ざけようとしたのだろう。もしかすると、気持ちのいいことだからこそ、だったのだろうか。

自分の軀が女ならではの変化を遂げていくのが興味深くてならなかった。快楽の鋭さや深さが、どんどん変わっていくのだ。このあたりでもう行き止まりだろうと思っていると、ほんのふとしたきっかけで、目の前にまた新たな地平がひらける。それはどうやら男にはない現象のようで、夏帆は素直に女に生まれた幸運を思った。

杉山との逢瀬をせわしなく切りあげ、駅から駆けだして門限の間際に家に帰り着く。

「ただいま」

息を切らしながら言うと、お帰り、と答える母親がちらりと時計を見上げる。

「ちゃんと十時前でしょ」

「当たり前やがな。守ってこそ門限や」

その声を背に部屋へ向かうたび、夏帆は、小さく復讐を遂げたような気持ちになった。

——何にも知らないくせに。

——あんたがそれほど厳しく育ててるつもりの娘は、今の今まで男と裸でもつれ合ってたんだよ。

あまりにも長く封じ込められ続けてきたことを、それを禁じた張本人から隠れてするのは、たまらなく後ろめたいと同時に、たまらなくスリリングだった。母親が許さなかった行為を、その母親の目の届かないところで積みあげてゆくたび、ほんのいっときでも呪縛を離れて自由になれる気がした。

そうして夏帆は、想像せずにいられなかった。たった二人としただけでも、これほどの違いがあるのだ。だったら、ほかの誰かとするそれはいったいどんなふうなのだろう。

考えたとたん、軀の奥底に何かがぽっと点るのがわかった。小さくて赤黒い、鬼火のような熱が。恋人でない男との交情を夢想するなど、とんでもないことだ。考えるだけでも罪深くて、はしたないことだ。そう、もちろんわかっている。それでも妄想は止まらなかった。

思えば、今に始まったことではないのだった。夕子や香奈恵と秘密の関係を持っていたあの頃からすでに――いや、もっとずっと前、母親から自慰の真似ごとを咎《とが》められたあの頃からもうすでに、夏帆は、〈いけないこと〉ほど甘やかで気持ちがいいということを知ってしまっていた。

〈いやらしい子やな、ほんまに〉

以前、夏帆の鞄からノートを抜きだして盗み見た時のように、母親がいま自分の頭の中を覗いたなら何と言うだろう。条件反射のように身がすくむのに、背中が、恐怖とは違うものでぞくぞくと波打つ。

たとえば昨日の帰り道、よかったらお茶でも飲みませんかと声をかけてきた男に、あのままついていったらどうなっていただろう。誘われるまま二人きりになったなら、お茶だけで終わるはずがない。どんなことをされただろう。そしてそれは、相原や杉山とはどんなふうに違っていただろう……。

顔を持たない男たちとの交情、などというありえないシチュエーションを、脳裏で詳細に作りあげては夢想してみる。ちょうどノートに小説を書きつける時のように、細かく、順番に、できるだけ具体的に思い描いては頭の中いっぱいに映像を広げていくと、やがて自分ではどうしても届かない歯がゆい場所に昏《くら》い戦慄《わなな》きが生まれて、いたたまれなくなった。

そっと下着に指を差し入れ、かつて母親に強く禁じられたことをしながら、夏帆は唇をきつく嚙みしめ、息を押し殺した。

そうして、まるで自分の腿にくり返しナイフを突き立てるかのように、何度も、何度も、心に刻みつけた。

〈わたしは、これをするのが、好きなんだ〉

と。

＊

「何かを具体的に思い描くことと、実際にそれを行動に移すことの間には、じつは人が思ってるほど大きな違いも溝もないんだよ。やってみると案外、たったの一歩、ひとまたぎだ」

きみももうわかったろうけどね。

煙草をくゆらせながら、男は夏帆にそう言った。クリーム色っぽい煙草の箱が、いつも父親が吸っているものと同じ銘柄だと気づいたとき、夏帆は初めて現実に戻った気がして、男から目をそらした。

彼——片桐《かたぎり》は四十五歳、おもに実用書を出している極小出版社の編集長だった。学生課からの紹介で、夏帆は卒業までの半年間だけ、雑居ビルの三階にあるその編集部でアルバイトをしていた。大学四年生の夏のことだ。

書類の整理やコピーといった雑用の他にも、料理本のレシピをチェックして誤字脱字を直したり、野菜の名称をカタカナで書くか漢字にするかなど表記の統一をはかったり、時にはページの隅に挿入するコラムを書かせてもらえることもあって、時給はそれほどでもなかったが仕事は面白かった。

時間がたっぷりあるのは、就職活動中の杉山となかなか逢《あ》えないせいでもあった。夏帆自身は、仕事が面白そうだという理由だけで小さな不動産会社にさっさと就職を決めてしまっていただけに、まだどこからの内定も得られずに日々焦りを募らせている杉山にはよけいに逢いにくかった。一度、そんなつもりで言ったのではない言葉を誤解されて気まずくなって以来、何をどんなふうに話しても杉山の気持ちを逆撫でするだけのような気がして、二人きりになるのが怖いほどだった。

「ガキの証拠だな。女のほうが先に就職を決めたからって、苛々するなんてのは」

片桐は鼻で嗤《わら》った。手は、うつぶせになった夏帆の背中をそっと撫でさすっていた。

「そんな奴には早いとこ見切りを付けたほうがいいぞ。これから社会に出れば、もっといい男はたくさんいる。きみみたいなのは、うんと大人の男が相手のほうがうまくいくと思うけどね。同い年のガキどもには、たぶん、荷が勝ちすぎる」

けなすかのような口調で、人をまんざらでもない気分にさせるのが巧い男だった。

「ま、そう言う俺もガキだけどさ」

狡い男でもあった。

けれど、アルバイト三日目の夏帆に、いきなりコラムを任せてくれたのはこの片桐だったのだ。

〈きみさ、書ける人でしょ。これ頼む〉

後になって彼は、夏帆の書いたファクスの送付状やデスクの上の伝言票を見て、これはもしやと思ったのだと言った。

〈言葉をさ。選ぶだろう、いちいち。たかが伝言メモひとつ書くのでも、電話で応対するのでもさ。その選び方が、きみのはけっこう独特なんだよ。悪くない〉

そんな話をしながら食事をおごってくれた晩、片桐はあっさりと夏帆をホテルに誘った。

〈え、門限があるって？　ほんとかよ。じゃあ単刀直入に〉

御休憩のたった二時間で、夏帆はもう前と同じ自分には戻れないことを知った。めくるめく、という言葉の意味を、脳と軀の芯で味わい、理解し尽くした二時間だった。片桐には性急さというものがまるでなかった。夏帆の側がどんなに切羽詰まっても決して急がず、意地悪く焦らしてみせるかと思えば、自分の快楽などそっちのけでどこまでも奉仕し、追いあげ、追い詰めてくれる。

大人の男の余裕とはこういうものなのか。これがセックスと呼ばれるものなら、今まで相原や杉山としてきたすべてはママゴト遊びのようだ。

しばらくの間、自分はこの男との情事に狂うだろうと夏帆は思い、そしてその通りになった。

恋では、決してなかった。片桐とのこれからなど、夏帆は考えもしなかった。嫌いではないが好きというには程遠く、尊敬はしていたが軽蔑に値する部分もよく見える。おまけに妻帯者ときては、幻想を抱く余地もない。それなのに、知り合ってからたったの半月で、いったいどうしてこんなことになったのか、いくら考えてもよくわからない。

そう口にした夏帆に、片桐が言ったのがあの言葉だった。想像と実行の間には、人が思うほどの違いなどないのだ、と。

「世の中のルールやモラルってものをさ。たいていの人間は、何はともあれ絶対に守らなくちゃいけないものだと思いこんでる」

夏帆の背中を撫でるのをやめ、片桐は腹ばいになって煙草をくゆらせながら言った。

「でも、違うんだよ。そうじゃない。ルールってやつはね、たとえば、きみが正しいと思うことやしたいことと、俺が正しいと思うことやしたいことが、不幸にして正面からぶつかってしまった時に、その場を解決するための手段として用意されてるものに過ぎないんだ。大多数の人間がそれなりに納得できるような理屈に則って、とりあえず、便宜的にね。言い換えれば、誰かと誰かの間に衝突が起こらない限り、ルールの出る幕はない。必要ないんだから。そうだろ？」

うっかり、うなずいてしまった。

「モラルだって似たようなものさ。世間から後ろ指をさされない生き方ってのを行動規範にしているご立派な人間は多いし、うちの親もその典型だったけど、俺はごめんだね」

片桐はふっと鼻を鳴らした。

「他人に不快な思いをさせるとわかってる場面でならともかく、そうでない時にまで四六時中モラルに縛られてる必要がどこにある？　モラルなんてものは、ただきちんと知っていて、守るべき時に守れさえすればそれでいいんだ。必要なのは、場を見極める目だな。その目さえ備わっていれば、いま置かれている場所で自分がどう行動すればいいか、おのずとわかる。それが許される場では、あえてモラルを無視してふるまうことのほうがマナーにかなっていてふさわしい場合だってあるんだ。そう、卑近な例で言えば、俺ときみが今夜こうなったことだってそうだろ。世間一般のモラルに照らせば、いわゆる『不適切な関係』かもしれない。だけど大人同士、お互い合意の上でのことだ。むしろ、今この場で俺かきみのどちらかが、こんな関係はモラルに反してる！　と騒ぎだせば、もう一方は嫌な気分になる。ついでに言うと、大事な人に知られないようにきちんと気をつけている限りは、誰にも迷惑はかかってない」

やっぱりずるい男だ、と夏帆は思った。にもかかわらず、片桐の言葉には夏帆を引き込む奇妙な説得力があった。

「大人は汚い！　とか思ってるんだろ」煙草をもみ消した片桐が、肘で頭を支えながら夏帆を見る。「ま、いろいろ複雑なんだよ。年々複雑になる。きみにもたぶん、そのうちわかる」

夏帆は黙っていた。

好き勝手なことを言われ、いいようにつまみ食いされているようなものなのに、不思議と腹は立たなかった。片桐とのベッドは毎回充分すぎるほど充実していたし、こうして話を聞いているのも悪くなかった。情事の後にこんな話をする男は初めてだった。

「俺なんかから言わせてもらえば、きみは臆病すぎるんだよ。その、おふくろさんが怖ろしく厳しかったとか、キリスト教の学校が長かったとか、それなりに理由はいろいろあるんだろうが、結局、今のきみは自分でその生き方を選んでるんだ。おふくろさんも誰も、きみを力ずくで柱に縛りつけておくことはできないんだから。げんに妹のほうは、おふくろさんの反対を押し切って、さっさと遠くの大学へ行って一人暮らししてるわけだろ？　きみだって、それだけモラルにがんじがらめに縛られてるくせに、最後まで守り通して俺を拒んでみせるだけの意志の強さはないじゃないか」

心臓にずきりと痛みが走る。そこまでのことをあなたに言われる筋合いはない、と腹立たしく思う一方で、こうまできれいに図星をさされると、案外清々《すがすが》しいものだとも思う。

「いいかげんに、あきらめたほうがいい」と、片桐は言った。「きみって人間は、親や世間の押しつけるモラルに従って生きるには好奇心が強すぎるんだ。生命力が、と言ってもいいかもな。どうだよ。俺とだってこういうことができたんだ、この際、いろんな男と寝て、思いきり派手にモラルを踏み外してみたら。きみなら、誰にも知られず、誰のことも傷つけずに、しれっと嘘をつきとおすくらいの芸当はできるだろ。そうやって、親にも彼氏にも内緒でとことん羽目を外して、いったい自分がどこまでインモラルになれるものか試してみりゃいい。人間、いっぺんでも果てを見れば気が済んで落ち着くもんだ。案外、思うほどたいしたことなくて、がっかりするかもな」

そう言って、片桐は何を思ったか、夏帆の頭をわしわしと撫でた。

唇の端に浮かべた皮肉そうな笑みを、目尻の皺が裏切っていた。

Interval ――美紀子

それにしても、だぁれもけえへんなあ。

うち、子どもら何人産んだかな。三人か。四人か。それだけおって、なんでこんなにだぁれもけえへんのやろ。親不孝もんが。

え、何やて？　昨日からみんな来てて、さっき帰ったばっかりやて？　そんなん嘘やぁ。ええ？　兄妹三人揃って来て、ひと晩泊まってってたて？　ここの家にか？

ほんまかいな。覚えてぇへん。きれいに忘れてしもた。……うち、もう、あかんなあ。

このごろ、昔のことばっかり、よう思い出すねん。隆也がやんちゃするもんやさかい、毎日のように近所へ謝りに行ってたことやらな。弘也がナメクジこねてお団子こさえたり、蛇の皮はいでふりまわしたりして、隣のおねえちゃんを泣かしたことやらな。あの子ら二人とも、近所の庭からブドウを泥棒してきたり、よその犬のお尻に棒つっこんだり、ほんまのゴンタクレやった。こっちはほんま、苦労させられたで。

まあな、男の子やから、そのくらいでちょうどよかったんかもしれへん。さんざん悪派に養《やしの》うて、家も建てて、なかなかのもんやがな。きょうだいの中では、男のほうが優しいのとちゃうかなあ。

そういえば、夏帆や秋実がまだちっちゃい頃に、山登りへ連れてったたったことがあったなあ。あれ、どこの山やったかな。二人とも喜んで喜んで、あれはきっと、今でもええ思い出になってるはずやわ。遊園地やのうて、わざわざ山へ連れてく母親なんか、そうはおれへんやろ。

ほんまやったら父親が連れてくもんや思うねんけど、あの時分はお父ちゃん、一生懸命遊んだはったからな。下の子どもらは、ほとんどうち一人で育てたようなもんやわ。まあ、人並み以上に苦労もしはって、真面目に働いて稼いで、そのお給料だけはきちんと家に入れてくれはったからな。そのことは、感謝せなあかんと思うてるけど。

しかしまあ、ほんまによう遊ばはったわ。あの女とも、ほんま長いこと続いてた。それでも、うちの命がけを見たら、ようやくほんまに「終わりにする」て約束してくれはってな。その時にうち、お父ちゃんに頼んで、一緒に教会に行ってもろてん。司祭さんの前で洗いざらい打ち明けて懺悔《ざんげ》してもらおかとも思たけど、お父ちゃんかてプライドがあるやろ？　それも可哀想やし。せやから、懺悔のかわりに、前の晩にうちの目の前で書いてもろた「もう二度と浮気はいたしません」というふうな誓約書をな、上着の内ポケットに入れて、黙って神様の前で誓ってもろてんわ。

若い頃シベリアから戻ったお父ちゃんと所帯持った時は、何やかんや事情もあってお式なんか挙げられへんかったから、言うたらあれが、うちらの結婚式みたいなもんや。そう思たから、ついでにその時、古い結婚指輪も新しぃに作り直してもろてな。二人でそれをはめて、神様の前に並んだときは嬉しかったわ。

……そうかてな。前にも言うたけど、なんぼ別れたからて、あの女とは会社へ行ったら顔合わすやんか。なんやこのままやとけじめがつかへん思て、いっぺん、三人でお昼ごはん食べることにしてん。ああそうや、お父ちゃんとうちと小泉の三人でや。まあ言うたら手打ち式みたいなもんやな。

おかしぃか？　おかしぃかもしれんけど、そうでもせな気が済まへんかってんもん。

そしたら、その時にな。あの女が、自分の箸を付けた皿を、「あら、これ美味しぃわ」たら言うて、お父ちゃんの前に置いてんやんか。うちの見てる、目の前でやで。ふつう、するか、て思うやろ。けど、そしたらお父ちゃん、当たり前にそれ食べはってん。

あれは……あれは今でも忘れられへんわ。体からくたくたと力が抜けて、ほんまに悲しかった。

せやからな、うちがほんまに落ち着いて、心穏やかに暮らせるようになったんは、お父ちゃんが退職しはってからのことや。

今はもう、なぁんにも心配要らんもん。

なんやしらん、最近のことはちょくちょく忘れるようになってきたけど、そこは年やもん、しゃあないし。おばあちゃんみたいにひどいことボケへんなんだら、それでええわ。ちょっとやそっとのことは、お父ちゃんにもあきらめてもらお。

それにしても、だぁれもけえへんなあ。

終章　――傍

木更津の家に、兄妹三人とその子どもたちが集まったのは、春の風が強く吹いた週末のことだった。弘也の娘である里奈《りな》の結婚が決まり、おじいちゃんとおばあちゃんに自分で報告したいと言うので、彼女を囲んで久々に集まることになったのだ。

初孫の結婚を、美紀子は涙を流して喜んだ。ひと晩泊まって皆が帰るまでの間に同じ報告を数十回くり返さなくてはならなかったが、そのたびに嬉し泣きする妻を見て、伊智郎は言った。

「何べん聞いても初めての感動があるというのは、むしろ幸せなこっちゃないか」

そう言う伊智郎も、子や孫たちに囲まれて嬉しそうだった。

「親父《おやじ》の言うとおりかもなあ。嬉しいことは何度でも嬉しくて、悲しいことはすぐ忘れられるっていうのは、人としていちばん幸せなことかもしれないよな」

東京方面へ向かう帰り道、助手席の弘也はしんみりと言った。出発する段になって、

「俺、こっちで行くわ」と夏帆の隣に乗り込んできたのだ。秋実と子どもたちは里奈が運転するワゴン車のほうに乗っているので、いま、夏帆の車には二人だけだった。

横合いから吹きつける強い風に、時折ハンドルを持っていかれそうになる。山の緑が、輝きながら大きく揺れている。

夏帆は、ゆうべ兄や妹たちが奥の間で眠ってしまってからのことを思いだしていた。仕舞い風呂から上がってきた父親に冷たいジュースを出してやり、そのまま、またしばらく二人で話をしたのだった。

〈そういえば、こないだの、お前の授賞式やけどな〉

首にかけたタオルで汗を拭いながら、伊智郎はぽつりと言った。

〈お母ちゃん、最初は『行かへん』言わはったんや〉

どうして、と夏帆は驚いて訊いた。

去年の暮れに上梓した小説が、とある文学賞を受賞したのはつい先月のことだった。少し迷ったものの、夏帆は、東京で行われる授賞式に出席してほしいと両親に頼んだ。そんな晴れがましい席に出てもらえるのも、年齢的にいってもしかするとこれで最後になるかもしれないという気持ちがあったのは否めない。

東京駅まで電車で出てきた二人を迎えに行ってくれたのは里奈だった。会場のホテルでもずっとアテンドしてくれたのだが、その間じゅう美紀子はひっきりなしに、〈はぁーあ……ふぅーう〉と声に出してため息をくり返していたそうだ。たまに、〈はぁーあ、なんにもええことあらへんなあ〉というバリエーションが挿入されるほかは、また、〈はぁーあ……ふぅーう〉の無限ループだったという。

　もちろん、夏帆の受賞とそれに伴うすべてのことは、いくら聞かされても一分ももたたずに脳裏から消えてしまうのだった。今いる場所がどこかも、息子や娘たち一家までがどうして目の前にいるのかも、そして夏帆がなぜ着物姿で壇上にあがっているのかも。

〈ほれ、これ見てみ〉

　ぎくしゃくと椅子から立ちあがった伊智郎は、カレンダーの裏紙に何やらでかでかと書きつけたものを持ってきて夏帆に見せた。

〈行く前の一週間ほどな。お母ちゃんが毎日何べんも何べんも、それこそ三分おきに同じことを、まったく同じ順番で訊かはるのでな。さすがに返事してやるのにくたびれて、全部の答えをこうして紙に書いて、そこの壁に貼ってあったんや〉


『こんどの金曜日、東京へ行く。

夏帆が小説で賞をもらったので、授賞式とパーティに出席するため。

美紀子が着ていく洋服は、もうちゃんと選んである。

東京駅までは里奈が迎えに来てくれる。

ホテルの部屋は夏帆がとってくれてある。

ホテルに着いたら、美紀子は美容院で髪をセット。その代金も夏帆が払ってくれる。

帰りは夏帆と大介くんが木更津まで車で送り届けてくれる。心配は何にもいりません。』

〈はあ……ごくろさん〉

夏帆はしみじみ言った。へえおおきに、と伊智郎が答える。

〈だけどお母ちゃん、どうして最初、『行かへん』なんて言ったんだろ。人混みが怖かったのかなあ〉

〈それがな〉と、伊智郎は言った。〈何というか、お前のほうにもお母ちゃんへの複雑な思いがあるのと同じように、どうやらお母ちゃんのほうにもお前に対する屈折があるらしいわ〉

〈屈折？〉

〈ああ。『うちかて作文は学年で一番やったのに、なんで夏帆だけが作家になってちゃほやされて』みたいな気持ちが、どうやらあるらしい。何やろな、あれは。やきもちなんかな〉

〈……何。お母ちゃん、何か言ったの？〉

ふむ、と伊智郎は唸った。

〈お前にとってはショックやろうけども〉

〈いい。教えて〉

ひとつため息をついて、伊智郎は言った。

〈『授賞式なんか行ったかて、そら夏帆は賞金までもらえてええやろけど、こっちがナンボかもらえるわけやなし、何にもええことあらへんやんか。東京までの電車代がかかるだけ損やんか。なあお父ちゃん、うち、行かなあかん？』……とまあ、そう言わはった〉

――ああ。

夏帆は、膝から力が抜けるような心地がした。

――ボケるというのは、記憶力が衰えることだけを言うのではなかったのか。泣きたいようなのに、涙も出てこない。

母親の言葉を、娘の自分はどう受けとめればいいのだろう。「ボケたせいで」物事の全体ではなく、お金の損得についての感覚だけが肥大化してしまってそういう発言になっただけだ、と考えればいいのか。それとも、「ボケたせいで」これまでなら理性で押し隠していた本音がぼろぼろ口からこぼれるようになってしまった、と考えたほうが当たっているのか。

いずれにしても、またいずれでもないにしても、あの母親は、ボケてしまう前からずっと、いわゆる「母」という生きものにはついぞなれなかった女だったのだ、と思う。だが、もしかすると自分が母になってもそうだったのではないか。それはそれで、きっとたまらなく辛いことだったろう。だからこそ自分は、子どもを持つことがどこかで怖かったのだ。

〈もしかしてさ……〉

父親がパイプを手に取るのを見守りながら、夏帆は言った。

〈お母ちゃんがああいうふうになる前に、私がもっともっとしつこいくらい、『お母ちゃんのおかげで本を読むことも書くことも好きになったから、だから作家になれたんだよ』って言ってあげたらよかったのかな。そうしたらお母ちゃんの脳にも、ちゃんと評価されたっていう誇らしい記憶がインプットされて、今みたいなふうにはならなかったのかな〉

〈そうかもしれへんな〉と伊智郎は言った。〈まあしかし、ほんまのところはどうやったかは誰にもわからへんしな〉

〈あのね。このごろ私、お父ちゃんのこと、改めて尊敬してるんだよ〉

〈ほ?〉伊智郎は、パイプに煙草の葉を詰める手を止めて夏帆を見た。〈なんでまた〉

〈だってお父ちゃん、お母ちゃんにほんとに良くしてあげてるじゃない。頭が下がるよ。血をわけた娘と息子が合わせて三人、っていうか本当は四人もいるのに、誰一人として、お母ちゃんと仲がいいとは言えなくてさ。おまけに、長女の私がこんな感じで今ひとつ頼りにならなくて。ほんとだったら率先して母親の世話をするべきなのに……〉

〈いや、俺もまだ体がきくのでな〉煙草の葉を袋からつまんではぎゅっと詰めながら、伊智郎は言った。〈それに、あの人との付き合いはお前たちよりも長いわけやし〉

〈そりゃそうだけど〉

　思わず笑ってしまった。

〈まあ、そっか、そうね。昔はお母ちゃんのこと、さんざん泣かせたわけだしね〉

　もしかして、あの頃の罪滅ぼしみたいな気持ちもあったりするの？　と訊くと、伊智郎は苦笑いを浮かべ、どうやろな、と言った。

〈まあ、そやな。罪滅ぼし的な部分もまったく無いとは言えんのかもしれへんわな。ようまああんな俺にも付きおうてくれてたなと思うと、今度は俺が優しぃしてやらな、とは自然に思うわな。ただ――このことは、いつかいっぺんお前にだけ話しとこと思てたんやけども……〉

〈なに？〉

　父親の様子にどこかいつもと違うものを感じ、夏帆はテーブルから目をあげた。

〈俺が、昔付き合うてた人のことや〉

　心臓のどこか裏側のあたりが、きゅっと硬くなった。

〈小泉さん、だったよね〉

〈ほ。お前、よう覚えとんなあ〉

〈そりゃ、毎日イヤってほど悪口聞かされたもの。小泉が、小泉が、って〉

　伊智郎はゆっくり何度かうなずいた。

〈その、彼女はな。けして美人やないし、ふだんは地味ーに見えるんやけども、こと性の場面においてはほんまに奔放な女性やってな。若い頃からずっと年上の男と付きおうてたそうで、そいつに手ほどきを受けたというのか、仕込まれたというのか、おかげでそっちの方面の能力にじつに長けておったわけや〉

火のついていないパイプを手に持ったままそこまで淡々と話した伊智郎は、まるで煙を吐くように、ふう、と息をついた。

〈娘にこういう告白をする父親というのは、どうなんやろうな〉

〈いいよ。続けて〉と夏帆は言った。〈不思議といやじゃないから大丈夫。むしろ、物書きとしてはちゃんと聞いておきたい〉

伊智郎が、そうか、と言ってまた何度かうなずく。

〈俺はな。正直、その小泉くんと付き合うことによって、生まれて初めて、ほんまの性の悦びというものを知ることができた気がするんや。二人きりになると彼女には、タブーというものが一切なかった。どんなことにも積極的やったし、彼女自身がそれを愉しんでおった。男女の間では、お互いが承知の上でさえあったらどんな愉しみ方をしてもええ、すべてがお互いを慈しみあう愛情表現になり得るんや、ということを俺に教えてくれたのは、彼女やった〉

夏帆は、自分のために淹れたハーブティーをすすった。マグカップをテーブルにそっと戻す。

〈お父ちゃんの言う意味、すごくよくわかる気がするよ。正直、似たような経験は私に

もあるから〉

〈そうやろな。お前、こないだの本にもそんなようなこと書いとったもんな〉

くだんの、賞をもらった小説のことを言っているのだった。夏帆が本当に書きたかったことよりも性愛描写の過激さのほうが取り沙汰されたのはいささか心外だったが、たとえどんなきっかけからであろうとも、手にとって読んでもらってこそだと夏帆は思う。読まれたいから書いている。誰にも読まれなくていいのなら日記でもつけていれば済むことだ。

しかし、そうか、父はやはりあの中の多くを娘の身に実際に起こったこととして読んだのか。当の娘としては、照れ隠しの苦笑いでごまかすしかなかった。

〈それに比べると、お母ちゃんという人はな〉と、伊智郎は続けた。パイプにはいつのまにか火がつけられていた。〈まったくもって、受け身の人やった〉

えっ、と思わず声が出た。

〈どした?〉

〈うそ……。だって、そんな、うそでしょ?〉

〈何が〉

〈お母ちゃんって、ものすごく奔放な人だったのかと〉

〈なんでや〉

〈だって……もともと人妻だったのに、不倫の恋をして飛び出したわけじゃない。それ

も、惣介おじさんから弟のお父ちゃんへ走っちゃったくらいでしょ。当然、あっちも熱烈なタイプなのかと……〉

そうじゃなかったの？　と訊くと、伊智郎は首を横にふった。

〈自分からは何にもせえへんし、いっさい動かへん。ただ横たわって男のすることを受け容れるだけで、快感も浅かったようやしな。それをすること自体、あんまり好きでもなさそうやった〉

〈……そう、だったんだ〉

夏帆は茫然とつぶやいた。尻の下の椅子が消え失《う》せたかのようだった。これまでずっと信じこんでいた母親像が、いっぺんに崩れ、粉々に砕けていく。

〈俺と小泉くんとの関係がずっと続いておったことが、お母ちゃんをどれだけ傷つけてたかについては、これでもわかっとるつもりや。そのことで、お前にもずいぶんとしんどい思いをさせたわな。申し訳なかったと、心の底から思うとる。お母ちゃんにも、お前にも、弘也や秋実にもな。それらを全部わかった上で、あえて言うけども……俺にとって、小泉くんとのああいった関係が、はたして無かったほうがよかったのかどうかと考えてみるとやな。俺は、やっぱり、人生においてああいう経験が、無いよりはあったほうがよかったと思てしまう人間なんや。甚《はなは》だ勝手な物言いで、ほんまにすまんけれども、それが正直な実感でな。彼女によって、いろいろと開眼して、彼女を通して、生と性の悦びというものをまざまざと味わわせてもろて……もしも俺が、そういう経験をこれまでまったくしてこんかったら、お前があの小説に書いたことの半分もわからんかったやろうと思う。こんなんは、どない聞いても浮気男の自己弁護にしか聞こえへんやろけども、俺は、もういっぺん生まれ直して、もういっぺん選び直せるとしても、おそらくは、同じ場面で、同じ道を選んでしまうんやないかと思うんや〉

訥々《とつとつ》とした口調でゆっくりと語られる父の言葉を、夏帆は黙って聞いていた。

どちらもうつむいて目を合わせようとしないのは、気まずさや後悔からではなかった。そこにあるのは、家族の中でお互いだけが分かち合った秘密を間にはさんでの、共犯者のような諦念だった。それはちょうど、いま二人の間に立ちこめているパイプの煙のように、手で触れることもできなければ目を凝らしても向こうが透けて見える、けれどそこにあるのは確か、といった類のものだった。

〈こんなん聞かされて、ショックやったろ〉

と父が言う。

夏帆はわずかに迷い、首を横にふった。ショックなのは、父と愛人の話についてではない。それを言うなら、思春期のさなかに母親から日々聞かされた話のほうが何倍も何百倍もショックだった。

〈そんなら、なんでそんな顔をしてるんや〉

え、と視線を上げると、父親の小さく落ちくぼんだ目がじっと夏帆を見ていた。気遣わしげなまなざしだった。

ごめん、と夏帆は言った。

〈そうじゃないの。お父ちゃんの話そのものがどうっていうようなことじゃないの。どっちかって言うと、聞いてほっとしたくらい〉

〈うん？　なんで〉

〈お父ちゃんが、小泉さんとの関係をあんまり悔やんでなくて良かったと思って。だって、ずいぶん長く続いた関係だったじゃない？　私が幼稚園に上がる頃から、お父ちゃんが定年退職する間際までずっとでしょ？〉

〈まあ、最後のほうはもう、ほとんどそういう関係はなかったけどもな〉

〈それにしたってさ。あれだけの年月を丸ごと後悔してるんだとしたら、人生の相当大きな部分をごっそり悔やんでることになっちゃうし。それじゃ寂しいじゃない〉

ふむ、と伊智郎が鼻を鳴らす。

〈そんなら、何がそんなにショックやったんや〉

夏帆は、答えなかった。答えられなかった。何でも話し合えるように思う父との間に、たったひとつ絶対に打ち明けられないことがあるとすれば、これこそがそれだった。

当時のことは、妹の秋実も知らない。もちろん兄の弘也も知らない。母親の美紀子に至っては論外だ。何しろ、あの母の知らないところで、あの母の最も忌み嫌いそうな罪を重ねることこそが、当時の夏帆にとっての昏《くら》い喜びだったのだから。

ずっと、自分の体に流れる性的な欲求の強さを、母譲りのものだと思ってきた。同性の前でならともかく、ひとたび男の前に立つなり髪の先から爪の先まで〈おんな〉になってしまうのは、母の血がさせることだと思っていた。

世間体を気にしてそういう自分を抑え込もうとはするものの、抑えてなお溢れ出てしまう欲望をもてあましては悶々《もんもん》とする。自らの中に棲む〈おんな〉を思うたび、夏帆の脳裏には、派手すぎる下着で埋まった母の引き出しがちらついて、娘の自分が受け継いでしまった淫蕩《いんとう》さと貪婪《どんらん》さを反吐《へど》が出るほど嫌だと思った。

それなのに――なんということだろう。母親は、あれをするのがあまり好きではなかったというのか。横たわったままで、自分からは何ひとつ動かずに、ただ男を受け容れるばかりで……。

半世紀も夫婦をやってきた父親が言うのだから本当のことなのだろうが、だとすれば、夏帆が長年にわたって脳裏に描いてきた、エキセントリックでどこかしら毒婦的な母親像は、実際の母親とはあまりにもかけ離れていたことになる。

困る、と思った。それは、とても、困る。

あの母にはどうあっても、奔放であってもらわなければ困るのだ。でなければ、十代の終わりから二十代の初めにかけて、自分がしてきたことの意味が消えてなくなる。それ以前に、あのころ自身に対してくり返していた言い訳のすべては……。

「そういえばさ」

弘也の声に、我に返った。そうだ、運転中だったのだ。

「お前のとこは、その後どうなったんだ?」と、弘也が言った。「大介くんは、何て言ってた?」

「ん……とりあえず、OKしてくれたよ」と、夏帆は言った。「いつにするかはまだ決めてないけど。今日も、兄貴たちが誘ってくれてるよって言ったんだけど、今回は里奈ちゃんが主役だから自分は遠慮しますって。木更津にも、兄貴のとこにも、改めて挨拶に伺いますってさ」

そっか、と弘也は言った。

「まあ、ほんと良かったよ。俺がいくら勧めても、お前ずっと渋ってたじゃないか。籍を入れるのはいつでもできるから、とか言ってさ」

これだけ長く一緒に暮らしているのだから本当に夫婦になってしまえばいいのに、と、弘也からは何度も言われていたのだ。

「私だってべつに、二度と結婚は嫌だとか思ってたわけじゃないんだけどね」

「だろ。なのに、なんであんなに渋ってたわけ?っていうか、何がきっかけで決心ついたのさ」

「うーん……」夏帆は考え考え言った。「結局は、いろんな意味で時が満ちたってことなんじゃないかな。とくにここ最近は、ああいうふうになっちゃったお母ちゃんと一緒にいるお父ちゃんを見て、いつか私も大介にこういう思いをさせるとしたら哀し過ぎるって思ったりもしてたんだけど。ほら、私のほうが七つも年上だし」

「てことは、あれか。こないだの検査でわかったっていう遺伝子の件は、お前にとってはけっこう大きいことだったたってわけか」

「そうだね」と夏帆は言った。「正直、そうとう大きかったと思う」

　加えて、漠然とした怖れもあったのだ。同棲や事実婚の間は、恋人との間にまだしも保たれている〈男と女〉としての緊張感が、籍を入れて夫婦になったとたんにずるずると消えてなくなりそうで怖かった。

　そう言ってみると、弘也は笑った。

「そうなったとしても、それはそれで一つの幸せの形なんじゃないかと思うけどね。それに、同じ相手に何度も恋をすることだってできるしさ。うちなんか、そうだし」

「はいはい、ごちそうさま」

「ま、あれだよ。結婚なんてもんは、頭でいちいち考えてたらできるものじゃなくてさ。勢いでいいんだよ。役所に書類出したからって、いざって時には屁《へ》の突っ張りにもならないことはお前が誰よりわかってるだろうけど、こういうことには、けじめみたいな部分もあるしさ。俺、あいつのこと好きだよ。一緒に飲みに行って人に紹介する時なんかに『妹のダンナです』って口にするのは、本当にそうだったらいいなと思えばこそでさ。だから、うん、良かったよ。これは、お前が離婚したときに言ったのと同じセリフになっちゃうけど、要するに俺としては、お前が幸せならとにかくそれがいちばんっていうかさ」

ありがとう、と夏帆は言った。目の奥がじんわり熱く潤みそうで、慌ててハンドルを握りしめる。

「親父には、もう話したのか」

「うん。ゆうべ、寝る前にこっそり」

「びっくりしてた？」

「ううん。とっくの昔にわかってたことみたいな反応で、こっちが拍子抜けしちゃった」

弘也が苦笑する。「親父らしいな」

少し前に、まだ迷って決めかねていた夏帆が電話で相談した時、伊智郎はいつものとおり淡々飄々と言ったのだった。

〈ま、ええんちゃうか。今さら籍を入れても入れんでも、お前たちの関係にたいした変わりはないやろけども、そうして周りにもわかるような形を取ることで、これからも二人で続けていきます、という覚悟が定まる部分はあるやろうし。いずれにしても、もう親の出る幕やないわな。好きにしなさい〉

「なるほどね。そういうとこ、親父ってほんと食えねえよな」

「初めて花嫁の父になる身としては、まだまだもっと複雑？」

横目で見やると、

「笑うな。ったく冗談じゃないんだよ」

弘也は窓を少し下ろし、煙草に火をつけた。結婚は勢いだ、などと悟ったようなことを言う兄も、いざ愛娘《まなむすめ》の結婚となると心中穏やかでないらしい。

夏帆は、ちらりとバックミラーを見上げた。一定の距離をあけて、里奈の運転する赤いワゴン車がついてくる。離れて暮らしていたぶん、姪っ子の成長は眩しかった。結婚が決まった若い娘というのは、誰も皆あんなにきらきらしく輝くものなのだろうか。幸福の垂れ流しといった感じで、見ているほうが面映《おもは》ゆくなる。

「今ごろ、おふくろはまた忘れてるんだろうな。里奈の結婚のこと」

「そうだね。確実にね」

「孫だけじゃなくて、お前に関することでもやっぱり忘れるか？」

「大介のことを、しょっちゅう別の誰かと混同するよ。昔の彼氏とかね。私が一回離婚したことも覚えてないくらい」

「もっと大昔のことは、もういいかげん忘れりゃいいのにって思うぐらいはっきり覚えてるのになあ」

人間の脳ってのはどうなってるんだろうな、と弘也は言った。沈んだ声だった。

「ねえ、つかぬことを訊くけど」と、夏帆は言った。「兄貴自身は、お父ちゃんとお母ちゃん、どっちが死んだ時のほうがショック大きい？」

煙草を口に運ぶ手が、宙で止まった。弘也がまじまじと夏帆を見る。

「お前、とんでもないことをさらりと訊くね」

「あくまでも、あえてどっちかって言うなら、って話だよ」

しばらく黙っていた弘也は、やがて深いため息をついた。

「そりゃ、どっちもショックだけど、あえて言うなら、やっぱおふくろなのかなあ。親父が死んだらもちろん悲しいよ。悲しいけど、人の寿命として、ある程度は冷静に受け容れられると思うんだ。だけどおふくろはなあ……。あのとおりいろいろと大変な人だし、うちの嫁さんだって、俺には言わなくてもそうとう陰で泣かされたと思うんだけど、男にとって母親っていうのは、やっぱり特別なところがあるみたいだわ。正直、あんまり考えたくない」

そっか、と夏帆は言った。

「お前は、親父のほうなんだろ」

「そうだね。ショックって言うなら、考えるまでもなく答えが出てることのほうが自分でもショック。お母ちゃんが死んでも、もしかして私は一滴も涙が出ないんじゃないかなと思って、今からそれが心配なくらい」

「……そんなにか」

「きっと、ただごとじゃないくらいの喪失感はあると思う。ただ、失って悲しいっていうような、ふつうだったら当たり前の感情は湧かないんじゃないかと思って……。昨日今日だって、秋実や里奈ちゃんのほうがよっぽどお母ちゃんに優しくしてあげててさ。

そんなことさえうまくできない自分が、すごく冷たく思えていやになる」

「きっと秋実のやつは、どっちが死んでも同じだけ泣くんだろうな」

「そうだね。そういう意味では、あの子がいちばん屈折しないで育ったよね。まあ、あの子はあの子で言い分はあるんだろうけど、自分自身が母親になったぶんだけ、お母ちゃんに同情できるようになったところはあるのかもしれない」

弘也が唸り、手をのばして灰を落とす。

「やっぱり、いちばんしんどかったのはお前だったよな」

「そうでも、ないよ」

「おふくろ、俺や秋実には言わないことを、結局全部、お前一人にぶつけてたみたいだもんな。きつかったろ。気づいてやれなくてごめんな」

夏帆は、黙って首を横にふった。すでに家を出ていた兄が何も知らなかったのは仕方のないことだし、もし家にいたとしても、母親は息子には女の汚い部分を決して見せようとしなかっただろう。

あの頃――。そう、あの頃はたしかにきつかった。本当にしんどかった。一人ではとても立っていられないほどだった。

十代の半ば、家を一歩出るととたんに毛を逆立ててばかりいた自分を、どうしてだか好きになってくれた女の子たちのことを思う。とくに、手ひどく傷つけてしまった夕子と、一時はひとつの魂を分け合ったかのような香奈恵。その二人のうちいまだに時折連絡を取り合っているのは夕子のほうで、香奈恵とはとっくに没交渉となっている。人の縁とは不思議なものだ。

それから、初めての異性の恋人、相原。横合いからぐいぐい迫ってきて押し切った杉山。そして、卒業までの半年だけこっそり付き合った編集長の片桐。

寂しくて、寂しくて、そのあともそばにいる誰かをすぐ好きになり、そうかと思えばまるで母親を見返すかのように目の届かないところで放蕩を重ねた。片桐から提案されたことを忠実になぞってみたわけだ。

一時は、とある小さな会社の社長に頼まれて愛人をした。ブラジャーのホックを作る会社だという話だった。次に知り合った大学教授だという男は、吝嗇《りんしょく》なくせにしつこかった。夏帆の手帳を盗み見たらしく、家まで電話をかけてこられてぞっとした。

そのうちに、金を受け取って寝るようになった。電話ボックスの中に貼られたビラを見て、自ら事務所に連絡し、アルバイトを始めたのだ。どうせなら趣味と実益、と思った。派遣されては男たちと寝る合間に、狭い事務所の隅で卒論を書き、けれど門限までには切り上げて走って家に帰った。

様々な客がいた。時には変態的な行為を求められる場合もあった。

老妻を亡くしてから女遊びを覚えたという男のものを立たせるのに四苦八苦したこともあれば、身体《からだ》じゅうに注射あとのある男にあれこれ無理強いされて足が立たなくなったこともある。中には、きみのような人がこんなことをしてちゃいけない、と説教する男もいた。別の知り合い方をしたかった、と言う男もいた。うっとうしかった。

いずれにせよ、名前もろくに知らない相手から金を受け取り、暗い部屋でふたりきりのことをして再び外へ出ると、今そこでいっぺん死んできたかのような捨て鉢な気分になった。それでも、誰としても行為自体はそれなりに気持ちいいのだった。仕事なのに本気で感じていたら身体がもたないだろう、と嬉しそうに言う男たちを愚かだと思う以上に、自分の愚かさ加減が笑えた。そうやって自分自身をくり返し罰しながら、同時に、何も知らない母までも罰している気でいた。あの頃はまだ、この体に流れる淫蕩な血が、母譲りのものだと信じて疑わずにいたのだ。

「俺さ」

弘也の声に、再びはっとなる。バックミラーを見上げ、知らないうちに踏みこみすぎていたアクセルを、夏帆はそろりとゆるめた。

「俺、うちの嫁さんとつき合いだした頃に、向こうの実家へ出入りするようになったじゃん。そのとき、生まれて初めて知ったんだよ。家庭っていうのは、こんなに安心できる場所だったのかって。こんなにも互いが根っこのところで許し合ってて、こんなにゆるゆるに寛《くつろ》いでいいところなんだって。里奈が一時期、ちょっとグレそうになった時も俺、厳しく叱ろうとして嫁さんにたしなめられたんだよ。今は受け容れてやりましょう、親が信じて大きく受けとめてやらなかったら、あの子は帰る場所がなくなっちゃうじゃないの、って。親の役目は、何があろうと赦すことだって。あれは、ガツンときたなあ。

鈴森の家は、残念ながらそうじゃなかった。家にいる間じゅう、いつもどっかで気を張ってなくちゃならなかったし、家族なのに見せられないことや言えないことが多すぎた。家族ではあったけど、家庭とは言えなかった。あの雰囲気を作ってたのは、やっぱおふくろだよ。それでもまあ、俺は男だし、早くに家を離れられたけど、そのあと、とくにお前にどれほどのしわ寄せがいったかと思うとさ」

短くなるまで吸った煙草をもみ消すと、弘也は、思いきったように言葉を継いだ。

「あのな、夏帆。こういうことは、普通だったら言うべきじゃないのかもしれないけど、あえて言っとくぞ」

「なに？」

「俺から見ててもさ。おふくろは、お前のこと、ちゃんと愛せてなかったよ」

「……え」

「愛情がなかったとは言わない。でも、まともに愛せてはいなかった。娘っていうより、まるで女どうし張り合わなきゃいけないライバルみたいな感じでさ。お前が成長してからはよけいに、何ていうかこう、若さへのやっかみみたいなものまで混じってた気がする。そういうとこは、ぜんぜん母親じゃなかった。っていうか、ふつうじゃなかった。異常だった。……だからさ。しょうがないよ。お前がおふくろのことを愛してやれなくても、それは、お前だけのせいじゃない。先に受け容れるのを拒んだのは向こうなんだ。お前は、自分を責めなくていいよ」

夏帆は、黙っていた。何か言おうとすると、うっかり泣けてしまいそうだった。結んだ唇の端がひくひくと痙攣するのを懸命に堪え、前を睨む。

「……うん」ようやく言った。「ありがと」

大丈夫か、と弘也が言った。

「運転、俺がしてやるんだったな」


途中で兄を降ろし、その兄を乗せた妹たちの車とも別れ、家に帰り着いた時にはもう暗くなっていた。いつもならこの時間には出かけている大介が、めずらしく家にいて、ドアを開けてくれた。

玄関先で夏帆のかかえている重たい段ボール箱を受け取りながら、

「お疲れさん。どうだった?」

と訊く。

「みんな、喜んでくれてたよ」と、夏帆は言った。「次に会うときは、もう家族かなって。あなたの顔も見たがってた」

ふうん、と答えた声から、安堵と晴れがましさまで感じ取れるくらいには、この男との付き合いも長い。

定職があるのやら無いのやらといった大介との入籍について、それを理由に反対する家族が一人もいなかったことに、夏帆自身もまたほっとしていた。家族というものはどこの家もそれぞれに特殊なものだが、それにしても鈴森の家の者は、人を見る基準が少しばかり変わっているのではないかと思う。

だが、一度目の結婚をまっとうできなかった夏帆にとって、このあとを共に暮らす男に望むのは経済力でもなければ社会的地位でもなかった。ヒトの牝《めす》として、強い牡《おす》のかたわらで安らげるかどうか。毒々しくも哀しい下着で引き出しをいっぱいにしなくても、気持ちの上で女でいさせてくれるかどうか。その部分さえ満たしてもらえるならば、ほかの欠点がたとえ山と積みあがっても、目をつぶっていられる。この世に完全な女などいないのと同じように、完全な男も存在しないのだから。

編集者であり大事な友人でもある麻田美菜子と滝沢一義もまた、夏帆の相談にあっさり賛成してくれた。あまりにもあっさりし過ぎていて拍子抜けするくらいだった。

〈反対する理由が、何も見つからないですよねえ〉

互いに顔を見合わせて、二人は言った。

〈夏帆さんがもういちど夫っていう存在を持つことで、書くに書けないことができてきて小説家として守りに入っちゃうんだったら断固反対しますけど、全然そうじゃないでしょう?〉

〈そうそう、むしろ逆だもんな。夏帆さんにとって大介くんは、創作の美神《ミューズ》みたいなものだから。ちょっとごついミューズだけど〉

思いだし笑いをしていると、

「あれ。なんだこれ」

大介が、リビングまで運んだ段ボール箱を床に下ろしながら言った。

「お父さんのくれた野菜かと思ったら……」

「野菜の箱は、重過ぎてまだ車に積んだままなの。それはね、私の昔の作文とか絵とか。納戸を整理してたら出てきたんだって」

もう、お前らが自分で持っとけ。そう言って、父親が兄妹三人それぞれによこした箱の中身は、夏帆のものがいちばん多かった。秋実と比べても数倍の量だった。

〈やっぱりね。あの頃からあたし、お姉ちゃんばっかヒイキされてると思ってたんだあ〉

この期に及んで子どものように口を尖らせる秋実に、何言ってんのよ、あなたが宿題をまじめにやんなかっただけの話でしょ、と言い返してやりながら、夏帆もまた驚いていた。ざっと眺めただけでも、小学校一年生の絵日記から六年生の書き初め、中学のときの作文や美術の授業で描いた絵、高校の時の小論文や試験の答案などなど、覚えてもいないようなものまでごっそりと入っている。

〈それ、みぃんなお母ちゃんが取っといたんやぞ〉

と言う伊智郎の横で、美紀子は得意そうに胸を張り、

〈あんたら、このお母ちゃんに感謝せなあかんねんで〉

自分で言った。

「へぇ。なかなか巧いもんじゃん」

大介が、縦に長い書き初めをひろげる。

心に太陽を。六年A組、鈴森夏帆。

見るなり、思い出が濁流のように押し寄せてきて夏帆を呑みこんだ。

筆を握る自分の後ろで、字の一画ごとに掛け声をかけてくれた母親。

〈そう、そこでエイッと力入れてぇ、ぐぐぅっと押しこんでぇ、思いきってハネぇ！そうやぁ、うまいぃ！〉

段ボール箱の中を見おろす。そっとかがみこみ、綴《と》じられた絵日記帳の一冊をめくる。

〈きょうは、から書き始めるのは絶対ナシやで。日記やねんから今日のことに決まったぁるがな。そやろ？それと、したことはちょっとだけ書いといたらええねん。そっから感じたことや考えたことをたくさん書くんやで〉

あの頃は、母親に何かひとこと褒めてもらうだけで天にも昇る心地だった。

〈絵を描く時はな、遠くから見た全体をちまちま描いてもつまらへんやろ。絵ぇそのものが小っそうなる。それよりも、あんたの好きな、いちばん心動かされた部分だけを、画用紙からはみ出るくらい思いきりアップにして描いたらええ。大《お》っきい大っきい絵になるわ〉

美紀子自身が、娘にどんな思いを投影していたかは知らない。だがいずれにせよ、今の自分の大部分があの母親によって形作られたことは間違いないのだ。

絵日記帳のマス目に行儀よく並んだ字を、夏帆は指でなぞった。幼いながらに筆圧の強い、意志に満ちた字。

いつか――いつの日か、書けるだろうか。母の呪縛から自由になって、母のことを。母と娘の、そして家族の物語を、恨み節としてではなく正面から書ききることができるだろうか。そんな解放の日が、いつかは自分にも訪れるのだろうか。

「……帆。……夏帆」

何度か呼ばれていたらしい。目をあげると、大介が言った。

「大丈夫？」

「あ、うん」

「さすがに疲れたみたいだね」

「大丈夫。ごめん、なに？」

「お母さんに、無事に着いたって電話しとけば？　でないと、また心配してかけてこられるよ」

それはもう、ないと思う。言いかけて、口をつぐんだ。

かばんから携帯を取り出し、短縮ボタンを押して耳に当てる。電話に出たのは、もちろん父親だった。

〈おう、もう着いたんか。早かったな〉

大勢で押しかけてごめんね、疲れたでしょう、と言うと、伊智郎は笑った。

〈気にせんとけ。疲れたところで、俺らはあとでなんぼでも寝られるんやから。毎日が日曜日や。おっと、ちょっと待ちゃ、お母ちゃんに替わるわ。もっぺん声聞かせたってくれ〉

誰からの電話やて？　なんや、夏帆かいな。

近づいてくる声のあとから受話器を取った美紀子は、開口一番言った。

〈あんた、元気なんか。この親不孝もんの放蕩娘、たまにはちょっとくらい顔見せぇな。親がいつまでも生きてると思いなや！〉

さっき会ったばっかり、というのを呑みこんだかわりに、思わずぷっとふきだしてしまった。

〈アホ、何笑ろてんねん。冗談とちゃうねんで〉

「わかった。行くよ」と、夏帆は言った。「近いうち、大介と一緒にきっと行くから」

〈ほんまか？　そんなん言うたら本気で期待すンで〉

「うん。またお寿司でも持ってくよ」

〈うわ、そんなええことありか。うちなあ、お寿司やったらなんぼでも食べられんねん。あんた、お母ちゃんが好きなもん良う知ってんねんなあ〉

「そりゃあ、母娘《おやこ》ですから」

すました口調で言ってみせた、その瞬間――だし抜けに、涙があふれた。

〈そやな。お母ちゃんの子やもんな〉

耳もとで、美紀子の声が弾む。

〈ああ嬉し。早よおいで。母親ていうもんはな、娘が会いに来てくれるていうだけで命延びるねんで。待ってるからな、一日も早よ来て〉

わかったってば。

〈いま何時や？　今日これからはあかんの？〉

今日はさすがにもう無理だけど、できるだけ早く行くよ。

〈ほんまに来てくれンねんな。約束やで〉

しつこく念を押す母親の声を聞きながら、頬と鼻の下を拭う。拭っても拭っても、涙は次から次へとあふれては落ちる。

何の涙かわからなかった。受話器の向こう、声だけはあの頃と少しも変わらない母親に向かって、ほんま、ほんま、とくり返しながら、夏帆は、わからない涙をてのひらで拭い続けていた。

解　説

島本理生

紛れもなく母と娘の物語である。初めて『放蕩記』を読み終えたときには、私は真《ま》っ直《す》ぐにそんな感想を持った。

母親に対する愛情と恐怖と葛藤、読者からの共感と反発。さまざまなリスクを負いながら母と娘の根源的な問題を晒《さら》すことは、作家にとってどれほど勇気と冷静さを必要とするかを想像し、息を呑《の》み、感動もした。

そして何度目かの再読を終えた今、当初とは異なる印象を抱いている。

「母と娘」を書くことは、無数の矛盾を孕《はら》みながら生きていくしかない女性の業そのものを書くことである、と今さらながら気付かされたのだ。

物語は、主人公・夏帆《なつほ》に対する母・美紀子の悪態から始まる。

遠慮のない物言いは、たしかに過剰で口が悪い。とはいえ干渉したがりのよくいる母親という印象を与える。それに対する夏帆の反応のほうが尖《とが》りすぎていることに違和感を覚える。

そして場面が変わってすぐに、大介はこう言うのだ。

「なんで。お母さん、可愛《かわい》い人じゃない」

「ずいぶんと辛辣《しんらつ》だね」

この大介の感想によって、早くも作者の自覚に気付かされる。

母親の表面的な言動が、まわりには冗談好きで可愛いらしい範疇《はんちゅう》であること。それを客観的に受け止めた上で、長く理解されることのなかった闘いの時間と向き合おうとしていることに。

美紀子は、幼い夏帆に絵日記や作文の書き方を教え、上手くできると
「さすがはお母ちゃんの子や」

と褒め讃《たた》える。その言動はいつしか、夏帆を自分側か夫側かに決めつけて責めるための手段へと変質していく。

果たして、自分が優位に立ちたい母親にとって、異なる人格を持った娘とは完璧に肯定できるものなのだろうか。しかもそこには年々老いていく自分と、これから成熟して魅力的になっていく娘、という対比もつきまとっている。

だから夫の存在が重要なのだ。夫だけが唯一、妻をそれらの呪縛から解き放って、肯定できるのだから。

けれど父・伊智郎《いちろう》には、夏帆が幼稚園に上がる頃から付き合っている小泉という女性

がいた。

この『放蕩記』の一つの肝は、伊智郎の女性関係に耐えきれず、どんどん過剰になっていく美紀子を冷ややかな目で見つめる夏帆の視線だと私は思う。

そのことには一番の親友の香奈恵でさえも共感を示さず、「あたしだったらぜったい母親に味方する」と言い切る。

妹の秋実は要領良く母親の攻撃から逃れ、むしろ伊智郎を悪く言うから、夏帆の心は誰にも受け止められない。

読者の中にも、母親としては問題があるけれど伊智郎のほうが圧倒的に悪い、美紀子が可哀想だ、と感じる人は少なくないだろう。

けれど子供にはそんなことは関係ないのだ。親を理解してあげる義務は、本来、子供にはないのだから。

愛情を享受することで世界や他人を信頼できるようになり、経験不足によって決定的に危ない目に遭わない程度に見守られること。それが子供のただひとつの役目なのだ。美紀子がその安心を与えられているとは、残念ながら言えない。

夏帆はたびたび、自分は冷たいのだろうか、と自問する。温かいか冷たいかだけで言えば、夏帆はたしかに冷たいかもしれない。なぜなら冷たくなければ自分を保てなかったのだから。

もし夏帆が温かい気持ちで、美紀子に理解を示して心を開いていたら。

たぶん美紀子は夏帆に全面的に依存し、孤独やフラストレーションをぶつけて同一化しようとしただろう。そうしたら夏帆の心や人格など、踏み荒らされた庭も同然である。自分を壊そうとするものを無防備に侵入させるわけにはいかない。

だから、冷たくなるしかなかったのだと思う。

幼少期に夏帆が受けた理不尽な仕打ちも胸に迫るけれど、私が真に孤独を感じるのは、女子校時代の夏帆である。

本来なら気兼ねない女同士で気楽に過ごせるはずの時間に、金銭的な引け目を感じて嘘《うそ》や万引きを重ねながら、いつしか異性の役割を演じるようになり、同性同士の恋愛へと奔放に向かっていく。

そこには純粋な喜びや欲望もあるだろう。しかし、なによりもお金持ちの女子校という特殊な場所において、その振る舞いは夏帆なりの生存戦略だったのではないだろうか。まわりの少女たちに自分の状況を悟らせないための。

けれど性や恋愛が絡めばそこには始まりと終わりがかならず訪れる。強い憧れや幻想を抱かれるほど、ありのままの姿を見せることは難しくなり、求められることに応えなくてはならない。多くの異性や同性を惹《ひ》きつける者は、それだけで孤独だ。

とはいえ夏帆は強い。大学へ進学して男性を知ると、今度は本能に正直に、さまざまな男性と関係を持ち始める。

物語のタイトルにもなっている「放蕩」とは、単に身持ちが軽いということではなく、夏帆の本来の生命力の強さ、女性としての業や作家としての天性の探究心をあらわすものなのだ。

作家の仕事は「書く」ことだという印象を持っている人は多い。

実際には、あらゆることを自分の体で受け止めた先にようやく書く作業が待っている。その体感をすべてひっくるめたところまでが、真の作家の仕事だと私は思う。

悲しみも絶望も幸福も、いったんは蛇のように喉を通して無理にでも飲み込まなければ、本当の言葉は出てこない。それを維持していくためには、よほど貪欲でなければ成り立たない。かといって理性が伴わなければ言語化はできない。その危うい綱渡りを、創作するかぎりずっとくり返していくのである。

本書を最後まで読んでから、冒頭の場面に戻ってくると、夏帆がどれほどの嵐を経て今の場所を手に入れたか実感する。

前夫との結婚生活を終えて、新しく手に入れた「大人のごっこ遊び」みたいな大介との生活は、互いのプライベートな領域までは土足ではけっして踏み込まず、大介は夏帆になにかを強制したり強要したりはしない。大人同士の対等な関係が心地良い。

恋愛とはべつのところで、色んなことを打ち明けられる麻田美菜子や滝沢一義という編集者にも支えられている。なにより今の仕事でのポジションは、夏帆自身の努力によって手に入れたものだ。

もしかしたら美紀子にとって、夏帆は強すぎたのかもしれない。

伊智郎曰《いわ》く、性に対して受け身で、上から目線で「落つる」という言葉をやたらと使いたがる美紀子の言動からは、時代や教育のせいもあるだろうが、自分に自信が持ち切れずに弱さを隠して大きく振る舞う女性像が浮かんでくるのだ。

美紀子の教育は過剰で理不尽なものだ。けれど、愛する、とはこういうことだと母親はたしかに信じて娘に与えようとしたのだと思う。秋実よりもずっと多い絵日記や答案がそれを物語っている。

その痛々しいねじれの時間を乗り越えた夏帆が、美紀子に告げる
「そりゃあ、母娘《おやこ》ですから」

という台詞《せりふ》につらくも温かな救いを覚えるのだ。すべてが解決されるわけではないけれど、それでも終わらない苦しみはないのだという実感とともに。


思春期の頃に『天使の卵』や『BAD KIDS』などの初期作品に出会った私は、村山由佳さんといえば痛々しくも瑞々《みずみず》しい青春小説を書かれる作家、というイメージを長く持っていた。

それが突然、『ダブル・ファンタジー』『アダルト・エデュケーション』『放蕩記』と立て続けに発表されて、その素晴らしい変貌に衝撃を受けた。

順風満帆に見えていた作家生活の陰で、変えよう、という明確な意志を持ってこれほ

ど艶《あで》やかに変貌した女性作家は、文学史においても、そうたくさんはいないはずだ。

ここ数年の村山由佳さんは、変化という生半可な表現では追いつかない。ほとんど、変身と言ってもいいくらいだ。小説を通して新しい一面に出会うたびに、一読者としても、同じ女性作家としてもどきどきする。

それこそ夏帆が演じていたように男性的な大胆さと女性的な繊細さを併せ持ち、けれどそのアンビバレンスに引き裂かれることなく、片方に流されることもなく、真ん中の王道を貫く。そのプロとしての精神性こそ、読者を魅了する本質ではないかと思うのだ。

「境界線上」の次回作を、恋のように待ち焦がれている。


（しまもと・りお　作家）

初出　学芸通信社配信により、
「熊本日日新聞」「秋田魁新報」「高知新聞」「中国新聞」
「神戸新聞」「北國新聞」「信濃毎日新聞」の各紙にて、
二〇一〇年二月～二〇一一年十一月に順次掲載。

本書は二〇一一年十一月、集英社より刊行されました。

村山由佳の本

おいしいコーヒーのいれ方　Ⅰ〜Ⅹ

集英社文庫

彼女を守ってあげたい。誰にも渡したくない——。
高校3年になる春、年上のいとこのかれんと同居することになった「僕」。
彼女の秘密を知り、強く惹かれてゆくが……。
切なくピュアなラブ・ストーリー。

おいしいコーヒーのいれ方 Second Season Ⅰ〜Ⅷ

（以下続刊）

鴨川に暮らすかれんとなかなか会えず、悶々とした日々をおくる勝利。
それぞれを想う気持ちは変わらないが、ふたりをとりまく環境が、
大人になるにつれて、少しずつ変化してゆき……。

天使の卵　エンジェルス・エッグ

そのひとの横顔はあまりにも清冽で、凜としていた――。
19歳の予備校生の〝僕〟は、8歳年上の女医にひと目惚れ。
日ごとに想いは募るばかり……。第6回小説すばる新人賞受賞作。

BAD《バッド》 KIDS《キッズ》

同性のチームメイトを激しく思い続ける隆之。
年上の写真家との関係に傷つく都。愛に悩み、性に惑いながらも
ピュアに生きる18歳の等身大の青春像をみずみずしく描き出す。

もう一度デジャ・ヴ

行ったことはない。でも、テレビに映し出された風景は見覚えがある！
その強烈なデジャ・ヴ〈既視感〉に僕は意識を失い、過去へさかのぼる。
運命の人と出会うために……。ファンタジー・ロマン。

野生の風

このサバンナを渡る風のように、自由にあなたを愛せたらいいのに……。アフリカの大草原を舞台に、染織家の飛鳥とカメラマン・一馬の激しい愛と別れを描く、心ゆさぶる物語。

きみのためにできること

凄い音を作りたい。だが、夢までは遠い――。高瀬俊太郎は新米の音声技師。仕事に意欲を燃やすが、恋人がふたり、彼の心に棲み始めた……。真摯な想いが時を駆ける青春小説。

青のフェルマータ

心に傷を負い、言葉を失ってしまった少女、里緒。治療のため訪れた南太平洋の海辺でイルカたちと触れ合い、さまざまな人々と出会ううち、彼女の心は開かれてゆく――。

翼　cry for the moon

幼い頃に受けた仕打ちで凍りついた真冬の心。その愛に閉ざされた心を解き放つのは、ニューヨーク、そして広大なアリゾナの地の人々。一人の女性の魂の再生と自由を描く長編。

海を抱く　BAD KIDS

超高校級サーファーの光秀と優等生の恵理。それぞれに厳しい現実と悩みを抱える2人は身体だけの関係を持つようになり、やがて……。10代のリアルな生と性を描く青春長編小説。

夜明けまで1《ワン》マイル　somebody loves you

バンドとバイトに明け暮れる大学生の「僕」。美人でクールな講師のマリコ先生に恋したけれど、学生と教師、しかもマリコ先生には夫がいる。ひたむきで不器用な青春の恋の行方。

天使の梯子

年上の夏姫に焦がれる大学生の慎一。だが彼女には決して踏み込めないところがあった。大事な人を失って10年。残された夏姫と歩太は立ち直ることができるのか。傷ついた3人が奏でる純愛。

ヘヴンリー・ブルー

8歳年上の姉、春妃が自分のボーイフレンドと恋に落ちた。「嘘つき！　一生恨んでやるから！」口をついて出たとり返しのつかないあの言葉……。夏姫の視点から描かれた「天使の卵」アナザーストーリー。

遥かなる水の音

緋沙子は、若くして亡くなった弟の遺言を叶えるため、モロッコへ旅立つ。同行者は、弟の同居人だったゲイのフランス人と、弟の親友のカップル。4人の想いが交錯し、行き着いた先とは？

集英社文庫

放蕩記《ほうとうき》

2014年11月25日　第1刷
2021年12月12日　第4刷

定価はカバーに表示してあります。

著　者　村山由佳《むらやまゆか》

発行者　徳永　真

発行所　株式会社　集英社
東京都千代田区一ツ橋2-5-10　〒101-8050
電話　【編集部】03-3230-6095
【読者係】03-3230-6080
【販売部】03-3230-6393（書店専用）

印　刷　凸版印刷株式会社

製　本　凸版印刷株式会社

フォーマットデザイン　アリヤマデザインストア　　マークデザイン　居山浩二

ISBN978-4-08-745245-7 C0193